studio [21]

Das Deutschbuch
Deutsch als Fremdsprache

A2.2

von Hermann Funk,
Christina Kuhn und
Britta Winzer-Kiontke

Phonetik:
Beate Lex
sowie Beate Redecker

Cornelsen

studio [21]
Das Deutschbuch A2.2
Deutsch als Fremdsprache

Herausgegeben von Hermann Funk und Christina Kuhn
Im Auftrag des Verlages erarbeitet von
Hermann Funk, Christina Kuhn und Britta Winzer-Kiontke

In Zusammenarbeit mit der Redaktion:
Maria Funk, Dagmar Garve und Laura Nielsen
Gertrud Deutz (Projektleitung)

Phonetik: Beate Lex sowie Beate Redecker

Beratende Mitwirkung:
Andy Bayer (Athen)
Ahn Mi-Ran (Seoul)
Priscilla M. Pessutti Nascimento (Sao Paolo)
Nelli Pasemann (Düsseldorf)
Gertrud Pelzer (Sao Paolo)
Elena Shcherbinina (Moskau)
Ralf Weisser (Prag)
Barbara Ziegler (Stockholm)

Illustrationen: Andrea Naumann, Andreas Terglane:
S. 128, 131, 138, 141, 161, 164, 185 oben, 194, 201 ff.,
211, 213, 219, 226, 228 f., 244 f., 249, 251 f., 254, 258 ff.

Umschlaggestaltung, Layout und technische Umsetzung: Klein & Halm Grafikdesign, Berlin

Informationen zum Lehrwerksverbund **studio [21]** finden Sie unter www.cornelsen.de/studio21.
Basierend auf **studio d A2** von Hermann Funk, Christina Kuhn, Silke Demme

www.cornelsen.de

2. Auflage, 1. Druck 2018

Alle Drucke dieser Auflage sind inhaltlich unverändert
und können im Unterricht nebeneinander verwendet werden.

© 2015 Cornelsen Schulverlage GmbH, Berlin
© 2018 Cornelsen Verlag GmbH, Berlin

Druck: H. Heenemann, Berlin

ISBN 978-3-06-520590-0
ISBN 978-3-06-024776-9 (E-Book)

Symbole

))@) Hörverstehensübung

((◄▌ Ausspracheübung

|◄|◄| Übung zur Automatisierung

🔍 Fokus auf Form,
Verweis auf die Grammatik-
übersicht im Anhang

★★★
★ **2** Portfoliotext

2 Zielaufgabe

Zusatzmaterialien im E-Book

ABC▤ Lernwortschatz

▤ zusätzliche interaktive
Übungen zum Wortschatz

▤ zusätzliche interaktive
Übungen zur Grammatik

▤ Videoclips – Sprechtraining

Vorwort

Liebe Deutschlernende, liebe Deutschlehrende,

studio [21] – Das Deutschbuch richtet sich an Erwachsene ohne Deutsch-Vorkenntnisse, die im In- und Ausland Deutsch lernen. Es ist in drei Gesamtbänden bzw. in sechs Teilbänden erhältlich und führt zur Niveaustufe B1 des Gemeinsamen europäischen Referenzrahmens. **studio [21]** bietet ein umfassendes digitales Lehr- und Lernangebot, das im Kurs, unterwegs und zu Hause genutzt werden kann.

studio [21] – Das Deutschbuch A2.2 mit integriertem Übungsteil und eingelegtem E-Book enthält sechs Einheiten und zwei Stationen. Jede Einheit besteht aus acht Seiten für gemeinsames Lernen im Kursraum und acht Seiten Übungen zum Wiederholen und Festigen.

Jede Einheit beginnt mit einer emotional ansprechenden, großzügig bebilderten Doppelseite, die vielfältige Einblicke in den Alltag in D-A-CH vermittelt und zum themen-bezogenen Sprechen anregt. Die Redemittel und die Wort-Bild-Leisten helfen dabei. Im E-Book können die Bilder in den Wort-Bild-Leisten vergrößert werden und die dazugehörigen Wörter sind vertont. Darüber hinaus kann der Lernwort-schatz einer jeden Doppelseite angesehen werden.

Im Mittelpunkt der nächsten drei Doppelseiten stehen aktives Sprachhandeln und flüssiges Sprechen. In trans-parenten Lernsequenzen werden alle Fertigkeiten in sinn-vollen Kontexten geübt, Grammatik in wohlüberlegten Portionen vermittelt, Phonetik und Aussprache integriert geübt sowie Wörter in Wortverbindungen gelernt. Zielaufgaben führen inhaltliche und sprachliche Aspekte einer Einheit jeweils zusammen.

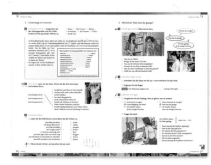

Die Übungen eignen sich für das Weiterlernen zu Hause. Auf der letzten Seite jeder Einheit kann der Lernfortschritt selbstständig überprüft werden. Das E-Book enthält alle Übungen auch als interaktive Variante. Es bietet zusätzliche Videoclips zum Sprechtraining sowie interaktive Übungen zu Wortschatz und Grammatik.

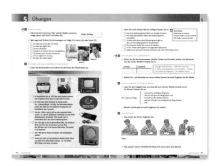

Nach jeder dritten Einheit folgt eine optionale Station, in der das Gelernte wiederholt und erweitert wird. Hier werden Menschen mit interessanten Berufen vorgestellt und Übungen zum Video an-geboten. Die beiden Magazinseiten mit anregenden Texten und Bildern laden zum Verweilen und Nachdenken ein.

Wir wünschen Ihnen viel Spaß und Erfolg beim Deutschlernen und Deutschunterricht mit **studio [21] – Das Deutschbuch!**

Inhalt

Wortfelder	Grammatik	Aussprache	
Vorstellung Absagen	Wiederholung Grammatik A1		
internationale Wörter Tatsachen und Gründe Vergleiche	Nebensätze mit *weil* Komparativ Superlativ	deutsche Wörter erkennen Wortakzent in internationalen Wörtern	
Familie Bildbeschreibung Personenbeschreibung seine Meinung sagen	Possessivartikel im Dativ Adjektive im Dativ Nebensätze mit *dass* Genitiv-*s*	Konsonanten: [b], [v], [m]	
Reiseplanung Verkehr	Modalverb *sollen* Gegensätze: Hauptsätze mit *aber* verbinden Alternativen ausdrücken mit *oder*	s-Laute: [z], [s], [ts]	

Wörter – Spiele – Training; Filmstation; Magazin

Spo...	Reflexivpronomen Zeitadverbien: *zuerst, dann,* *danach* Verben mit Präpositionen Indefinita: *niemand, wenige,* *viele, alle*	Aussprache emotional markieren	

Computer und Internet
Handys und
    Nachrichten
Reklamation
	Fragen mit *ob*
	in...... ....on mit Fragewort
	Adjekt.. .....tikel im
	    Nominat.. ....sativ
		Aussprache *h*	

Ausgehen Gastronomie Kennenlernen	Personalpronomen im Dativ Relativsatz Relativpronomen im Nominativ und Akkusativ	...ussprache von ...sonanten- ...en	

Teilband A2.1
Teilband A2.1
Teilband A2.1

Wörter – Spiele – Training; Filmstation; Magazin

Wortfelder	Grammatik	Aussprache	
Landleben Wohnungssuche im Internet Umzug Erste Hilfe	Modalverben im Präteritum Vergleiche mit *so/ebenso/* *genauso ... wie* und *als*	der „sch"-Laut	

Kultur
Beziehungen
	Zeitadverbien: *früher / heute*
	Verben im Präteritum: *er lebte,*
	  ich arbeitete, es gab
	Perfekt und Präteritum -
	  gesprochene und
	  geschriebene Sprache
	Nebensätze mit *als*
		Theaterintonation	

Ausbildung,
  Umschulung
Arbeit
Lebenslauf
	Gründe nennen mit *weil* und
	  denn
	das Verb *werden*
	Nominalisierungen:
	  wohnen - die Wohnung,
	  lesen - das Lesen
	Höfliche Bitten mit *hätte,*
	  könnte
		„Zwielaute":
		  z. B.: *ei, eu, au*

Wörter – Spiele – Training; Filmstation; Magazin

Wortfelder	Grammatik	Aussprache	

Feste
Weihnachten
Ostern
	Präpositionen mit Dativ
	Verben mit Dativ
	Verben mit Dativ- und
	  Akkusativergänzung
	Bedingungen und Folgen:
	  Nebensätze mit *wenn*
		Konsonanten üben:
		  „scharf flüstern"

Emotionen
Film
	Indefinita: *alle, viele, wenige,*
	  einige, manche
	Präpositionen mit Dativ- oder
	  Akkusativergänzungen
	Verben mit Akkusativ / Verben
	  mit Dativ: *legen/liegen*
	Texte lesen: Genitiv verstehen
	Relativsätze: *in, mit* + Dativ
		emotionale Intonation
		Laute dehnen

Produkte und
  Erfindungen
Schokolade
Produktion
Werbesprache
	Nominalisierung
	Nebensätze mit *um ... zu / damit*
	Vorgänge beschreiben:
	  Passiv mit *werden/wurden*
		Textgliederung	

Wörter – Spiele – Training; Filmstation; Magazin; Fragen-Ralley

Phonetik; Hörtexte; alphabetische Wörterliste

7 Vom Land in die Stadt

Hier lernen Sie

▷ über das Stadt- und Landleben sprechen
▷ Wohnungsanzeigen lesen und verstehen
▷ einen Umzug planen
▷ über Unfälle im Haushalt berichten

1 Stadtleben oder Landluft?

1 **In der Stadt oder auf dem Land? Ordnen Sie die Wörter aus dem Schüttelkasten zu und**
Ü1 **vergleichen Sie. Die Fotos und die Wort-Bild-Leiste helfen.**

Stadt	Land	beides
die U-Bahn	der Traktor	

die Tiere – die Kuh – die Katze – die Fußgängerzone – die
Natur – der Waldweg – das Hochhaus – der Verkehrsstau –
die U-Bahn – die Luftverschmutzung – hohe Mieten –
Radfahren – der Traktor – im Garten grillen – ...

> In der Stadt gibt es Verkehrsstaus.

> Auf dem Land können Kinder draußen spielen.

> ... kann man in der Stadt und auf dem Land.

einen Traktor fahren

im Garten arbeiten

Tiere füttern

draußen spielen

2 Lieber Stadt als Land. Ergebnisse aus einer aktuellen Studie

Ü2

a) **Lesen Sie den Bericht und sammeln Sie sieben Gründe für einen Umzug in die Stadt.**

Deutsche Großstädter lieben das Stadtleben

Das Institut „Megafors" hat über 1000 Personen für eine Studie befragt. Das Ergebnis war eindeutig: Mehr als 80 % der Bewohner von Städten mit mehr als 100.000 Einwohnern sind sehr zufrieden mit ihrem Wohnort. Sie sind
5 2014 sogar viel zufriedener als noch 2010 (65 %).

Gute Angebote in der Stadt
Ein ruhiges Leben auf dem Land? Nein! Die Großstädter in Deutschland mögen die zahlreichen, interessanten Freizeitmöglichkeiten und besonders die kurzen Wege zum
10 Einkaufen, zum Arzt oder zur Arbeit. 75 % sagen, dass eine Großstadt mehr Einkaufsmöglichkeiten als eine Kleinstadt oder das Land bietet. Das große Kunst-, Kultur- und Sportangebot ist für 71 % ein Pluspunkt und für immer mehr junge Leute ein wichtiger Grund für einen Umzug in
15 die großen Städte.

Arbeit zieht Menschen in die großen Städte
Auf dem Land ist es oft schwierig, eine Arbeitsstelle zu finden. Berufliche Gründe sind es vor allem, warum Menschen aus einer Kleinstadt oder vom Land in eine Großstadt ziehen. So ziehen 2012/2013 genauso viele Menschen für 20 einen neuen Job in die Stadt wie für eine Ausbildung oder ein Studium (34 %). 19 % wollten mit dem Umzug den Weg zur Arbeit verkürzen. In den letzten Jahren ziehen auch viele Familien mit Kindern in die Stadt, weil sie auf dem Land keinen Platz im Kindergarten finden konnten. Mehr 25 Kindergärten sind für die meisten fast ebenso wichtig wie Schulen, die nahe am Wohnort liegen. Circa 30 % hatten keinen konkreten Grund für den Umzug. Sie wollten insgesamt lieber in der Großstadt leben als auf dem Land oder in einer Kleinstadt. 30

b) **Und Sie? Wo wohnen Sie lieber? Auf dem Land oder in der Stadt? Fragen und antworten Sie. Begründen Sie Ihre Meinung.**

ABC

eine Ausstellung besuchen

bummeln gehen

im Stau stehen

sich im Park treffen

2 Vom Land in die Stadt

1 Früher Tannhausen, heute Stuttgart. Frank Eisler und Jessica Schmidt sind umgezogen

2.02 Ü3

a) Hören Sie das Interview mit Frank und Jessica. Welche Vor- und Nachteile zum Leben auf dem Land und in der Stadt nennen sie? Kreuzen Sie an.

	Vorteile	**Nachteile**
Land	☐ billige Mieten ☐ mehr Platz für Kinder ☐ Natur	☐ lange Fahrt zur Arbeit ☐ weniger Kulturangebote ☐ schlechte Busverbindungen
Stadt	☐ S- und U-Bahn ☐ viele Geschäfte ☐ gutes Kulturprogramm	☐ Lärm ☐ höhere Mieten ☐ unbekannte Nachbarn

Jessica Schmidt (29),
Frank Eisler (32)

b) Hören Sie noch einmal. Frank (F) oder Jessica (J), wer stimmt den Aussagen zu?

1. ☐ Im Mietshaus in der Stadt kennt man oft seine Nachbarn nicht.
2. ☐ Es gibt in der Großstadt viele kulturelle Angebote. Man kann sich kaum entscheiden.
3. ☐ In der Stadt braucht man eigentlich kein Auto, weil es Busse und Bahnen gibt.
4. ☐ Das Landleben ist teuer, weil man oft mit dem Auto fahren muss und der Benzinpreis steigt.
5. ☐ Auf dem Land gibt es mehr Möglichkeiten zur Freizeitgestaltung in der Natur als in der Stadt.

Ü4 **2** „Sch"-Laut

2.03 **a) Lesen Sie auf Seite 267 und sprechen Sie nach. Machen Sie die Lippen rund.**

2.04 **b) Hören Sie den Dialog. Achten Sie auf die „sch"-Laute.**

3 Pro Stadt oder pro Land?

Ü5

a) Lesen und entscheiden Sie, wer pro Stadt (S) / pro Land (L) oder neutral (N) argumentiert.

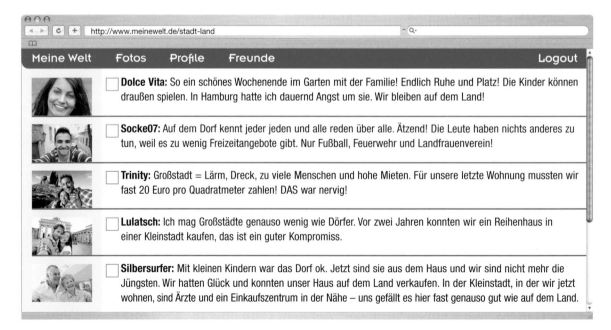

b) Sammeln Sie in den Beiträgen die Vor- und Nachteile vom Stadt- und Landleben.

4 Modalverben im Präteritum: *konnten/mussten/wollten/durften*

33 Ü6

a) **Markieren Sie die Modalverben im Präteritum auf Seite 127/128.**

b) **Lesen Sie die Beispiele und ergänzen Sie die Tabelle.**

💬 Weißt du noch? In der Wohnung in der Stadt durftest du keinen Hund haben.
🗨 Stimmt. Wir durften keine Tiere halten, das war verboten.

> **Minimemo**
> **Modalverben im Präteritum:**
> ohne Umlaut –
> aber immer ein *t*:
> wir konnten / ihr
> musstet / sie durften

Grammatik		müssen	dürfen	können	wollen
	ich	*musste*			*wollte*
	du		*durftest*		
	er/sie/es/man				

5 Vergleiche mit *so/ebenso/genauso ... wie* und *als*

32 Ü7

a) **Lesen Sie das Beispiel und ergänzen Sie die Regel.**

Uns gefällt es in der Stadt genauso gut wie auf dem Land.
Auf dem Land lebt man ruhiger als in der Stadt.

> **Regel** *wie* oder *als*:
>
> *genauso* + Adjektiv (Grundform) + ...; Komparativ + ...

b) **Sammeln Sie Sätze mit Vergleichen auf Seite 127/128 und kontrollieren Sie die Regel.**

6 Und bei Ihnen? **Ergänzen und sortieren Sie Vor- und Nachteile für das Stadt- oder Landleben wie in 1 a). Vergleichen Sie im Kurs.**

> **Redemittel**
> **Vor- und Nachteile nennen**
> Ich lebe lieber ... als ...
> Ich finde es schöner auf dem Land / in der Stadt, weil ...
> Ich lebe auf dem Land genauso gern wie in der Stadt.
> Ich lebe auf dem Land / in der Stadt genauso gern wie ...
> Ein Vorteil/Nachteil ist, dass ...
> Bei uns gibt es auf dem Land / in der Stadt (kein-) ... Das ist ein Vorteil/Nachteil.
> Für mich ist es (un)wichtig, dass ...

> *Ich lebe lieber in der Stadt. Auf dem Land gibt es zu wenig Kulturangebote.*

> *Bei uns ist der Unterschied zwischen Stadt und Land viel größer als in Deutschland.*

7 Mit der Familie aufs Land ziehen oder in der Stadt bleiben? Eine Diskussion führen.
Bilden Sie eine Stadt- und eine Landgruppe. Tauschen Sie Argumente aus. Wer kann die andere Gruppe überzeugen?

ABC

3 Auf Wohnungssuche in Stuttgart

1 Wohnungsanzeigen in Zeitungen lesen.

Ü9 **Beantworten Sie die Fragen.**

1. Wie groß ist die größte Wohnung?
2. Wie teuer ist die billigste Wohnung?
3. Welche Wohnung liegt in der Nähe vom Hauptbahnhof?
4. Welche Wohnung hat einen Balkon?
5. Zu welcher Wohnung gehört eine Terrasse?

Internettipp
www.immonet.de
www.immmo.at
www.immoscout24.ch

Abkürzungen

Whg.	Wohnung
1 Zi.	1 Zimmer
AB	Altbau
NB	Neubau
EG	Erdgeschoss
DG	Dachgeschoss
3 ZKB	3 Zimmer und Küche, Bad
KT	Kaution
BLK	Balkon
Wfl.	Wohnfläche
NK	Nebenkosten
Hbf.	Hauptbahnhof
m^2	Quadratmeter

Wohnungen Stuttart

Stuttgart/Feuerbach, schöne AB-Whg. Wfl. 70 m^2. 3 ZKB, Terrasse, Keller, ca. 5 Min. zur S-Bahn. Kaltmiete: Euro 820,– + NK, KT: Euro 820,–. Frisch Immobilien, Goetheplatz 4, 70374 Bad Cannstatt, **Tel. 0711-30 22 566**   **a**

Stuttgart/Mitte, 2-Zi.-Whg, NB, 65,50 m^2, 877,5 € Miete + 235 Euro NK, KT: 1 Monatsmiete, Dewald Immobilien Stuttgart, ☎ **0711/34 35 33**   **c**

Stuttgart/Möhringen, 2 Zi., Wfl. 45 m^2, Miete: 460,– Euro, Garage, BLK, ideal für Flughafenpersonal, Infos unter ☎ **0711/8 88 55**   **b**

Stuttgart, 1-Zi.-EG-Whg., möbliert, Euro 365 (plus NK 60,00), Wfl. ca. 20 m^2, ruhige, zentrale Lage, Keller u. Stellplatz, 10 Min. zum Hbf. Rufen Sie uns an: **Tel. 0711/67 48 43**   **d**

2 Informationen erfragen und eine Wohnungsbesichtigung vereinbaren

2.05   Ü10

a) **Hören Sie das Telefongespräch. Zu welcher Anzeige aus 1 passt es?**

b) **Hören Sie das Gespräch noch einmal und sammeln Sie Informationen.**

Lage: Erdgeschoss
NK:

c) **Hören Sie noch einmal. Welche Redemittel hören Sie? Markieren Sie im Redemittelkasten.**

Redemittel

nach Informationen zu einer Wohnung fragen

Ich interessiere mich für … in der Anzeige …
Wie viele Quadratmeter/Zimmer hat …?
Wo liegt die Wohnung / das Haus? Liegt … zentral?
Wie hoch ist die Miete? / sind die Nebenkosten?
Muss man eine Kaution bezahlen? / Hat die Wohnung eine/einen …?
Wann kann ich mir die Wohnung ansehen / das Haus besichtigen?

3 Partnerspiel: Nach einer Wohnung fragen. **Sie sind Spieler/in 1. Ihre Partnerin / Ihr Partner arbeitet mit der Seite 246. Fragen Sie nach Wohnung a) und benutzen Sie die Redemittel. Beantworten Sie dann die Fragen von Spieler/in 2 zu Wohnung b).**

Ruhige, sonnige Whg. im Zentrum Stuttgarts zu vermieten. Tel.: 73 55 91   **a**

2 ZKB, ab 01.05. frei, 62 m^2 Euro 520 + 75 NK + 1 Monatsmiete KT, kein BLK, im Zentrum, Nähe Hbf. Besichtigung So. zw. 9 und 11 Uhr   **b**

Guten Tag. Ich habe Ihre Anzeige gelesen. Ist die Wohnung noch frei?

4 Der Umzug

1 Die Checkliste für den Umzug

 a) Dagmar und Jens planen ihren Umzug.
2.06
Ü11 Was haben die beiden schon gemacht?
Hören Sie und kreuzen Sie auf der Checkliste an.

b) Berichten Sie. Was haben Dagmar und Jens gemacht und was müssen sie noch erledigen?

> *Dagmar und Jens haben schon einen Lkw gemietet.*

> *Aber sie müssen noch …*

Umzugscheckliste

Kinder
Babysitter für den Umzugstag organisieren ☐

Umzugskartons besorgen ☐

Lkw mieten ☐

Freunde um Hilfe bitten ☐

Packen
- Sachen sortieren ☐
- Hausrat einpacken ☐
- Kartons beschriften (Inhalt/Zimmer) ☐

Extrakartons packen für
- Babybedarf ☐
- Verpflegung und Getränke für die Helfer ☐
- Waschzeug ☐
- wichtige Medikamente ☐

Parkplatz ☐
vor dem alten und vor dem neuen Haus reservieren

2 Chaos am Umzugstag
Ü12–13

a) Was müssen Sie tun? Ordnen Sie zu.

 Sie haben sich am **1**
Kopf gestoßen.

 Ihr Kollege hat sich **2**
das Bein gebrochen.

 Ein Freund hat **3**
sich geschnitten.

 Ein Kind hat sich an **4**
der Hand verbrannt.

a Sie rufen
den Notarzt.

b Sie halten die Hand
unter kaltes Wasser.

c Sie kühlen die Stelle
mit Eis.

d Sie reinigen die Wunde und
kleben ein Pflaster auf die Stelle.

b) Der Unfall. Bringen Sie die Fotos in die richtige Reihenfolge. Berichten Sie.

1. ☐
2. ☐
3. ☐

ABC

2.07 **c) Wer sagt was? Ordnen Sie zu. Kontrollieren Sie dann mit der CD.**

Dagmar Jens

1. Ich habe gerade Bücher eingeräumt. ☐ ☐
2. Ich wollte unser Geschirr auspacken. ☐ ☐
3. Ich habe nicht aufgepasst und da habe ich mich geschnitten. ☐ ☐
4. Wir mussten die Wunde reinigen. ☐ ☐
5. Und wir hatten sogar Pflaster und Salbe in der Hausapotheke. ☐ ☐

3 Die Hausapotheke.
Was haben Sie auch zu Hause?
Kreuzen Sie an.

☐ das Pflaster ———

——— der Verband ☐

——— die Salbe ☐

☐ das Nasenspray ———

——— die Tabletten ☐
——— die Schere ☐

——— die Tropfen ☐

die Hausapotheke

★★★
★**4**★ Mein letzter Umzug. **Schreiben Sie einen Ich-Text.**

Mein letzter Umzug war … / Ich bin von … nach … gezogen.
Ich habe mich / … hat/haben sich gestoßen/geschnitten/verbrannt/verletzt.
Glücklicherweise ist nichts passiert. Wir haben die Wunde gereinigt /
unter Wasser gehalten / ein Pflaster aufgeklebt / den Notarzt gerufen.

112
Der Notruf:
Gebührenfrei.
Europaweit.
Für Feuerwehr und Rettungsdienst.

5 Endlich wieder in den eigenen vier Wänden.

 2.08 Ü14 **a) Hören Sie das Lied. Was ist dem Sänger wichtig? Markieren Sie.**

Vier Wände

Vier Wände
Meine vier Wände
Ich brauch meine vier Wände für mich
Die mich schützen vor Regen und Wind
5 Wo ich nur sein muss, wie ich wirklich bin

Vier Wände …
Eine Wand für mein Klavier
Eine Wand für ein Bild von dir
Eine Wand für eine Tür
10 Sonst kommst du ja nicht zu mir

Vier Wände …
Eine Wand für ein Bett nicht zu klein
Eine Wand für den Tisch mit dem Wein
Eine Wand für den Sonnenschein
15 Denn bei mir soll's nicht dunkel sein

Vier Wände
Meine vier Wände
Ich brauch meine vier Wände für mich
…

Rio Reiser

Rio Reiser,
1950 – 1996

b) Was ist richtig?
Kreuzen Sie an.

Rio Reiser ☐ mag keine dunkle Wohnung.
☐ macht Musik.
☐ malt Bilder.
☐ trinkt keinen Wein.

c) Beschreiben Sie
Ihre eigenen vier Wände.

5 Die Dorfrocker

1 Eine Band vom Land

Ü15

a) **Beschreiben Sie das Foto. Wer sind die drei? Woher kommen sie? Was machen sie?**

b) **Lesen Sie den Artikel über die Band. Formulieren Sie Aussagen. Die Satzanfänge helfen.**

Die Brüder ... / Im Fernsehen ... / Die Dorfrocker ... / Die Konzert-Besucher ...

Die Dorfrocker

2005 haben die Brüder Markus, Tobias und Philipp Thomann die Gruppe „Dorfrocker" gegründet.

Sie machen Partyschlager mit einer Mischung aus 5 Rock- und Volksmusik. Die Dorfrocker treten in Volksmusiksendungen im Fernsehen auf und geben eigene Konzerte, die oft sehr schnell ausverkauft sind. Die drei Brüder kommen vom Land, aus Kirchaich bei Bamberg (Bayern). Den Dialekt von 10 dort hört man oft auch in den Songs der Dorfrocker. In **„Dorfkind"** singen sie über das Leben auf dem Land. Das Album **„Dorfkind und stolz drauf"** war 2014 auf Platz 12 der deutschen Album-Charts, und den Refrain singen alle Konzert-Besucher 15 immer lautstark mit.

17

2 „Dorfkind"

2.09

a) **Hören Sie das Lied und singen Sie den Refrain mit. Was fällt Ihnen an der Sprache im Refrain auf? Wo fehlen Buchstaben? Wo stehen Buchstaben für ein Wort?**

b) **Dialekt verstehen. Markieren Sie Wörter im Liedtext im Dialekt. Ordnen Sie die hochdeutschen Bedeutungen zu.**

/ ein
Refrain: Ich bin a Dorfkind und darauf bin i stolz,
denn wir Dorfkinder sin' aus gutem Holz.
Ich bin a Dorfkind was kann's Schönres geb'n
Als aufm Land zu leb'n.

5 Bei uns is alles viel gelassner, einfach cool,
so wie die Oma vor ihr'm Häusla aufm Stuhl.
Wir feiern Feste wie sie fall'n und dann aa g'scheit
Und nach am' Bier gibt's amal a weng an Streit.
Doch wenn's drauf ankommt halt mer immer zamm
10 Des und viel mehr g'fällt mir halt aufm Land

Refrain: Ich bin a Dorfkind und darauf bin i stolz, ...

ich – ein – wir – das – auch – wenig – sind – Häuslein –
einem – auch mal – gescheit – zusammen – gefällt – ist

c) **Was finden die Dorfrocker positiv am Landleben? Sammeln Sie im Liedtext.**

d) **Landleben bei Ihnen? Stimmen Sie den Dorfrockern zu? Warum (nicht)?**

ABC

1 Stadt oder Land?

2.02

a) Hören Sie einen Teil aus einem Bewerbungsgespräch. Zu welchen Punkten sagt Ansgar Klein etwas? Kreuzen Sie an.

1. ☐ zum Landleben
2. ☐ zu seiner Wohnung
3. ☐ zum Verkehr in der Stadt
4. ☐ zur Luftverschmutzung in der Stadt
5. ☐ zu seinen Freizeitaktivitäten
6. ☐ zu seiner Familie
7. ☐ zu den Arbeitszeiten
8. ☐ zu seiner alten Firma

Ansgar Klein im Bewerbungsgespräch

b) Hören Sie noch einmal. Welche Aussagen sind richtig? Kreuzen Sie an und korrigieren Sie die falschen Aussagen.

1. ☐ Herr Klein lebt auf dem Land.
2. ☐ Er möchte in der neuen Firma arbeiten, aber nicht aufs Land ziehen.
3. ☐ Er mag das Landleben, weil er als Kind viel bei der Oma auf dem Land war.
4. ☐ Herr Klein hat keine Familie.
5. ☐ Er will, dass seine Kinder draußen spielen können und die Natur erleben.
6. ☐ Er hat kein Auto und er möchte auch kein Auto fahren.
7. ☐ Für ihn sind 70 Kilometer zur Arbeit kein Problem.

Herr Klein lebt in Hamburg.

c) Und Sie? Was ist für Sie „typisch" Stadt? Schreiben Sie mindestens fünf Wörter oder Wortverbindungen.

2 Deutsche Großstädter lieben das Stadtleben

a) Lesen Sie noch einmal den Bericht auf Seite 127. Suchen Sie die folgenden Wortanfänge und ergänzen Sie sie.

1. der Groß*städter* ....
2. das Stadt........................
3. die Freizeit........................
4. die Einkaufs........................
5. die Klein........................

6. das Sport........................
7. der Plus........................
8. die Arbeits........................
9. der Kinder........................
10. der Wohn........................

b) Ordnen Sie ein passendes Wort aus a) zu.

a ☐ ... ist in Deutschland eine Stadt mit weniger als 20.000 Einwohnern.
b ☐ ... ist ein Mensch, der in einer Großstadt lebt.
c ☐ ... ist ein Vorteil bzw. eine positive Sache.
d ☐ Dort spielen und lernen Kinder gemeinsam im Alter von ein bis sechs Jahren.
e ☐ Ein Volleyballverein, Skiclub oder ein Fitness-Studio ist ein ...
f ☐ Ein Supermarkt bietet gute ...

c) Schreiben Sie das Gegenteil wie im Beispiel. Der Bericht auf Seite 127 hilft.

1. unzufrieden *zufrieden* ....
2. schlecht ....
3. laut ....
4. wenige ....
5. uninteressant ....

6. lang ....
7. klein ....
8. alt ....
9. leicht ....
10. unwichtig ....

d) Ergänzen Sie den Satz mit Hilfe der Informationen aus dem Bericht auf Seite 127.

1. Viele Großstädter ....

2. Besonders wichtig sind den Großstädtern ....

3. Für 71 % ....

4. Das sind drei Gründe für einen Umzug in die Stadt: ....

5. Kindergärten ....

3 Tannhausen oder Stuttgart? **Sammeln Sie Informationen zu Einwohnern, Lage, Verkehr und Kultur aus der Internetseite in einer Tabelle.**

http://www.badenwuerttemberg_aufeinenBlick.de

Unser Land   Regierung   BW gestalten   Service

STUTTGART

Lage: Stuttgart liegt in Süddeutschland und ist die Landeshauptstadt von Baden-Württemberg.

Stuttgart in Zahlen: Stuttgart ist die sechstgrößte Stadt in Deutschland und hat fast 600.000 Einwohner.

Verkehr: In Stuttgart kann man mit Auto, Bahn, Zug, Flugzeug und sogar mit dem Schiff anreisen. Die Stadt ist ein Verkehrsknotenpunkt.

Kulturangebote: In Stuttgart gibt es Theater, Oper, Ballett, Musicals und viele Museen (z.B. das Mercedes-Benz Museum). Wer Musik liebt, ist in Stuttgart richtig. Dort gibt es das Staatsorchester Stuttgart (400 Jahre Tradition!), viele Chöre und Musikvereine.

TANNHAUSEN

Lage: Tannhausen ist ein kleines Dorf im Bundesland Baden-Württemberg. Es ist etwa 100 Kilometer von Stuttgart entfernt, an der Grenze zu Bayern.

Tannhausen in Zahlen: Das Dorf hat nur 1.822 Einwohner, aber viele Vereine, z.B. den Musikverein oder Schachclubs.

Verkehr: Tannhausen liegt nicht an der Autobahn und hat auch keinen Bahnhof. Reisen Sie mit PKW oder Bus an.

Kulturangebote: Besuchen Sie die alte Kirche oder gehen Sie wandern oder Radfahren in der schönen Natur!

((**4** *Sch*-Laut. **Hören Sie und sprechen Sie nach.**

2.03

die Stadt – der Stau – stehen – die Straße – schön – der Stift – das Schiff

5 Meinungen zum Stadt- bzw. Landleben

a) **Welche Person passt? Lesen noch einmal die Beiträge auf Seite 128 und ergänzen Sie die Namen.**

1. .... musste (zu) viel Geld für die Wohnung zahlen.

2. .... konnte einen Kompromiss zwischen Stadt und Land finden.

3. .... wollte keine Angst mehr um die Kinder haben.

4. .... hatte Glück und konnte das Haus auf dem Land verkaufen.

5. .... findet das Landleben ätzend.

6. .... findet große Städte laut, dreckig und teuer.

b) **Pro Stadt oder pro Land? Schreiben Sie einen eigenen kurzen Beitrag.**

● ● ●					
◄ ►	C	+	http://www.meinewelt.de/stadt-land	^ Q-	

Meine Welt	Fotos	Profile	Freunde	Logout

6 Erinnerungen – Was mussten, wollten, konnten und durften Sie (nicht)? **Kombinieren Sie. Schreiben Sie zehn Sätze. Lesen Sie die Sätze dann laut und schnell.**

Mit drei Jahren musste ich in den Kindergarten gehen.
Mit vier Jahren konnte ich noch nicht Fahrrad fahren, aber mit sechs Jahren.

Ich	durfte konnte musste wollte	bei meiner Oma in der alten Wohnung auf dem Land als Kind im Mietshaus in der Stadt im Garten mit meinen Freunden mit der Familie im Sommer/Herbst	(nicht)	lesen / Fahrrad fahren / Ski fahren / in die Disko gehen / in die Schule gehen / spielen / arbeiten / Traktor fahren / Tiere füttern / ein Haustier haben / allein einkaufen / ...

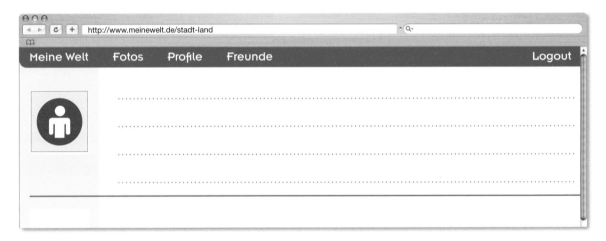

7 Vergleiche

a) Stimmt das? Kreuzen Sie an. Vergleichen Sie mit den Aussagen in den Beiträgen auf Seite 127/128.

	richtig	falsch
1. In der Stadt sind die Einkaufsmöglichkeiten besser als auf dem Dorf.	☐	☐
2. Auf dem Land bezahlt man genauso hohe Mieten wie in der Stadt.	☐	☐
3. In der Stadt gibt es mehr Arbeitsstellen als auf dem Land.	☐	☐
4. In der Stadt ist es ebenso ruhig wie auf dem Land.	☐	☐
5. Im Dorf leben die Menschen anonymer als in der Stadt.	☐	☐

b) Markieren Sie in den Sätzen in a) die Vergleiche.

c) *Als* oder *wie*? Ergänzen Sie und beantworten Sie dann die Frage.

1. Was ist genauso groß .... eine Giraffe?

2. Was ist lauter .... ein Flugzeug?

3. Welche Stadt ist größer .... Berlin?

4. Welches Tier ist ebenso intelligent .... ein Hund?

5. Welches Land hat weniger .... sechs Millionen Einwohner?

> *1. Unser Baum im Garten ist genauso groß wie eine Giraffe.*

8 Lerneraufsatz zum Thema „Ich lebe lieber auf dem Land"

a) Streichen Sie das nicht-passende Modalverb.

Ich komme eigentlich aus Genua. Weil mein Vater aber eine neue Arbeitsstelle in einem kleinen Dorf hatte, musste/durfte¹ die ganze Familie umziehen. Moneglia ist ein kleiner italienischer Ort in der Nähe von Genua (55 Kilometer). Das Dorf hat 2900 Einwohner, liegt am Meer, und es gibt auch viele Berge. Ich war neun Jahre alt und durfte/wollte² nicht in einem langweiligen Dorf wohnen! Aber dort durfte/musste³ ich den ganzen Tag draußen spielen und ich musste/konnte⁴ auch endlich einen Hund haben! Das war toll! Und ich konnte/musste⁵ schnell viele neue Freunde finden. Also war alles gut. Jetzt lebe ich seit 9 Jahren in „meinem Dorf". Ich finde es besser auf dem Land als in der Stadt – die Ruhe und die Natur sind schön. Ein Vorteil ist auch, dass jeder jeden kennt. Wir feiern zusammen und wir helfen uns auch im Dorf. Ein Nachteil ist, dass ich oft Bus fahren muss – zur Schule, zum Chor, zu meinem Tanzkurs. Für mich ist es aber unwichtig, dass es kein Museum oder nicht so viele Einkaufsmöglichkeiten gibt. Dann fahre ich nach Genua. Bei uns gibt es auf dem Land natürlich auch keine Universität. Das ist ein großer Nachteil, weil ich für mein Studium zurück in die Stadt ziehen muss.   Adelia Rozzero, 19, Italien

b) Welcher Meinung stimmt Adelia zu? Kreuzen Sie an.

1. ☐ Das Stadtleben ist besser als das Leben auf dem Land.
2. ☐ In der Stadt gibt es mehr Einkaufsmöglichkeiten und ein größeres Kulturangebot.
3. ☐ Auf dem Land sind Haustiere kein Problem.

c) Markieren Sie im Aufsatz Redemittel aus dem Redemittelkasten von Seite 129.

9 Wohnungsanzeigen verstehen

a) Kennen Sie die Abkürzungen? Schreiben Sie die Wörter in das Rätsel. Wie heißt das Lösungswort?

1. NB
2. m²
3. Zi.
4. Min.
5. EG
6. NK
7. Wfl.
8. Hbf.
9. KT
10. BLK
11. DG

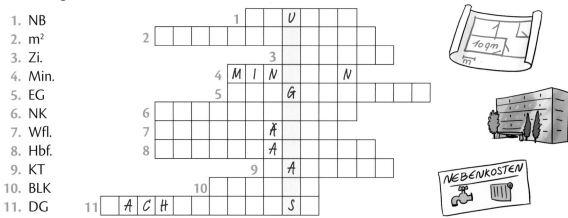

b) Lesen Sie die Anzeigen. Ordnen Sie jeder Wohnungsanzeige eine Person zu. Eine Person passt zu keiner Wohnungsanzeige.

Wohnungen

1 **Frankfurt am Main/Nordend-West,** 1,5 Zimmer in einer 5 Personen-WG; im EG; Wfl. 17,00 m², ideal für Studenten und Singles, Extras: BLK, Garten, 160,00 EUR Kaltmiete, Infos unter ☎ 069 25249933

2 **Nachmieter gesucht!** Schöne vollmöblierte 1 ZKB-DG-Whg. in der Schlossstr. in Bocken/Frankfurt a. Main; Wfl. 15,00 m²; 240,00 EUR Kaltmiete + KT (drei Mieten); Kontakt unter **Höfel@immobilianet.de**

3 **Sehr schönes 1-Zi-Apartment in Uniklinik-Nähe.** 330,00 EUR Kaltmiete (NK 65 Euro); 23,00 m² Wohnfläche; BLK, Keller und Stellplatz für Auto; Immobilien Mainmetropole ☎ 069 13256735

Wir suchen

A **Studentin,** 21 Jahre, (Deutsch) sucht WG, Zimmer mindest. 18 m², max. 150, - Euro Kaltmiete; BLK, nicht im EG! Kontakt unter **0151-34652156** o. **eva.berg@web.de**

B **Junges Paar,** (23 und 25 Jahre) sucht kleine 1 ZKB Whg., bis 350,00 EUR Kaltmiete, mind. 20,00 m² und mehr; Autostellplatz; Kontakt: **0173-10578890**

C **Ärztin** sucht 1ZKB, vollmöbliert; wenn möglich: in Frankfurt/Main Nähe Uniklinik, max. Kaltmiete 270,00 Euro; Kontakt unter **0178-23567193**

D **Student (Medizin)** sucht Zimmer in WG oder kleine 1 ZKB-Whg., kein DG, max. 200, - Euro Kaltmiete; Kontakt unter **0151-34652156**

Katze, schwarz, am 24.03 weggelaufen, in Frankfurt

10 Textkaraoke

a) Hören Sie und sprechen Sie die 👄-Rolle im Dialog.

2.04

👂 ...

👄 Guten Tag, hier Weinert. Sie haben eine Anzeige für ein 1-Zimmer-Apartment in der Frankfurter Allgemeinen Zeitung. Ich interessiere mich für die Wohnung.

👂 ...

👄 Genau. Wo liegt denn die Wohnung?

👂 ...

👄 Das ist natürlich super praktisch. Ich habe ab Mai eine Stelle an der Klinik.

👂 ...

👄 Gerne! Ich habe nur noch ein paar Fragen. Muss man eine Kaution zahlen?

👂 ...

👄 Kein Problem, bis gleich.

b) Welche Anzeige aus 9 passt zum Telefonat? Notieren Sie.

Anzeige: ☐

11 **So ein Umzugsstress!** Lesen Sie die E-Mail und ergänzen Sie die Verben. Die Umzugs-checkliste auf Seite 131 hilft.

> einpacken – beschriften – organisieren – sortieren – reservieren – packen – mieten

An...	Jennifer
Cc...	
Betreff:	Umzug

Liebe Jennifer,

wie geht es dir? Was machst du so? Ich habe lange nichts von dir gehört???!

Uns geht es (wieder) gut. Wir sind von Berlin nach Stralsund umgezogen. Das war ein Stress.

Meine Mutter war krank, also mussten wir einen Babysitter für den Tag ....[1]. Wir wollten

einen großen LKW ....[2], aber das war sehr schwierig. Jens hat nur einen kleinen LKW

bekommen und wir haben genauso viel wie für den großen bezahlt! ☹ Nervig! Ich musste noch

Hausrat ....[3], Sachen ....[4] und Verpflegung für alle ....[5]. Und so

habe ich natürlich etwas vergessen: Kartons ....[6]. Das war vielleicht ein Chaos! Und ich

konnte keinen Parkplatz vor dem neuen Haus ....[7], also mussten wir oft und lange laufen.

So schnell ziehe ich nicht noch einmal um!

Melde dich mal wieder und komm uns doch in Stralsund besuchen!

Lieben Gruß von Dagmar

12 Flüssig sprechen

🔊 **a)** **Hören Sie und sprechen Sie nach.**

2.05
1. gestoßen. – mich am Kopf gestoßen. – Ich habe mich am Kopf gestoßen.
2. gebrochen. – mir das Bein gebrochen. – Ich habe mir das Bein gebrochen.
3. geschnitten. – mir in den Finger geschnitten. – Ich habe mir in den Finger geschnitten.
4. verbrannt. – mich an der Hand verbrannt. – Ich habe mich an der Hand verbrannt.

🔊 **b)** **Hören Sie die Fragen und antworten Sie wie im Beispiel.**

2.06

> Haben Sie sich schon einmal am Kopf gestoßen?

> Ja, ich habe mich schon einmal ...

> Nein, ich habe mich noch nie ...

13 Wörter in Paaren lernen

a) **Verbinden Sie. Manchmal gibt es zwei Möglichkeiten.**

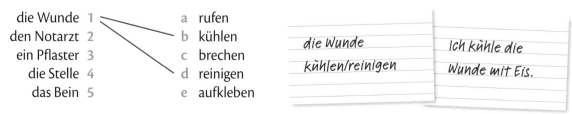

die Wunde 1 a rufen
den Notarzt 2 b kühlen
ein Pflaster 3 c brechen
die Stelle 4 d reinigen
das Bein 5 e aufkleben

die Wunde
kühlen/reinigen

Ich kühle die
Wunde mit Eis.

b) **Schreiben Sie die Wortverbindungen und einen Beispielsatz auf eine Karteikarte.**

14 Rio Reiser

a) **Lesen Sie den *weltwissen*-Eintrag zu Rio Reiser und beantworten Sie die Fragen.**

1. Wie heißt Rio Reiser mit richtigem Namen?
2. Wo ist er geboren, wo gestorben?
3. Was war Rio Reiser von Beruf?

4. In welcher Band war er Sänger?
5. Welche Instrumente konnte er spielen?

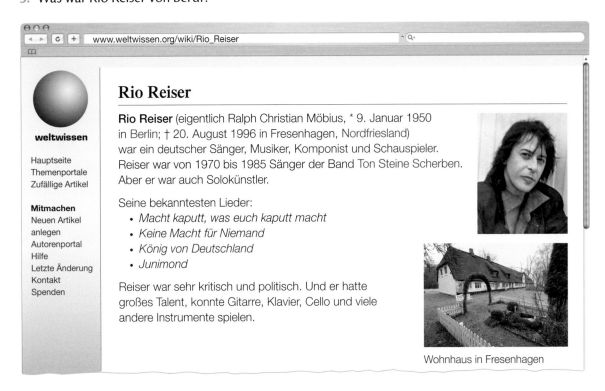

www.weltwissen.org/wiki/Rio_Reiser

weltwissen

Hauptseite
Themenportale
Zufällige Artikel

Mitmachen
Neuen Artikel
anlegen
Autorenportal
Hilfe
Letzte Änderung
Kontakt
Spenden

Rio Reiser

Rio Reiser (eigentlich Ralph Christian Möbius, * 9. Januar 1950 in Berlin; † 20. August 1996 in Fresenhagen, Nordfriesland) war ein deutscher Sänger, Musiker, Komponist und Schauspieler. Reiser war von 1970 bis 1985 Sänger der Band Ton Steine Scherben. Aber er war auch Solokünstler.

Seine bekanntesten Lieder:
- *Macht kaputt, was euch kaputt macht*
- *Keine Macht für Niemand*
- *König von Deutschland*
- *Junimond*

Reiser war sehr kritisch und politisch. Und er hatte großes Talent, konnte Gitarre, Klavier, Cello und viele andere Instrumente spielen.

Wohnhaus in Fresenhagen

b) **Sehen Sie sich das Foto von Rio Reisers Haus in Fresenhagen an. Welche Adjektive passen? Markieren Sie sie. Beschreiben Sie dann das Haus.**

klein – groß   hell – dunkel   freundlich – unfreundlich   schön – hässlich
neu – alt   billig – teuer   modern – altmodisch   ...

15 Die Dorfrocker

a) **Lesen Sie die Beschreibungen und suchen Sie aus dem Artikel auf Seite 133 ein passendes Wort.**

1. ... ist leichte Popmusik für Feste und Feiern, oft auf Deutsch und mit einfachem Text.
2. ... heißt, dass es keine Tickets bzw. Eintrittskarten mehr gibt.
3. ... ist die Art und Weise wie man zum Beispiel in Bayern oder Sachsen Deutsch spricht.
4. ... ist eine Sammlung von mehreren Musikstücken (Liedern, Titeln).
5. ... heißen Liedzeilen, die man oft wiederholt.
6. ... heißt „sehr laut".

b) **Markieren Sie im Liedtext auf Seite 133 den passenden Satz für 1. – 3. Ordnen Sie dann den Sätzen a – c zu.**

1. ☐ Wir feiern Feste wie sie fallen und dann auch ganz gescheit.
2. ☐ Doch wenn es darauf ankommt, halten wir immer zusammen.
3. ☐ Und nach einem Bier gibt es auch einmal ein wenig Streit.

a Wir sind füreinander da. – b Wir feiern richtig. – c Manchmal streiten wir.

Fit für Einheit 8? Testen Sie sich!

Mit Sprache handeln

über Stadt- und Landleben sprechen

🗨 Wo wohnen Sie lieber – auf dem Land oder in der Stadt? 👉 ....

🗨 Was ist denn der Vorteil/Nachteil vom Leben in der Stadt? 👉 ....

▸ KB 1.1–1.2, 2.1, 2.3, 2.6

nach einer Wohnung fragen

🗨 Guten Tag, Klein Immobilien, Herr Gerold am Apparat. Was kann ich für Sie tun?

🗨 ...

> **Stuttgart, 1-Zi.-EG-Whg.,** möbliert, Euro 365 (plus NK 60,00), Wfl. ca. 20 m², ruhige, zentrale Lage, Keller u. Stellplatz, 10 Min. zum Hbf., Klein Immobilien **Tel. 0711/67 48 43**

▸ KB 3.2–3.3

über Unfälle im Haushalt berichten

🗨 Hast du dir den Kopf ....?   👉 Nein, ich habe mir in den Finger ....! ▸ KB 4.2

Wortfelder

Wohnungssuche

Nebenkosten (NK), Balkon (BLK), ... ▸ KB 3.1

Umzug

Umzugskartons packen, LKW mieten, ... ▸ KB 4.1

Unfälle

.... , ... , ... ▸ KB 4.2

Grammatik

Modalverben im Präteritum

Ich durf*te* bei meiner Oma immer ....

Meine Eltern woll.... immer ....

In der Schule soll.... wir Kinder immer ....

▸ KB 2.4

Vergleiche mit *so/ebenso/genauso ... wie* und Komparativ + *als*

Die Wohnung in der Goethestraße ist .... groß .... die im Igelweg.

Aber sie ist kleiner .... die Wohnung in der Beethovenstraße. ▸ KB 2.5

Aussprache

2.07

Sch-Laut

Bist du ein S<u>t</u>adtmen<u>sch</u>? Nein! <u>Sch</u>lechte Luft, volle S<u>t</u>raßen und s<u>t</u>ändig dieser S<u>t</u>ress. ▸ KB 2.2

8 Kultur erleben

Hier lernen Sie

- ▶ über kulturelle Interessen sprechen
- ▶ ein Programm für eine Stadtbesichtigung planen
- ▶ einen Theaterbesuch organisieren
- ▶ über Vergangenes sprechen und schreiben

1 Kulturhauptstädte Europas

Umeå 2014
Bergen 2000
Helsink 2000
Turku 2011
Stavanger 2008
Stockholm 1998
Tallinn 2011
Antwerpen 1993
Rotterdam 2001
Kopenhagen 1996
Riga 2014
Glasgow 1990
Brüssel 2000
Amsterdam 1993
Vilnius 2009
Cork 2005
Brügge 2002
Dublin 1991
Liverpool 2008
Berlin
Krakau 2000
Weimar
Lille 2004
Luxemburg 1995 + 2007
Prag 2000
Košice 2013
Essen
Paris 1989
Linz 2009
Graz 2003
Pécs 2010
Santiago de Compostela 2000
Marseille 2013
Genua 2004
Maribor 2012
Porto 2001
Guimarães 2012
Salamanca 2002
Bologna 2000
Sibiu 2007
Lissabon 1994
Madrid 1992
Florenz 1986
Thessaloniki 1997
Istanbul 2010
Patras 2006
Athen

1 Ich war schon in Weimar, Porto und …
Ü1

a) Sehen Sie sich die Europakarte an. Welche Städte kennen Sie (nicht)? Berichten Sie.

> Ich war schon in Liverpool. Das ist eine tolle Stadt.

b) Hören Sie den Bericht. Wo war die Person bereits? Kreuzen Sie in der Karte die Fahnen an.
2.10

> Wo liegt denn Liverpool?

2 Kultur erleben. Sehen Sie sich die Wort-Bild-Leiste an.
Ü2 Fragen und antworten Sie im Wechsel. Die Redemittel helfen.

Redemittel	**so kann man fragen**	**so kann man antworten**
	Waren Sie schon einmal auf einem Festival / in einem Ballett / in einer Galerie / …?	Ja, da war ich schon (oft / einige Male). Nein, ich war noch nie …
	Gehen Sie gern auf den Flohmarkt / …?	Ja, ich mag/liebe … / Ich bin ein Fan von …
	Mögen Sie Musicals / klassische Musik / … ?	Nein, das interessiert mich (wirklich) nicht.
	Interessieren Sie sich (auch) für Architektur / …?	Ich bin kein großer Fan von …

die Galerie   *das Ballett*   *das Musical*   *das Festival*

Sie haben Lust auf Europa?
Besuchen Sie eine Kulturhauptstadt!

Reisen Sie gerne? Lieben Sie Kultur? Besuchen Sie doch eine Kulturhauptstadt! FrauvonHeute-Redakteurin Sara Pfeiffer erklärt Ihnen ein attraktives Konzept.

gesperrte Autobahn bei Essen

Weimar 1999 – Kleinstadtidylle

5 **1985** war Athen die erste *Kulturstadt Europas* (seit 2005 heißt es *Kulturhauptstadt*). Das Ziel war, dass sich Menschen aus verschiedenen Ländern und Kulturen besser kennenlernen. Danach hatten 10 noch viele andere europäische Großstädte diesen Titel, zum Beispiel Berlin, kurz vor dem Fall der Berliner Mauer im Jahre 1988. Elf Jahre später war Weimar Kulturhauptstadt – die erste deutsche Kleinstadt. Die 15 letzte deutsche Kulturhauptstadt war auch „speziell", weil es eine ganze Region war: das Ruhrgebiet. Die Stadt Essen war der Vertreter für 53 Städte im RUHR.2010-Projekt. Es gab über 5.500 Veranstal-20 tungen und viele Kultur-Projekte. Aber das tollste Erlebnis für mich war, dass es am 18. Juli 2010 für 31 Stunden keine 25 Autos auf der Autobahn A40 gab. Auf der 60 km langen Strecke waren fast 30 20.000 Tische mit Programmen von Vereinen, Familien, Nachbarn und Institutionen. Ich war den ganzen Tag zu Fuß auf der Autobahn unterwegs und habe viele Menschen kennengelernt. Besuchen Sie einmal eine Kulturhauptstadt! Es 35 lohnt sich. Jedes Jahr bewerben sich viele Städte, weil der Titel *Kulturhauptstadt* Vorteile bringt: Geld von der Europäischen Union und viele Touristen, die die Stadt besuchen. Bis 2018 stehen alle Kulturhauptstädte fest. Auch die Länder bis 40 2033 sind klar. Wir haben Ihnen auf den folgenden Seiten einige Reisetipps zusammengestellt.

– 24 –

Athen 1985 – die 1. Kulturhauptstadt Europas

3 Europa stellt sich vor

Ü3–4

a) Lesen Sie den Magazin-Artikel. Ergänzen Sie in der Karte die Jahreszahlen, die im Artikel vorkommen. Ordnen Sie den Fotos eine Zeile zu.

b) Machen Sie sich zu folgenden Punkten Notizen und berichten Sie.

Ziel · deutsche Kulturstädte · RUHR.2010 · das A40-Projekt · Vorteile · ...

4 Welche Stadt wird (Welt-)Kulturhauptstadt 2033? Wählen Sie eine Stadt, die Sie kennen und mögen. Begründen Sie Ihre Wahl.

ABC

der Flohmarkt

der Zirkus

der Botanische Garten

das Schloss

2 Kulturreise: Eindrücke gestern und heute

1 Drei Tage Weimar

Ü5–6

a) **Lesen Sie den Blog-Eintrag vom 12. März. Wer ist Alexandr Karpow und warum ist er in Weimar?**

Ein Musiker auf Reisen

Startseite | Reiseblog | Medien | Redaktion

14. März

Ich wollte heute Mittag abreisen, aber zwei Tage sind nicht genug! Weimar hat nur 60.000 Einwohner und man läuft in einer Stunde durch die ganze Stadt ;-) … Aber ich war noch nicht im Bauhaus-Museum!!!! ☹ Ich interessiere mich sehr für Gropius, Feininger und Klee. Ich finde ihre Arbeiten fantastisch. Und im Wohnhaus von
5 Franz Liszt war ich auch noch nicht, aber er ist doch mein Lieblingskomponist, da muss ich hin. Die Lösung? Ich bleibe bis morgen … ☺

13. März

Heute auf dem Programm: Goethes Wohnhaus, das Schillerhaus und die Herzogin Anna Amalia Bibliothek. Ich will alles sehen! Und einen Kaffee trinke ich natürlich auch. Außerdem spaziere ich durch den Park.
10 Goethes Gartenhaus ist montags leider nicht offen, also gehe ich ins Stadtschloss und am Abend ins Nationaltheater. Im Theater steht Faust auf dem Plan, das größte Werk von Goethe! Ich freue mich ☺.

| 1 | 2 | 3 | 4 |

vor dem Nationaltheater — vor Schillers Wohnhaus — Goethes Gartenhaus war heute geschlossen — Residenz-Café (das „Resi")

12. März

Als Musiker bin ich beruflich oft im Ausland. Ich war schon viele Male in Deutschland, aber nicht im Urlaub. Schade. ☹ Im Kulturstadtjahr 1999 war ich das erste Mal in Weimar bei den „Weimarer Meisterkursen". Das ist
15 ein Musik-Festival. Dort treffen sich Profis, Studenten und natürlich das Publikum. Ich habe viel von Freunden über Weimar gehört. Das hat mich neugierig gemacht. In die kleine Stadt habe ich mich sofort verliebt. Jetzt bin ich wieder hier. Meine Nichte Adia studiert in Weimar Musik! Und ich arbeite auch für einen Tag an der Hochschule für Musik FRANZ LISZT (SUPER!), zwei Tage habe ich frei. Adia freut sich, dass wir heute zusammen Geige spielen! Wir geben ein Konzert.

b) **Lesen Sie den ganzen Blog. Welchen Aussagen stimmt Alexandr Karpow zu? Kreuzen Sie an.**

1. ☐ Arbeiten in Weimar macht keinen Spaß.
2. ☐ Ein Besuch in Weimar lohnt sich.
3. ☐ J. W. von Goethe ist ein wichtiger Autor.
4. ☐ Nach zwei Tagen ist Weimar langweilig.
5. ☐ Weimar ist eine wunderschöne Stadt.
6. ☐ Weimar ist nur etwas für Fans von Musik.
7. ☐ Weimar ist eine Großstadt.
8. ☐ Die Bauhaus-Künstler sind einfach klasse!

c) **Erklären Sie die folgenden Begriffe. Der Blog hilft. Nutzen Sie ggf. auch ein Wörterbuch.**

> das Kulturstadtjahr – das Festival – das Werk – die Lösung

2 Weimar zu Fuß

Ü7

a) Sehen Sie sich die Karte an. Wo liegen die Sehenswürdigkeiten? Berichten Sie.

1. ☐ Hotel Elephant
2. ☐ das Cranachhaus
3. ☐ Anna Amalia Bibliothek
4. ☐ Hochschule für Musik

5. ☐ Schloss
6. ☐ Shakespeare-Denkmal
7. ☐ Goethehaus
8. ☐ Bauhausmuseum

9. ☐ Bauhaus-Universität
10. ☐ Liszthaus
11. ☐ Schillerhaus
12. ☐ Deutsches Nationaltheater

))) 👂

2.11

b) Wo war Alexandr auf seinem Spaziergang durch Weimar?
Hören Sie und kreuzen Sie die Sehenswürdigkeiten und Orte in a) an.

> *Das Schloss liegt auf 5 a.*

))) 👂

2.11

c) Hören Sie noch einmal. Tragen Sie die Route auf dem Stadtplan ein und erzählen Sie.

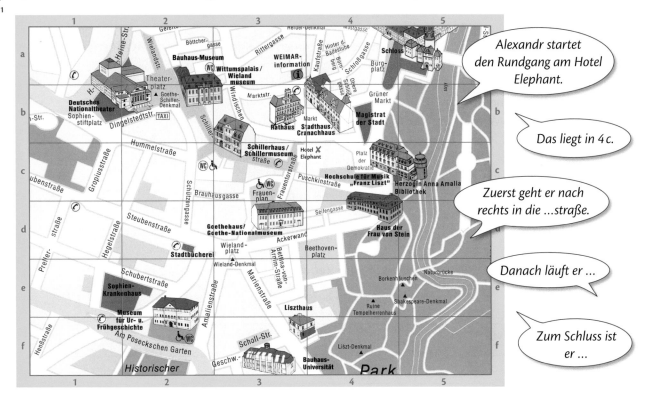

> *Alexandr startet den Rundgang am Hotel Elephant.*

> *Das liegt in 4 c.*

> *Zuerst geht er nach rechts in die ...straße.*

> *Danach läuft er ...*

> *Zum Schluss ist er ...*

))) 👂

2.12

d) Hören Sie den zweiten Teil von Alexandrs Bericht. Machen Sie eine Tabelle und notieren Sie in Stichpunkten Informationen zu den Ausflugszielen.

Ausflugsziel	Jahr	Was ist dort? / Was kann man sehen?
Anna Amalia Bibliothek		Werke von Goethe (Faust) und Shakespeare

3 Neugierig auf Weimar? **Sagen Sie, was Sie (nicht) gerne machen möchten.**

Ü8 **Die Redemittel helfen.**

Redemittel

sagen, was man (nicht) unternehmen möchte

Ich bin neugierig auf ... / Ich möchte gern ... besuchen.
... lohnt sich / lohnt sich nicht. / Besonders interessiert mich ...
Auf jeden/keinen Fall möchte ich ... sehen/besuchen.
Mich interessiert ... (nicht), weil ... / In die / Ins ... will ich unbedingt.

ABC 📖

4 Karten für Faust reservieren

🔊 2.13 Ü9 **a) Alexandr ruft an der Theaterkasse an. Hören Sie und markieren Sie das passende Wort.**

💬 Deutsches Nationaltheater **Weimar/München**, was kann ich für Sie tun?

🔊 Hallo, ich möchte gerne wissen, ob Sie für **18:30/19:30** Uhr noch Karten für „Faust" haben.

💬 Ja, haben wir da. Es gibt aber nur noch **wenige/einige** freie Plätze.

🔊 Das ist kein Problem. Ich brauche nur zwei Karten. In welcher Reihe ist noch etwas frei?

💬 Im Parkett, Reihe **T/D** .

🔊 Ja, das ist gut. Dann reservieren Sie mir bitte zwei **Plätze/Karten**. Was kostet das?

💬 Bekommen Sie eine Ermäßigung?

🔊 Ermäßigung?

💬 Studenten und **Schüler/Rentner** bekommen die Karten **billiger/preisgünstiger**.

🔊 Oh. Für mich ohne Ermäßigung, bitte. Die zweite Karte ist mit Ermäßigung.

💬 Dann macht das **56/66** Euro. Auf welchen Namen soll ich reservieren?

🔊 Alexandr Karpow.

💬 Bitte? Wie war Ihr **Nachname/Name**?

🔊 K-A-R-P-O-W. Kann ich die Karten an der Abendkasse **abholen/bekommen**?

💬 Ja, aber bitte kommen Sie bis Viertel **vor/nach** sieben, Herr Karpow!

🔊 Mach ich. Vielen Dank. Auf Wiederhören.

💬 Gern geschehen. Einen schönen Abend und auf Wiederhören.

b) Lesen Sie den Dialog mit einer Partnerin / einem Partner. Variieren Sie.

c) Sammeln und sortieren Sie die Redemittel aus dem Dialog in a).

	so kann man fragen	*so kann man antworten*
Karte(n)?		
Platz/Reihe?		
Preis?		

5 Rollenspiel: An der Kasse. **Reservieren Sie Karten für eine Lesung / ein Fußballspiel / ... Schreiben Sie einen Dialog wie in 4 und spielen Sie ihn.**

6 Theaterintonation

🔊 2.14 Ü10 **a) Wie spricht der Sprecher? Hören Sie und notieren Sie die Reihenfolge.**

	leise	dramatisch	traurig	fröhlich
1. Wer reitet so spät durch Nacht und Wind? (Goethe, Erlkönig)	☐	1.	☐	☐
2. Sein oder nicht sein, das ist hier die Frage! (Shakespeare, Hamlet)	☐	☐	☐	☐

b) Jetzt Sie! Sprechen Sie leise, laut, dramatisch, fröhlich oder traurig.

7 Projekt: www.weimar.de. **Organisieren Sie ein Programm für zwei Tage in Weimar. Planen Sie An- und Abreise, Unterkunft, Besichtigungen und einen Theaterbesuch.**

3 Über Vergangenes sprechen und schreiben

1 Alexandr sucht …

🔊 **a) Hören Sie die Gespräche. Was gab es früher, was ist hier heute? Verbinden Sie.**

2.15
Ü11

früher:	Bäcker	Supermarkt	Blumenladen	Wohnhaus	Kneipe
heute:	Hotel	Obstladen	Bank	Café	Kiosk

b) Sehen Sie die Zeichnungen an. Vergleichen und beschreiben Sie: Was gab es früher, was gibt es heute? Der Redemittelkasten hilft.

1929

2014

Redemittel

etwas vergleichen: früher und heute

Früher gab* es … / Früher war(en) hier …
Heute gibt es … / Heute ist/sind hier …

* es gab (Präteritum) = es gibt

ein Theater / ein Kinocenter / ein Hotel /
ein Café / einen Bäcker / einen Supermarkt /
einen Kiosk / eine Ampel / eine Fußgängerzone /
eine Haltestelle

2 Partnerspiel: früher und heute. **Stellen Sie Fragen und ergänzen Sie die Antworten von Spieler/in 2. Die Tabelle für Spieler/in 2 ist auf Seite 246.**

Ü12–13

in der Bebelstraße	in der Müllerstraße	in der Bahnhofsstraße
früher:	früher: *ein Bäcker*	früher: *eine Schule*
heute: *eine Schule*	heute:	heute: ....
in der Kastanienallee	**in der Goethestraße**	**auf dem Domplatz**
früher:	früher: *ein Theater*	früher: ....
heute: *ein Kino*	heute:	heute: *Büros*

Spieler 1

Heute ist in der Bebelstraße eine Schule.

Was | war / gab es | hier früher?

Spieler 2

Früher war hier …
Heute gibt es in der Müllerstraße …
Was …

3 Johann Wolfgang von Goethe – ein Genie mit vielen Interessen

a) **Lesen Sie die Frage von Resi2003 im Internet-Ratgeber. Was wissen Sie schon über Johann Wolfgang von Goethe? Sammeln Sie im Kurs.**

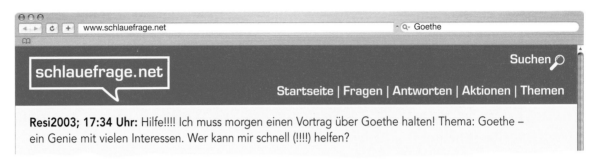

> www.schlauefrage.net Goethe
>
> **schlauefrage.net**　　　　　　　　　　　　　　　　　　　　　　　Suchen
> Startseite | Fragen | Antworten | Aktionen | Themen
>
> **Resi2003; 17:34 Uhr:** Hilfe!!!! Ich muss morgen einen Vortrag über Goethe halten! Thema: Goethe – ein Genie mit vielen Interessen. Wer kann mir schnell (!!!!) helfen?

b) **Lesen Sie die Antworten. Warum gilt Goethe als „Universalgenie"?**

> **Steff1234, 17:53 Uhr:** Sammel doch erst einmal ein paar allgemeine Informationen, z. B. Geburt am 28. August 1749 in Frankfurt am Main. Wusstest du, dass ihn am Anfang sein Vater unterrichtete? Danach hatte er Haus-
> 5 lehrer. Goethe studierte auch nicht Sprache oder Literatur! Er studierte ab 1765 Jura in Leipzig. Sechs Jahre später arbeitete er dann als Anwalt. Schon sein erster Roman zeigte, dass er ein Genie war: Goethe verliebte sich 1772 unglücklich in Charlotte Buff („Lotte"). Er verfasste seinen ersten Roman (*Die Leiden des jungen Werther)* in nur 4 Wochen! Der Roman machte ihn in ganz Europa berühmt.
>
> **Juliane.p, 20:24 Uhr:** Als Goethe etwas älter war, hatte er viele Interessen: Architektur, Archäologie, Farben,
> 10 Mineralogie (also Steine…), Chemie, Wetter und Mathematik. Er verfasste also nicht nur Gedichte und Dramen! Er erforschte zum Beispiel die Farben. Vielleicht suchst du selber mal im Internet …
>
> **no_problemo14, 23:03 Uhr:** Lies doch mal *Werther,* den *Erlkönig* oder *Faust* … Da ist alles drin! Liebe, Leben, Tod und Teufel. Goethe konnte die Menschen sehr gut beschreiben. Aktuell bis heute!

c) **Verbinden Sie. Kontrollieren Sie mit den Aussagen aus b). Lesen Sie laut und schnell.**

J. W. von Goethe	liebte	Recht in Leipzig.
Goethes Vater	verfasste	Goethe leider nicht.
Charlotte	erforschte	seinen Sohn in den ersten Jahren.
	unterrichtete	auch die Farben.
	studierte	weltberühmte Gedichte und Dramen.

4 Lebte, arbeitete, forschte … **Schreiben Sie die Tabelle in Ihr Heft. Ergänzen Sie mit den**
35　Ü14　**Verben aus 3 c) und formulieren Sie die Regel.**

Grammatik		leben	erforschen	arbeiten	…
Singular	ich/er/sie	leb-te	…	arbeit-e-te	…
Plural	wir/sie	leb-ten	…	…	…

Regel Regelmäßige Verben im Präteritum

Singular: Infinitivstamm + ...

Plural: Infinitivstamm + ...

> 👍 **Lerntipp**
> *arbeiten*: Infinitivstamm
> auf -*t* will immer noch ein -*e*.

5 Eine Aussage, zwei Zeitformen. **Vergleichen und ergänzen Sie: Präteritum oder Perfekt?**

34 Ü15

Eine Stadtführerin erklärt:	Im Reiseführer steht:
„Der junge Goethe hat einige Monate in Wetzlar gelebt. Hier hat er sich in Charlotte verliebt."	Der junge Goethe lebte einige Monate in Wetzlar. Hier verliebte er sich in Charlotte.
Gesprochene Sprache:	Geschriebene Sprache: ....

6 Eine berühmte Dreiecksgeschichte

Ü16

a) **Lesen Sie den Schulbuchtext und sehen Sie die Skizze an. Sammeln Sie Informationen zu den Personen. Erweitern Sie die Skizze im Heft.**

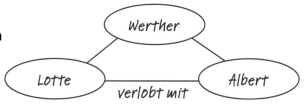

Das Bild zeigt eine Szene aus Goethes Roman „Die Leiden des jungen Werther", der ihn über Nacht berühmt machte. Werther, der Romanheld, berichtet seinem Freund Wilhelm in Briefen von seiner unglücklichen Liebe zu Lotte. Als er sie auf einem Ball kennenlernt, verliebt er sich sofort in sie. Aber Lotte ist mit
5 *Werthers Freund Albert verlobt. Werther besucht Lotte gern. Sie ist schön und alle bewundern sie, weil sie sich liebevoll um ihre acht Geschwister kümmert. Ihre Mutter ist tot. Lotte mag Werther, aber sie liebt ihren Verlobten Albert. Weil sie ihn heiratet, endet Werthers Liebe tragisch.*

b) **Schreiben Sie W-Fragen zum Text und stellen Sie sie im Kurs. Die anderen antworten.**

Wen heiratet Lotte?

Was bedeutet Romanheld?

Wer ist jetzt in wen verliebt?

7 Als Goethe in Leipzig wohnte …

18 Ü17

a) **Lesen Sie die Sätze 1–3 und machen Sie eine Tabelle wie im Beispiel.**

1. Goethe war erst 16 Jahre alt, als er 1765 in Leipzig studierte.
2. Werther verliebte sich sofort in Lotte, als er sie auf einem Ball kennenlernte.
3. Alexandr hat sich sofort in Weimar verliebt, als er 1999 zum ersten Mal die Stadt besuchte.

	Position 2	
Goethe	studierte	Jura, als er 16 war.
Als er 16 war,	studierte	Goethe Jura.
Alexandr	hat	auch gearbeitet, als er in Weimar war.
Als er in Weimar war,	hat	Alexandr auch gearbeitet.

b) **Und Sie? Wie alt waren Sie, als …? Fragen und antworten Sie.**

Schule verlassen – eine große Reise gemacht – den ersten Job haben – den Deutschkurs angefangen – die erste Wohnung haben – …

Als ich 16 war, habe ich die Schule verlassen. Ich hatte den ersten Job, als ich …

8 Goethe-Biographie. **Berichten Sie über Johann Wolfgang von Goethe. Nutzen Sie die Informationen aus 3 und 6. Recherchieren Sie auch im Internet.**

ABC

1 Kommen Sie nach Pilsen!

a) Lesen Sie den Internet-Artikel. Geben Sie jedem Foto einen Titel.

www.stadtportraet.de

| Startseite | Stadtamt | Über die Stadt | Kontakt |

Kommen Sie nach Pilsen – 2015 sind wir Kulturhauptstadt!

Pilsen ist die viertgrößte Stadt in Tschechien. Sie hat 168.000 Einwohner, ist also nicht so groß wie Paris, Berlin oder Rom. Aber in Europa kennen viele Pilsen. Warum? Wer Autos und die Firma Škoda mag und gern Bier trinkt, kennt Pilsen! Aber das ist nicht alles. Pilsen hat viele Sehenswürdigkeiten. Interessieren Sie sich für Architektur? Besuchen Sie die St.-Bartholomäus-Kathedrale. Sie möchten gern wissen, wie man Bier macht? Gehen Sie ins Bier-Museum und trinken Sie ein echtes Pilsener Bier! Sie reisen mit der ganzen Familie an? Ein Besuch im Zoo oder ein Spaziergang durch den Park macht auch Ihren Kindern Spaß.

2015 ist ein ganz besonderes Jahr. In der Stadt gibt es 50 große Projekte und mehr als 600 (!) Veranstaltungen. Die Stadt möchte für alle interessant sein – für junge Menschen, Familien aber auch für Senioren. Der offizielle Start **„Pilsen – Kulturhauptstadt Europas 2015"** ist am 17. Januar 2015. Freuen Sie sich auf Kultur und Spaß in Pilsen!

b) Welche Aussagen sind richtig? Kreuzen Sie an und korrigieren Sie die falschen.

1. ☐ Pilsen ist eine der größten Städte in Tschechien.
2. ☐ Mit 168.000 Einwohnern ist Pilsen größer als Berlin.
3. ☐ Die Stadt ist in Europa wenig bekannt.
4. ☐ Eine Sehenswürdigkeit von Pilsen ist z. B. die St.-Bartholomäus-Kathedrale.
5. ☐ Für Kinder gibt es keine Freizeitangebote.

c) Was kann man in Pilsen machen? Beenden Sie die Sätze.

1. Wer Architektur liebt, …
2. Bier-Fans können …

3. Pilsen ist auch kinderfreundlich: …
4. Im Kulturhauptstadtjahr gibt es …

2 Waren Sie schon einmal …? **Schreiben Sie eine Frage zur Antwort.**

1. .... – Ja, ich bin ein großer Fan von Festivals!

2. .... – Nein, ich war noch nie in einer Galerie.

3. .... – Für Musicals interessiere ich mich nicht.

4. .... – Ich bin kein großer Fan von Flohmärkten.

5. .... – Im Botanischen Garten war ich schon oft.

3 Lust auf Europa?

a) **Verbinden Sie und kontrollieren Sie mit dem Magazin-Artikel auf Seite 143.**

erste Kulturhauptstadt Europas 1   a Berlin
Kulturstadt kurz vor dem Fall der Mauer 2   b das Ruhrgebiet
eine Kulturhauptstadt-Region 3   c Weimar
erste deutsche Kleinstadt mit dem Titel 4   d Essen
Vertreter für 53 Städte 5   e Athen

b) **Welche Aussagen sind richtig? Kreuzen Sie an und vergleichen Sie mit der Europakarte auf Seite 142. Korrigieren Sie die falschen.**

1. ☐ Florenz war im Jahre 1986 Kulturhauptstadt.
2. ☐ Das spanische Porto war gemeinsam mit Rotterdam 2001 Kulturhauptstadt.
3. ☐ Deutschland hatte bis jetzt vier Kulturhauptstädte.
4. ☐ Bis jetzt hatte noch keine Stadt in Norwegen und Irland den Titel.
5. ☐ Maribor und Marseille waren zusammen Kulturhauptstadt.
6. ☐ 2014 liegt eine Kulturhauptstadt in Schweden.

c) **Schreiben Sie fünf Sätze wie in b) zu den Kulturhauptstädten.**

Österreich hatte bis jetzt ... Kulturhauptstädte.

4 Wörter zusammen lernen

a) *Sein oder haben?* **Ergänzen Sie mit Hilfe des Magazin-Artikels auf Seite 143.**

1. Lust auf Europa ....
2. ein attraktives Konzept ....
3. ein Ziel ....
4. einen Titel ....
5. das tollste Erlebnis ....
6. zu Fuß unterwegs ....

b) **Markieren Sie die Wortverbindungen im Magazin-Artikel auf Seite 143 und notieren Sie die Zeile.**

.... 1. Kultur lieben
.... 2. ein Konzept erklären
.... 3. etwas lohnt sich
.... 4. etwas bringt Vorteile
.... 5. Reisetipps zusammenstellen

c) **Markieren Sie die Wortverbindung in der Frage und antworten Sie.**

1. Finden Sie, dass die Kulturhauptstädte ein attraktives Konzept sind?
2. Haben Sie im Sommer Lust auf Meer oder auf Berge?
3. Lieben Sie Kunst und Kultur?
4. Welchen Vorteil bringt es, wenn man Deutsch lernt?
5. Können Sie mir einen guten Reisetipp geben?
6. Wie oft sind Sie in der Woche zu Fuß unterwegs?
7. Was war Ihr tollstes Erlebnis?

1. Ich finde, das ist ein sehr attraktives ...

5 Ein Musiker auf Reisen. **Sammeln Sie Wörter und Ausdrücke im Blog auf Seite 144.**

1. Alexandr Karpow: *Musiker, spielt Geige, Nichte:* ....

2. Kulturstadtjahr 1999: ....

3. Weimar: ....

4. Alexandrs Spaziergang: ....

6 Das müssen Sie sehen!

a) **Lesen Sie und notieren Sie die Namen der Sehenswürdigkeiten. Der Stadtplan auf Seite 145 hilft.**

1

2

3

Seit 1771 spielt man Theater in Weimar, in diesem Haus seit 1779. Das berühmte Haus steht am Theaterplatz, direkt vor 5 dem Bauhausmuseum. Goethe war der erste Intendant, das heißt der „Chef" bzw. Leiter. Zu seiner Zeit gab es 300 Vorstellungen pro Jahr, bis 1817 10 insgesamt 4.806! Heute singt, spielt und tanzt man dort noch immer vor 857 Sitzplätzen. Haben Sie schon Ihre Plätze reserviert? Es lohnt sich!

15 Hier findet man Weimarer Kunst um 1900. Am wichtigsten: das Bauhaus. Das Museum zeigt über 250 Exponate, das heißt Produkte und Werke von 20 Lehrern und Schülern von der Kunstschule, zum Beispiel von den Lehrern Walter Gropius, Johannes Itten und Lyonel Feininger. Das Museum ist seit 25 1995 am Theaterplatz. Nehmen Sie sich Zeit für Ihren Besuch! Es gibt sehr viel zu sehen.

... ist eine berühmte Hochschule in Weimar. Seit 1872 gibt es sie, 30 aber erst seit 1956 trägt sie den Namen „Franz Liszt". Jetzt studieren dort fast 900 Studentinnen und Studenten aus der ganzen Welt bei 69 Pro-35 fessorinnen und Professoren. Die Hochschule veranstaltet die Weimarer Meisterkurse und Wettbewerbe für Klavier und Geige, das heißt die jungen 40 Musikerinnen und Musiker vergleichen ihr Können. Die besten bekommen einen Preis.

b) **Beantworten Sie die Fragen. Manchmal passen auch zwei Sehenswürdigkeiten.**

1. Welches Haus findet man am Theaterplatz?
2. Wo singt man und spielt Musik?
3. Welches Haus gab es schon vor 1872?
4. Wo findet man Werke von Itten?
5. In welchem Haus war Goethe Leiter?
6. Wer veranstaltet die Meisterkurse?

c) **Erklären Sie die Begriffe *Intendant*, *Exponat* und *Wettbewerb*. Die Texte helfen.**

d) **Hochschule, Nationaltheater oder Museum – was möchten Sie unternehmen und warum? Schreiben Sie einen kurzen Text. Die Redemittel auf Seite 145 helfen.**

7 Orientierung auf dem Stadtplan

a) **Alles falsch! Sehen Sie sich den Stadtplan auf Seite 145 an. Korrigieren Sie die Sätze.**

1. Das Goethehaus steht am Theaterplatz, 200 Meter vom Haus der Frau von Stein.
2. Das Sophien-Krankenhaus liegt nordwestlich vom Schillerhaus.
3. Das Rathaus findet man auf dem Wielandplatz.
4. Die Bauhaus-Universität liegt südöstlich vom Liszthaus.
5. Das Schloss steht am Platz der Demokratie.

b) **Schreiben Sie mindestens vier weitere Sätze zum Stadtplan.**

8 Flüssig sprechen. **Hören Sie und sprechen Sie nach.**

2.08

1. auf die Party. – keine große Lust auf auf die Party. – Ich habe keine große Lust auf die Party.
2. dich besuchen. – Ich möchte dich besuchen. – Ich möchte dich auf jeden Fall besuchen.
3. wirklich nicht! – lohnt sich wirklich nicht! – Oh! Das lohnt sich wirklich nicht!

9 Textkaraoke

2.09

a) **Hören Sie und sprechen Sie die ⌣-Rolle im Dialog.**

   ...

⌣ Hallo, hier spricht [Ihr Name]. Bekomme ich bei Ihnen auch Tickets?

   ...

⌣ Ich möchte gern Karten für das Musical „Der König der Löwen" reservieren.

   ...

⌣ Für Sonntag, den 18. Juli.

   ...

⌣ Am Nachmittag, bitte. Ich brauche vier Karten.

   ...

⌣ Oh! Das ist toll. Ja, sehr gern.

   ...

⌣ Wir sind zwei Erwachsene und zwei Kinder unter zehn Jahren.

   ...

⌣ Das ist gut. Das machen wir.

   ...

⌣ Auf [Ihr Name], bitte. Wir holen die Karten am Sonntag kurz vorher ab.

   ...

⌣ Vielen Dank und auf Wiederhören.

b) **Welches Foto passt zum Dialog? Kreuzen Sie an. Ordnen Sie dann die Titel den Fotos zu.**

1. Phantom der Oper – 2. Cats – 3. König der Löwen

10 Theaterintonation. **Hören Sie und sprechen Sie nach.**

2.10

Ernst ist das Leben, heiter die Kunst. (aus *Wallenstein* von Friedrich Schiller)

 11 Früher gab's hier …

2.11

a) Hören Sie das Gespräch. Kreuzen Sie das passende Foto an.

1   2   3

b) Hören Sie noch einmal. Welche Aussage ist richtig? Kreuzen Sie an.

1. ☐ Oma Traudel geht es nicht sehr gut.
2. ☐ Sie zeigt ihrer Enkelin ein Buch über Hamburg.
3. ☐ Heute gibt es in der Wiesenstraße ein Wohnhaus, früher gab es ein Hotel.
4. ☐ In der Goethestraße gab es früher einen Bäcker. Heute ist dort ein Theater.
5. ☐ Christina wusste nicht, dass es dort früher einen Bäcker gab.
6. ☐ Früher gab es in der Schlossgasse einen Kiosk. Heute gibt es dort einen Supermarkt.

c) Korrigieren Sie die falschen Aussagen aus b).

12 Früher und heute

a) Ordnen Sie 1. – 4. den Bildern zu.

1. Judith Scheffel: viel Zeit für Hobbys haben – viel zu tun haben
2. Hans Meinecke: viel Sport machen – ein Mal pro Woche laufen
3. Sven Lippold: nicht verheiratet sein – Familie und drei Kinder haben
4. Anette Rudolph: ein kleines Auto haben – ein großes Auto fahren

früher

heute

b) Schreiben Sie Sätze mit Hilfe der Vorgaben in a).

Früher hatte Judith Scheffel … Heute …

13 Und Sie? **Was war früher, was ist heute? Schreiben Sie Sätze.**

Früher	hatte ich viel Zeit für mich. habe ich viel gelesen. bin ich oft ausgegangen. habe ich viel ferngesehen. durfte ich noch nicht Auto fahren. konnte ich nicht schwimmen.	Heute	habe ich weniger / sogar noch mehr. lese ich weniger / noch mehr. gehe ich nicht / (noch) viel mehr aus. schaue ich (noch) mehr / weniger fern. kann ich (auch nicht) fahren. kann ich es gut / immer noch nicht.

Früher hatte ich viel Zeit für mich. Heute habe ich sogar noch mehr.

14 Johann Wolfgang von Goethe und sein Leben

a) **Lesen Sie die Notizen. Schreiben Sie einen Bericht. Setzen Sie die Verben ins Präteritum.**

- Goethe studiert ab 1765 Jura, ab 1771 arbeitet er für vier Jahre als Anwalt

- 1775 verlobt er sich mit Anna Elisabeth Schönemann, trennt sich aber wieder

- 1772 verliebt er sich unglücklich in Charlotte Buff

- er arbeitet ab 1776 in Weimar als Minister, verfasst dort viele Gedichte
  (z. B. Wanderers Nachtlied 1780) und Dramen (z. B. Iphigenie auf Tauris 1787)

- reist von 1786 bis 1788 durch Italien, er lebt u.a. in Venedig, Rom und Neapel

- ist ab 1788 mit Christiane Vulpius zusammen, heiratet sie aber erst 1806

b) **Welche Informationen stehen im Internet-Ratgeber auf Seite 148, welche Informationen sind neu? Markieren Sie.**

15 Walter Gropius. **Die Museumsführerin berichtet. Schreiben Sie einen Bericht für den Reiseführer im Präteritum.**

Das ist Walter Gropius.

Walter Gropius hat von 1903 bis 1907 Architektur in München und Berlin studiert. Danach hat er ein Architekturbüro eröffnet und dort gearbeitet. 1915 hat er Alma Mahler geheiratet und vier Jahre später das „Staatliche Bauhaus in Weimar" gegründet. Doch er war nicht sehr lange in Weimar – bis 1926. Von 1926 bis 1934 hat er viele Wohnhäuser gebaut. Ab 1934 hat er dann in Großbritannien gelebt, aber schon 1937 in den USA an der Harvard-Universität gearbeitet. Er hat bis zu seinem Tod 1969 in den USA gelebt. Seine Architektur und das Bauhaus sind weltberühmt.

Walter Gropius studierte von ...

16 **Eine unglückliche Liebe.** Schreiben Sie *als*-Sätze wie im Beispiel.

1. Werther lernt Lotte kennen – verliebt sich sofort in sie
2. Albert war auf Reisen – Werther besucht Lotte oft
3. Lotte heiratet ihren Verlobten Albert – Werther endet tragisch
4. Goethe verfasst den Roman – dieser macht ihn in ganz Europa berühmt
5. Goethe und Schiller lernen sich kennen – sie sind nicht sofort Freunde

> 1. Als Werther Lotte kennenlernte, verliebte er sich sofort in sie.

17 **Als ich …** Ergänzen Sie den Satzanfang wie im Beispiel.

> Als ich Ada (meinen Hund) zum ersten Mal gesehen habe,
> war ich sofort verliebt.

1. ...., war ich sofort verliebt.

2. ...., bin ich in die Schule gekommen!

3. ...., habe ich mit Deutsch angefangen.

4. ...., arbeitete ich das erste Mal.

5. ...., wollte ich unbedingt [Beruf] werden.

18 Lerneraufsatz zum Thema „Johann Wolfgang von Goethe und ich"

a) **Ergänzen Sie die Verben im Präteritum.**

Als ich 13 Jahre alt .....war.....[1] (sein), ...[2] (lernen)
ich Deutsch als zweite Fremdsprache.

In meinem Deutschkurs ....[3] ich Goethe ....
(kennenlernen). Zuerst ....[4] (haben) ich große Probleme mit seinen Gedichten und Dramen, aber ich ....[5]
(wollen) mehr über ihn und die deutsche Sprache wissen. Ich ....[6] (lieben) seinen
Romanheld Werther, weil ich mir vorstellen ....[7] (können), wie schwer es Werther
..................[8] (haben). Später ....[9] (studieren) ich an der Lomonossow-Universi-
tät in Moskau Mathematik, aber es ....[10] (machen) mir keinen Spaß. Jetzt studiere
ich Germanistik und lese wieder sehr viel Goethe. Das finde ich super. Sergej Iljin, 25, Russland

b) **Welche Aussage ist richtig? Kreuzen Sie an und korrigieren Sie die falschen.**

1. ☐ Sergej ist kein Fan von Goethe.
2. ☐ Er lernte Deutsch in der Schule.
3. ☐ Sergej studiert jetzt Deutsch.
4. ☐ Besonders Werther war langweilig.
5. ☐ Sergej studierte zuerst Mathematik.
6. ☐ Goethe-Werke liest er nicht mehr.

Fit für Einheit 9? Testen Sie sich!

Mit Sprache handeln

über kulturelle Interessen sprechen

💬 Waren Sie schon einmal auf einem Festival? ⟳ .... ▸ KB 1.2

sagen, was man (nicht) unternehmen möchte

💬 Sind Sie neugierig auf Weimar? ⟳ .... ▸ KB 2.3

einen Theaterbesuch organisieren

💬 Guten Tag, Nationaltheater München, was kann ich für Sie tun?

4 Karten – für Faust – 24.05. – erste Reihe – ohne Ermäßigung

▸ KB 2.4 – 2.5

Wortfelder

ausgehen

Galerie, eine Kulturhauptstadt besuchen, ... ▸ KB 1.2, 2.1

Beziehungen

verlobt sein, ... ▸ KB 3.6

Grammatik

Zeitadverbien: früher – heute

💬 Was gab es früher nicht in Ihrer Stadt? Was gibt es aber heute? ⟳ .... ▸ KB 3.1 – 3.2

regelmäßige Verben im Präteritum

ich lebe – *ich lebte*   er lernt – er ....   wir wohnen – wir .... ▸ KB 3.4

Perfekt und Präteritum: gesprochene und geschriebene Sprache

Goethe erforschte auch Farben. Er verfasste Dramen und arbeitete eng mit Schiller zusammen.

Die Stadtführerin sagt: .... ▸ KB 3.5

Nebensätze mit *als*

Als Goethe Charlotte zum ersten Mal sah, ...

.... , als ich 18 Jahre war. ▸ KB 3.7

Aussprache

2.12

Theaterintonation

Sein oder nicht sein, das ist hier die Frage! ▸ KB 2.6

Hier lernen Sie

▶ über Berufswünsche sprechen
▶ Stellenanzeigen verstehen
▶ einen Lebenslauf schreiben
▶ auf einen Anrufbeantworter sprechen

BERUFE
MIT ZUKUNFT

Umschulung als Schlüssel für die Zukunft

Cindy Gerlach aus Chemnitz hat eine Ausbildung zur Mechanikerin in Textiltechnik gemacht. Nach der Ausbildung war Cindy arbeitslos. „Ich habe circa 5 100 Bewerbungen geschrieben – alles ohne Erfolg. Die Arbeitsagentur hat auch nichts für mich gehabt. Dann habe ich eine Umschulung zur Elektronikerin für Energie- und Gebäudetechnik gemacht. 10 Das Reparieren von elektrischen Geräten macht mir Spaß und ich habe sofort eine Stelle in Berlin gefunden."

10/14 | BERUF HEUTE | MAGAZIN

12

1 Berufe: Ausbildung, Umschulung

1
Ü1 **Im Labor, in der Werkstatt … Sehen Sie sich die Magazinseite an. Welche Berufe auf den Fotos kennen Sie? Wo arbeiten die Personen? Die Wort-Bild-Leiste hilft.**

> *Eine Tierärztin arbeitet in einer Praxis.*

2
Ü2 **Informationen sammeln. Lesen Sie die Magazin-Beiträge. Cindy (C) oder Mehmet (M)? Ergänzen Sie.**

1. ...... hat eine Umschulung gemacht.
2. ...... hat in einer Restaurantküche gearbeitet.
3. ...... war arbeitslos.
4. ...... hat eine technische Ausbildung gemacht.
5. ...... ist selbstständig.
6. ...... hat sich oft beworben.

 im Labor

 *im Stall*
 *im Büro*
 *in der Werkstatt*

Jetzt bin ich hier der Chef!

Mehmet Güler ist 2003 nach Köln gekommen. Damals war er 16. Er hat in der Volkshochschule Deutsch gelernt. Sein erster Arbeitsplatz war auf dem Markt. Das frühe Aufstehen war kein Problem.
5 Dann hat er in einer Restaurantküche gejobbt. Mit 18 hat er eine Ausbildung zum Bäcker gemacht. Drei Jahre lang war er zwei Tage in der Berufsschule und drei Tage in einer Großbäckerei. „Das Lernen war nicht einfach", sagt 10 Mehmet. Später hat er sich selbstständig gemacht und eine Bäckerei eröffnet. Heute hat er in Köln und Leverkusen drei Läden und acht Angestellte. „Am Anfang war es 15 nicht leicht. Heute bin ich froh, dass ich das gemacht habe. Ich bin gerne mein eigener Chef."

6

7

8

9

Am 27. März ist wieder Girls'Day
Mädchen-Zukunftstag

Jedes Jahr im April ist Girls' Day. Alle Mädchen ab der fünften Klasse können mitmachen, neue Berufe kennenlernen und testen. In den Bereichen Technik, Wissenschaft und Handwerk gibt es viele Berufe mit wenigen Frauen. Das heißt: Beste Chancen für die Karriere in einem Betrieb, Girls! Mehr Informationen unter www.girls-day.de

3 Girls' Day. **Lesen Sie die Anzeige. Was ist der Girls' Day? Wie finden Sie die Idee?**
Ü3 **Berichten Sie.**

4 Über Berufserfahrungen sprechen. **Was haben Sie schon beruflich gemacht?**
Ü4

Redemittel	**sagen, was man beruflich gemacht hat**	
	Nach der Schule habe ich	eine Ausbildung zum/zur … gemacht. als/in/bei … gearbeitet. ein Praktikum in/bei … gemacht. … studiert.
	Nach der Schule / der Ausbildung / dem Studium wollte ich …, aber …	

Nach der Schule habe ich eine Ausbildung zum Koch gemacht.

In den Schulferien habe ich auf dem Feld gearbeitet.

ABC

einhundertneunundfünfzig

auf dem Feld

auf dem Bau
im Gewächshaus

in der Fabrikhalle

159

2 Arbeit suchen und finden

1 Stellenanzeigen

Ü5

a) **Lesen Sie die Anzeigen. Welche Qualifikationen sollen die Bewerberinnen und Bewerber haben? Markieren Sie die Informationen.**

---

1. Wir suchen ... Altenpfleger/in

Ihr Profil: Ausbildung als Altenpfleger/in oder Pflegehelfer/in, gute Deutschkenntnisse, Flexibilität und Teamfähigkeit, eig. PKW (ambulante Pflege), Schicht-
5 dienst, auch am Wochenende
Bewerbungen an: APD - Ambulante Pflegedienste Naumburger Str. 3, 07743 Jena, Tel. 03641-94535

2. Kaufmann/-frau für Büromanagement

Sie organisieren und koordinieren Termine und über-
10 nehmen spannende Aufgaben.
Sie haben eine Ausbildung als Bürokaufmann/-frau?
Sie haben Kenntnisse in Word, Excel und Access?
Sie sind höflich und können gut organisieren?
Sie arbeiten gern in Teams?
15 Sie sprechen gut Englisch und Französisch?
Dann rufen Sie an **(0444-763449)** oder bewerben sich unter **www.feltenag-willisau.com**

3. Kaufmann/-frau im Außenhandel

Aufgaben: Kundenkontakte, Marketing, **Ihr Profil:**
Ausbildungsabschluss, sehr gute Deutsch- und Eng- 20
lischkenntnisse, Computerkenntnisse. Flexibilität,
Mobilität, Teamfähigkeit, **Ihre Chancen:** interessante
Auslandtätigkeit, attraktive Sozialleistungen
Kontakt:
Rechle Personalservice GmbH, Pützstr. 25, 53129 25
Bonn. Matthias Bach: 0412-3493439, www.RPSG.com

4. Wir suchen Maurer (m/w).

Auch Berufsanfänger. Sie arbeiten auf Baustellen in der Schweiz. Führerschein, Vollzeit, flexible Arbeitszeiten zwischen 6 und 22 Uhr 30
Bewerbung bitte an: **Willi Weber, Beethovenstr. 35, 28209 Bremen, wweber@gmail.de**

---

b) **Kreuzen Sie die passende(n) Anzeige(n) an und nennen Sie die Berufe.**

	1.	2.	3.	4.
1. Arbeitsstelle, für die man einen Führerschein braucht.	☐	☐	☐	☐
2. Arbeitsstelle, für die man Computerkenntnisse braucht.	☐	☐	☐	☐
3. Arbeitsstelle, für die man Fremdsprachenkenntnisse braucht.	☐	☐	☐	☐
4. Arbeitsstelle, für die man Teamfähigkeit braucht.	☐	☐	☐	☐

c) **Typische Wörter in Stellenanzeigen. Ergänzen Sie die Tabelle.**

Berufe	Ausbildung	Tätigkeiten	Qualifikationen
....	....	Kundenkontakt	Englischkenntnisse ..

2 Berufsrecherchen

Ü6

a) **Wählen Sie einen Beruf aus, der Sie besonders interessiert, und recherchieren Sie Tätigkeiten und Qualifikationen.**

👍 **Internettipp**
www.planet-beruf.de
www.arbeitsagentur.de

b) **Recherchieren Sie zu 1. – 3. im Internet und notieren Sie die Informationen. Präsentieren Sie Ihre Ergebnisse.**

1. Tipps für Bewerbungen und für den Lebenslauf?
2. Wo finde ich Praktika?
3. Was heißt „Ausbildung" in Deutschland?

Gute Tipps bekommt man online unter ...

3 Der tabellarische Lebenslauf

Ü7

a) **Lesen Sie den Lebenslauf und beantworten Sie die Fragen. Unter welchen Überschriften finden Sie die Antworten?**

Lebenslauf

Persönliche Daten

Name	Kristina Gärtner
Anschrift	Ahornweg 23
	53177 Bonn
	Tel.: (02 28) 31 21 567
	K.Gärtner@gmx.de
geboren am	30. 05. 1982 in Bonn

Schulausbildung

1988 - 1992	Elsa-Brändström-Grundschule in Bonn
1992 - 2001	Beethoven-Gymnasium in Bonn
	Abschluss: Abitur

Berufsausbildung

09/2001 - 07/2004	Ausbildung zur Industriekauffrau
	ARIBO GmbH, Bonn

Berufserfahrung

08/2004 - 02/2009	Buchhaltung, TEPCO, Bonn
03/2009 - 02/2015	Sachbearbeitung und Buchhaltung,
	SBK Köln GmbH, Köln

Fremdsprachen	Englisch (C1), Spanisch (B2), Französisch (A2)
Hobbys	Lesen, Fotografieren, Tanzen

> *Die Antwort zur Frage 1 steht unter „Schulausbildung".*

1. Welche Schulen hat Kristina besucht?
2. Wo wohnt sie?
3. Welchen Schulabschluss hat sie gemacht?
4. Von wann bis wann ist sie zur Schule gegangen?
5. Welche Ausbildung hat sie gemacht?
6. Wo hat sie gearbeitet? Von wann bis wann hat sie dort gearbeitet?
7. Welche Sprachen spricht sie?
8. Was macht sie gern in ihrer Freizeit?

b) **Machen Sie sich Notizen und schreiben Sie Ihren eigenen Lebenslauf.**

> *... hat von September 2006 bis zum August 2009 eine Ausbildung zum ... gemacht. Dann hat er ...*

Sehr geehrter Herr Bach,

in Ihrer Stellenanzeige im General-Anzeiger vom 15. 01. 2015 suchen Sie eine Industriekauffrau. Ich bewerbe mich um diese Stelle. Meinen Lebenslauf sende ich Ihnen als Anhang. Ich freue mich über eine Einladung zu einem Gespräch.

Mit freundlichen Grüßen
Kristina Gärtner

> *... hat fünf Jahre studiert. Sie ...*

c) **Stellen Sie Ihrer Partnerin / Ihrem Partner die Fragen aus a) und berichten Sie.**

ABC

3 Berufswünsche: Eigentlich wollte ich Ärztin werden

1 Traumberufe. **Erinnern Sie sich: Was wollten Sie als Kind werden?**

36

| Kapitän – Ärztin – Filmstar – Sängerin – Sportler – Bauer – ... |

Was wollten Sie als Kind werden?
Was wollten Sie mit 18 Jahren werden?

Als Kind wollte ich ... werden.

2 Interviews

2.16   Ü8

a) Hören Sie die Berufswünsche und notieren Sie: Was wollten Daniel (D), Maria (M), Hermann (H), und Christina (C) werden? Was sind sie heute?

b) Hören Sie noch einmal. Wer sagt was? Kreuzen Sie an.

	D	M	H	C
1. Ich wollte Tierärztin werden, weil meine Mutter Tierärztin war.	☐	☐	☐	☐
2. Ich habe Geschichte studiert, denn das Fach war interessant.	☐	☐	☐	☐
3. Heute bin ich selbstständig, denn ich arbeite nicht gern für andere.	☐	☐	☐	☐
4. Als Jugendlicher wollte ich Biologe werden, weil mich Biologie interessiert hat.	☐	☐	☐	☐
5. Ich wollte nicht Lehrer werden, denn meine Eltern waren Lehrer.	☐	☐	☐	☐

3 Gründe nennen mit *weil* und *denn*

1, 21   Ü9

a) Vergleichen Sie die Sätze. Markieren Sie die Verben und ergänzen Sie die Regel.

Hauptsatz   *Nebensatz*
Ich wollte Tierärztin werden, weil mein Vater auch Tierarzt war.

Hauptsatz   *Hauptsatz*
Ich wollte Tierärztin werden, denn mein Vater war auch Tierarzt.

> **Regel** Mit *weil* beginnt ein .... satz. Nach *denn* folgt ein ....

b) Ergänzen Sie *weil* oder *denn*.

1. André sucht einen neuen Job, ... er hat Probleme mit seinen Kollegen.

2. Martin will eine Umschulung machen, ... er mehr Geld verdienen will.

3. Claudia möchte besser Deutsch lernen, ... sie arbeitet für eine deutsche Firma.

c) Schreiben Sie die Sätze aus 2 b) wie bei 3 a) in Ihr Heft. Markieren Sie die Verben.

Hauptsatz   Nebensatz
Ich wollte Tierärztin werden, weil meine Mutter Tierärztin war.

4 *ei, eu, au* – Zwei Vokale, ein Laut. **Hören Sie die Sätze und sprechen Sie nach.**

2.17

Toi, toi, toi wünscht Karl Moik aus Hanoi. – Regen im Mai, April ist vorbei. –
In neunundneunzig Träumen wächst die Zeit noch auf Bäumen. – Frauen kauen Kaugummis. –
Graue Autos laufen laut.

5 Wortfelder, Wortfamilien, Wendungen

Ü10

a) **Wortfeld Arbeit. Sammeln Sie Wörter aus dieser Einheit im Wörternetz.**

Facharbeiter/in für ... — Ausbildung — Tätigkeit — reparieren — Berufe — Arbeit

b) **Wortfamilie Arbeit. Sammeln Sie Wörter in einer Liste.**   arbeiten, Facharbeiter

c) **Über Berufe sprechen. Finden Sie weitere Wendungen in dieser Einheit.**

eine Ausbildung machen / ich bin Lehrer geworden / eigentlich wollte ich ... werden /
an der Universität arbeiten / sich selbstständig machen / ...

d) **Nomen und Verben verbinden. Notieren Sie die Verben zu den Nomen aus dieser**
   Einheit.

1. eine Ausbildung ...   2. einen Lebenslauf ...   3. einen Schulabschluss ...   4. sich um eine Stelle ...
5. eine Umschulung ...   6. einen Praktikumsplatz ...   7. eine Bewerbung ...

> **Lerntipp**
> In Nomen mit -ung findet
> man meistens ein Verb.

 6 Wortbildung

26   Ü11

a) **Nomen mit -ung. Schreiben Sie das passende Verb.**

1. die Wohnung – *wohnen* ....   3. die Einladung – ....

2. die Bestellung – ....   4. die Planung – ....

b) **Sammeln Sie weitere Beispiele in der Einheit.**

Beispiel	Verb
die Umschulung	umschulen

> **Minimemo**
> -ung: Artikel: die
> die Wohnung
> die Ausbildung
> die Anmeldung

c) **Das Rauchen, das Parken, das ...**
   Aus Verben Nomen machen.
   Sammeln Sie Beispiele auf
   Seite 158/159.

7 Nachdenken über das Lernen. **Ergänzen Sie die Tabelle und vergleichen Sie im Kurs.**

Ü12

das laute Lesen von Texten – das Arbeiten mit Karteikarten – das Nachschlagen einer
Grammatik – das Nachsprechen von Dialogen vor dem Spiegel – das Hören von Texten –
das Suchen von Informationen im Internet – das Lernen in Gruppen – ...

hilft mir ☺	hilft mir nicht ☹	noch nicht gemacht 😐

ABC

4 Höflichkeit am Arbeitsplatz: Der Ton macht die Musik

2.18 **1** Höflichkeit hören. **Vergleichen Sie. Was klingt für Sie höflicher? Kreuzen Sie an.**

	a)	b)
1. Könnten Sie mal die Tür aufmachen?	☐	☐
2. Kann ich Sie morgen zurückrufen?	☐	☐
3. Der Platz ist noch frei, oder?	☐	☐
4. Kannst du mich bitte morgen anrufen?	☐	☐

2 Höflichkeit interkulturell. **Lesen Sie den Magazin-Artikel. Wie ist das in Ihrer Sprache?**
Ü13 **Vergleichen Sie.**

Höfliches Sprechen heißt in den meisten Sprachen, dass man „bitte" und „danke" sagt und sich entschuldigt. Aber auf Deutsch kann auch ein Satz mit „bitte" und „danke" unhöflich 5 sein. Es kommt auf die Intonation an. Man kann einen Satz höflich oder unhöflich betonen, freundlich oder unfreundlich. Leises Sprechen ist meistens höflicher als lautes Sprechen.

Auch die Körpersprache kann Höflichkeit aus-10 drücken. Darf man dem Dialogpartner direkt in die Augen schauen? Das ist in vielen Ländern unhöflich, in Deutschland sollte man es aber machen. In manchen Sprachen, zum Beispiel auf Englisch, ist eine hohe Stimme am Satzan-15 fang höflich. Am besten ist, Sie hören genau zu und beobachten, wie es die anderen machen.

– 32 –

3 Höfliche Sprachschatten. **Ihre Partnerin / Ihr Partner bittet Sie um etwas. Spielen Sie**
Ü14 **Echo. Seien Sie höflich.**

Könntest du	bitte das Fenster	zumachen?	Das Fenster zumachen? Ja, natürlich.
Könnten Sie	mir bitte das Wörterbuch	geben?	Das Wörterbuch? Ja, klar.
	bitte lauter	sprechen?	Lauter sprechen? Ja, natürlich.
Hättest du	ein Taschentuch für mich?		Ein Taschentuch? Ja, gerne.
Hätten Sie	morgen Zeit für ein Treffen?		Morgen? Ja, natürlich.

4 Höflichkeit mit *könnte* und *hätte*. **Ergänzen Sie die Tabelle.**

39

Grammatik			**können**	**haben**
Höflichkeitsform	du	*Könntest du ....?*	....	....
	Sie	....	....

5 Höfliche Bitten mit *könnte* und *hätte*.
Ü15 **Ihre Partnerin / Ihr Partner bittet Sie um etwas.**
Formulieren Sie die Sätze höflich wie im Beispiel.

1. Haben Sie heute Zeit?
2. Kann ich an deinem Computer arbeiten?
3. Geben Sie mir bitte zwei Flaschen Mineralwasser.
4. Verbinden Sie mich bitte mit Frau Müller.
5. Haben Sie mal kurz einen Kuli?

Könnten Sie mich bitte vorbeilassen?

Aber gerne.

 6 Telefonieren trainieren. **Hören Sie das Gespräch und kreuzen Sie**
2.19   Ü16 **die richtigen Aussagen an.**

1. ☐ Frau Kalbach spricht mit Herrn Bach.
2. ☐ Herr Bach ist nicht da.
3. ☐ Frau Kalbach ruft an, weil sie gern einen Termin mit Herrn Bach hätte.
4. ☐ Die Besprechung dauert bis 15 Uhr.
5. ☐ Frau Kalbach möchte keine Nachricht hinterlassen.
6. ☐ Frau Kalbach möchte Herrn Bach später noch einmal anrufen.

7 Ein Rollenspiel

a) **Lesen Sie die Rollenkarten. Formulieren Sie**
   W-Fragen und beantworten Sie die Fragen.

> *Wen möchte Herr Granzow sprechen?*

> *Wo ruft Frau Rodríguez an?*

1.
Herr Granzow + Frau Müller:

Herr Granzow ruft bei der SBK Software GmbH an und möchte Herrn Tauber sprechen, der aber nicht da ist. Herr Granzow hinterlässt seine Telefonnummer und bittet um Rückruf. Er braucht dringend einen Termin mit Herrn Tauber.

2.
Frau Rodríguez + Herr Klein:

Frau Rodríguez ruft beim Goethe-Institut in München an und möchte Herrn Schmidt sprechen. Herr Schmidt ist in einer Besprechung. Frau Rodríguez hinterlässt die Nachricht, dass die Flüge nach Madrid reserviert sind.

3.
Frau Zhu + Herr Döpel:

Frau Zhu ruft aus China bei der Firma Braun an. Sie möchte Frau Zahn sprechen, die aber leider heute nicht da ist. Frau Zhu möchte, dass Herr Döpel lauter und langsamer spricht. Herr Döpel notiert für Frau Zahn, dass Frau Zhu wissen möchte, ob ihre Bewerbung angekommen ist.

b) **Wählen Sie eine Rollenkarte aus und schreiben Sie einen Dialog. Die Redemittel helfen.**

Redemittel	**Telefonieren am Arbeitsplatz**	
	sich vorstellen	*sich verbinden lassen*
	Guten Tag. Hier ist/spricht …	Ich möchte mit Herrn/Frau … sprechen.
	Mein Name ist …	Könnten Sie mich bitte mit Herrn/Frau … verbinden?
	den Grund für den Anruf nennen	*eine Nachricht hinterlassen*
	Ich rufe an, weil …	Könnte ich eine Nachricht für
	Ich habe eine Frage.	Herrn/Frau … hinterlassen?
	Ich möchte wissen, ob …	Es ist dringend. Herr/Frau … möchte mich
	Es geht um …	bitte unter der Nummer … zurückrufen.
	jdn. unterbrechen / nachfragen	*sich bedanken und verabschieden*
	Entschuldigung, dass ich Sie unterbreche.	Vielen Dank für Ihre Hilfe. /
	Könnten Sie das bitte wiederholen?	… für die Auskunft. / Danke.
	Könnten Sie bitte lauter/langsamer sprechen?	Auf Wiederhören.
	Möchten Sie eine Nachricht hinterlassen?	

c) **Üben Sie den Dialog und präsentieren Sie ihn im Kurs.**

1 Arbeitsorte und Berufe

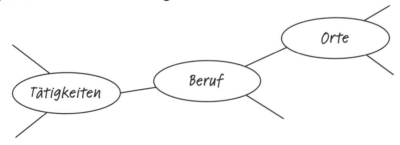

a) **Hören Sie die beiden Berichte. Notieren Sie, wo die Personen arbeiten.**
2.13

Heike Liebig, 29, Tierärztin

1. ....
2. ....
3. ....
4. ....

Hanna Weber, 42, Landschaftsarchitektin

1. ....
2. ....
3. ....
4. ....

b) **Finden Sie einen Beruf, der zum Arbeitsort passt.**

1. ....: im Kindergarten in einer Gruppe mit Kindern
2. ....: auf dem Bau und im Büro
3. ....: in der Schule und dort in einem Büro
4. ....: in einem Krankenhaus

2 Alles falsch!

a) **Lesen Sie noch einmal die Magazin-Beiträge auf Seite 158/159. Korrigieren Sie die Sätze.**

1. Cindy Gerlach arbeitet als Mechanikerin in Textiltechnik.
2. Cindy ist zurzeit arbeitslos.
3. Mehmet Güler repariert gerne elektrische Geräte.
4. Mehmets erster Arbeitsplatz war in einer Restaurantküche.
5. Heute hat er vier eigene Restaurants mit über 15 Angestellten.

Cindy Gerlach arbeitet als ...

b) **Machen Sie einen Wortigel zum Thema Beruf.**

Orte

Beruf

Tätigkeiten

3 Girls' Day

a) Lesen Sie den Flyer und setzen Sie aus der Wortliste das richtige Wort in jede Lücke ein. Einige Wörter bleiben übrig.

(A) Jungen – (B) Ausbildung – (C) nicht – (D) Mädchen – (E) schlecht – (F) gut – (G) Schule – (H) auch – ~~(Z) Start~~

- Seit dem Z......[0] der Aktion haben mehr als 1,5 Millionen ....[1] an etwa 100.000 Veranstaltungen teilgenommen.

- 90 Prozent der Teilnehmerinnen und Betriebe finden den Girls' Day gut oder sehr ....[2]

- Immer mehr Frauen in Deutschland möchten gern in technischen Berufen arbeiten.

- Viele Girls' Day-Teilnehmerinnen, die früher dabei waren, sind jetzt in ....[3], Studium oder Beruf im Technikbereich. Der Girls' Day macht Lust auf technische Berufe.

- Was die Mädchen lernen? Ganz klar: Was Jungs können, das können wir ....[4]!

- International: Der Girls' Day ist auch international ein großer Erfolg. In 19 weiteren Ländern findet jetzt auch der Girls' Day statt.

b) Beantworten Sie die Fragen.

1. Wo findet man Informationen zum Girls' Day?
2. Wie viele Veranstaltungen gibt es?
3. Wer darf nicht teilnehmen?
4. Worauf soll der Girls' Day Lust machen?

4 Berufserfahrungen: Nico Schöbel erzählt

🔊 2.14 **a) Hören Sie. Welche Aussagen sind richtig? Kreuzen Sie an und korrigieren Sie die falschen.**

1. ☐ Ich mag keine technischen Berufe.
2. ☐ In der Schule habe ich ein Praktikum im Krankenhaus in Münster gemacht.
3. ☐ Nach der Schule habe ich eine Ausbildung zum Kaufmann gemacht.
4. ☐ Die Ausbildung zum Kinderkrankenpfleger dauert vier Jahre.
5. ☐ Meine Ausbildung hat mir großen Spaß gemacht, aber die Arbeit ist nicht leicht.
6. ☐ Ich arbeite nicht so gern mit den Eltern. Die sind sehr anstrengend.
7. ☐ Vielleicht studiere ich Medizin.

b) Markieren Sie in a) die Redemittel aus dem Redemittelkasten auf Seite 159.

5 Stellenanzeigen

a) Ordnen Sie die Berufe den Beschreibungen zu.

1. Kaufmann im Außenhandel – 2. Kauffrau für Büromanagement – 3. Altenpfleger – 4. Maurer

BERUFENET	Berufsinformationen

☐ organisiert und bearbeitet Büroaufgaben. Außerdem hat man kaufmännische Tätigkeiten, so zum Beispiel in Marketing und Verwaltung. Man arbeitet in der Verwaltung von Unternehmen oder im öffentlichen Dienst.
Ausbildungszeit: 3 Jahre

☐ baut Mauern aus Steinen oder anderen Teilen (zum Beispiel im Hausbau). Man arbeitet auf Baustellen.
Ausbildungszeit: 3 Jahre in Industrie oder Handwerk.

☐ kauft Waren ein und verkauft sie weiter an Handel, Handwerk und Industrie.
Ausbildungszeit: 3 Jahre

☐ hilft älteren Menschen und pflegt sie. Man arbeitet oft in Altenheimen, hilft den alten Menschen im Alltag und versorgt sie bei Krankheiten.
Ausbildungszeit: 3 bis 5 Jahre

b) Nutzen Sie ein Wörterbuch und ergänzen Sie die männliche/weibliche Berufsbezeichnung.

c) Ergänzen Sie die Wörter und Artikel. Kontrollieren Sie mit den Anzeigen auf Seite 160. Nutzen Sie ein Wörterbuch.

1. *der* Altenpfleger
2. _____ Deutschke
3. _____ Flexi
4. _____ Teamfä
5. _____ Büroma
6. _____ Bürokaufm
7. _____ Kundenk
8. _____ Ausbildungsab
9. _____ Computerke
10. _____ Auslandstät
11. _____ Mobi
12. _____ Berufsanf

d) Welche Adjektive kommen in den Stellenanzeigen auf Seite 160 vor? Kreuzen Sie an.

1. ☐ gut
2. ☐ teamfähig
3. ☐ attraktiv
4. ☐ schlecht
5. ☐ spannend
6. ☐ ordentlich
7. ☐ ambulant
8. ☐ chaotisch
9. ☐ interessant
10. ☐ mobil
11. ☐ höflich
12. ☐ flexibel

e) Wie beschreiben Sie sich? Nutzen Sie die Adjektive aus c) und die Informationen in den Stellenanzeigen auf Seite 160.

Ich habe gute Deutschkenntnisse und ich spreche auch ...
Ich bin sehr flexibel ...

6 Lerneraufsatz zum Thema „Ein interessanter Beruf". **Lesen Sie den Lerneraufsatz. Beenden Sie dann die Sätze.**

Ich spiele sehr gern Computerspiele. Es gibt gute, aber auch schlechte Spiele auf dem Markt. In der Schule hatte ich einen Computerkurs. Der hat mir sehr viel Spaß gemacht, weil ich ein kleines Spiel schreiben konnte! Jetzt mache ich ein Praktikum in einer Computerspiele-Firma. Die Leute sind jung und sehr kreativ. So möchte ich arbeiten! Aber es ist nicht einfach: Nach der Schule muss ich eine dreijährige Ausbildung zur Spiele-Designerin (an einer privaten Schule) machen. Die Ausbildung kostet bis zu 20.000 Euro! Ich kann auch sieben Semester an einer Mediendesign-Hochschule studieren. Aber auch das kostet Geld. Außerdem muss man viele Praktika machen, teamfähig, flexibel und auch sehr kreativ sein ... Es gibt viele Leute mit dem Berufswunsch Spiele-Designer.

Stine Nygaard, 17, Schweden

1. Stine kommt ...
2. Sie interessiert sich für ...
3. In der Schule ...

4. Zurzeit macht sie ...
5. Die Ausbildung zur ...
6. Als Spiele-Designer/in muss man ...

7 Tipps zum Lebenslauf. **Sehen Sie sich den Lebenslauf auf Seite 161 an und ergänzen Sie den Flyer.**

> Fremdsprachen – Schulen – Berufserfahrung – Passfoto – Bewerbung – Lebenslauf – Telefonnummer – Geburtsdatum – Adresse

Bewerben leicht gemacht!

Sie möchten sich bewerben?

Dann brauchen Sie einen .... [1].

Der Lebenslauf ist ein wichtiger Teil der

.... [2]. Zuerst

beginnt man mit den persönlichen Daten wie

Name, ... [3],

.... [4] und

Geburtsort. Auch die .... [5]

darf nicht fehlen, weil man Sie vielleicht

anrufen möchte. Rechts oben kommt das

.... [6] hin. Unter

„Schulausbildung" notiert man alle

.... [7], die man

besucht hat. Danach kommt der Punkt

„Berufsausbildung". Wer schon ....

.... [8] hat, muss schreiben,

wie lange er wo gearbeitet hat. Nennen Sie

auch die .... [9],

die Sie sprechen – für viele Jobs brauchen

Sie mindestens Englisch.

8 Was wollten Sie werden?

a) **Lesen Sie den Artikel und beantworten Sie die Fragen mit einem *weil*-Satz.**

1. Warum wollte Jan nicht auf dem Bauernhof arbeiten?
2. Warum ist Helene Journalistin?
3. Warum ist Frederik kein Pilot?
4. Warum liebt Frederik seinen Beruf?
5. Warum hat Katja Tanz studiert?
6. Warum arbeitet Katja auch im Fitness-Studio?

> 1. Jan arbeitet nicht auf dem Bauernhof, weil er keine Lust hatte. Er wollte frei sein.

---

35 | **BERUFE AKTUELL**

Was Sie als Kind werden wollten und was Sie jetzt machen …

Hatten Sie große Träume, als Sie Kind waren? Wollten Sie Tierarzt, Musical-Star, Ballerina oder Pilot werden? Wir haben auf der Straße nachgefragt.

Jan Brunner, 36

„Meine Eltern wollten, dass ich Bauer werde und zu Hause auf dem Bauernhof arbeite. Aber
5 ich hatte keine Lust. Ich wollte frei sein. Jetzt habe ich zwei Hotels, bin selbstständig, habe 25 Angestellte und bin
10 sehr glücklich."

Helene Klein, 27

„Ich schreibe gern und interessiere mich für viele Themen. Ich wollte als Kind Jour-
15 nalistin werden. Jetzt arbeite ich als Journalistin. Informationen suchen, mit Menschen sprechen – das liebe
20 ich."

Frederik Markowski, 37

„Ich wollte Pilot werden. Aber ich bin viel zu klein (1,63 m). Mit 13 Jahren wollte
25 ich Dolmetscher werden und das bin ich jetzt auch. Ich liebe das Reisen, den Stress und die spannenden Aufga-
30 ben."

Katja Sens, 45

„Ich wollte Tänzerin werden und habe auch Tanz studiert. Ich brau-che Musik und Bewe-
35 gung in meinem Leben! Aber ich arbeite auch als Fitnesstrainerin. Ich kann vom Tanzen nicht leben. Ich bin jetzt auch
40 zu alt für das Tanzen."

---

b) **Was wollten Sie als Kind werden, was sind Sie heute? Schreiben Sie einen kurzen Bericht wie die Personen in a).**

9 Gründe nennen mit *weil* und *denn*. **Verbinden Sie die Sätze wie im Beispiel.**

1. Eva will den Arbeitsplatz wechseln. Ihr Chef ist anstrengend.
2. Thorsten schreibt schon die 50. Bewerbung. Es gibt wenige Stellen für Architekten.
3. Mareike arbeitet in Teilzeit. Ihre zwei Kinder sind noch sehr klein.
4. Siri geht jeden Tag zum Deutschkurs. Sie möchte den Deutschtest schaffen.
5. Matthias ist sehr zufrieden mit seinem Job. Er bekommt interessante Aufgaben.
6. Güler arbeitet auch abends und am Wochenende. Sie ist selbstständig.

> 1. Eva will den Arbeitsplatz wechseln, weil ihr Chef anstrengend ist.
> Eva will den Arbeitsplatz wechseln, denn ihr Chef ist anstrengend.

10 Wörter und ihre Partner. **Ergänzen Sie und kontrollieren Sie mit den Texten auf den Seiten 158 bis 162. Notieren Sie dann die Wortverbindungen auf einer Karteikarte mit einem Beispielsatz.**

> *ambulante Pflege*
>
> *„Ambulante Pflege"*
> *heißt Pflege zu Hause.*
> *Meine Oma bekommt*
> *ambulante Pflege.*

flexible – persönliche – schreiben – ambulante – finden – tabellarischer – gute – machen (3x) – sein (2x) – haben (2x)

1. eine Ausbildung ...
2. eine Umschulung ...
3. eine Bewerbung ...
4. eine Stelle ...
5. acht Angestellte ...

6. Kenntnisse ...
7. sein eigener Chef ...
8. arbeitslos ...
9. sich selbstständig ...
10. ... Arbeitszeiten

11. ... Kenntnisse
12. ... Pflege
13. ... Lebenslauf
14. ... Daten

11 Nomen mit der Endung *-ung*

a) **Markieren Sie in den Fragen das Nomen mit *-ung* und ergänzen Sie das Verb.**

1. Hast du schon einmal eine Bewerbung geschrieben?   *bewerben* ....

2. Wie sind Ihre Leistungen in Deutsch?   ....

3. Kennen Sie eine Person, die eine Umschulung macht?   ....

4. Welche Ausbildung haben Ihre Eltern?   ....

5. Können Sie das Ergebnis der Besprechung zusammenfassen?   ....

6. Möchten Sie lieber eine Wohnung oder ein Haus?   ....

b) **Beantworten Sie die Fragen aus a).**

12 Aus Verben werden Nomen. **Ergänzen Sie die Sätze.**

organisieren – sprechen – lesen – arbeiten – schreiben (2 x)

Früher hatte ich mit dem ....¹ am Computer Probleme. Jetzt schreibe ich mit zehn Fingern und das ....² geht ganz schnell. Das ....³ von Projekten macht mir großen Spaß und das ....⁴ im Team ist mir wichtig. Auch das ....⁵ von englischen und französischen E-Mails ist für mich kein Problem, aber beim ....⁶ bin ich nicht perfekt. Ich mache deshalb einen Französischkurs.

13 Höflichkeit

a) Lesen Sie noch einmal den Artikel auf Seite 164. Beantworten Sie die Fragen.

1. Was ist in vielen Sprachen höfliches Sprechen?
2. Was passiert bei einer falschen Intonation?
3. Was ist oft höflicher: leises oder lautes Sprechen?
4. Wie kann man mit Körpersprache in Deutschland höflich sein?
5. In welcher Sprache ist eine hohe Stimme am Satzanfang höflich?
6. Welchen Tipp gibt der Autor zum Schluss?

b) Lesen Sie die E-Mail. Was hat die Person falsch gemacht? Schreiben Sie eine kurze Antwort und erklären Sie das Problem bzw. den Fehler.

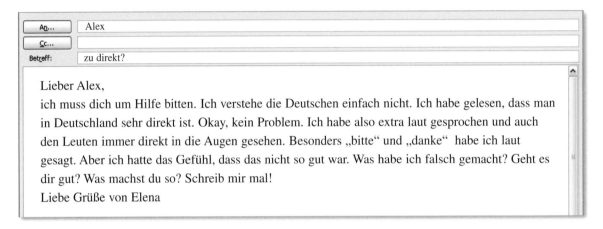

An... Alex
Cc...
Betreff: zu direkt?

Lieber Alex,

ich muss dich um Hilfe bitten. Ich verstehe die Deutschen einfach nicht. Ich habe gelesen, dass man in Deutschland sehr direkt ist. Okay, kein Problem. Ich habe also extra laut gesprochen und auch den Leuten immer direkt in die Augen gesehen. Besonders „bitte" und „danke" habe ich laut gesagt. Aber ich hatte das Gefühl, dass das nicht so gut war. Was habe ich falsch gemacht? Geht es dir gut? Was machst du so? Schreib mir mal!
Liebe Grüße von Elena

14 Flüssig sprechen. **Hören Sie und sprechen Sie nach.**

2.15

1. zumachen? – das Fenster zumachen? – Könntest du bitte das Fenster zumachen?
2. ein Treffen? – Zeit für ein Treffen? – Hätten Sie Zeit für ein Treffen?
3. lauter sprechen? – bitte lauter sprechen? – Könnten Sie bitte lauter sprechen?

15 Höflich oder unhöflich! **Formulieren Sie die Sätze unhöflich. Lesen Sie dann beide Varianten laut vor.**

1. Könntest du mir kurz dein Telefon geben?
2. Hättest du vielleicht 50 Cent für mich?
3. Könnten Sie mir bitte sagen, wie spät es ist?
4. Hätten Sie vielleicht morgen früh Zeit für ein Treffen?
5. Könnte ich bitte dein Wörterbuch haben?

16 Textkaraoke. **Hören Sie und sprechen Sie die ⮌-Rolle im Dialog.**

2.16

⮌ ...

⮌ Guten Tag! Hier spricht Baumann von der Firma Krohn und Partner. Könnte ich bitte mit Herrn Keller sprechen?

⮌ ...

⮌ Das hoffe ich. Wir haben mit der Gebäudetechnik im Haus Probleme.

⮌ ...

⮌ Einige elektrische Geräte sind kaputt. Wir brauchen einen Elektriker.

⮌ ...

⮌ Das stimmt. Ich bin aber nicht am Schreibtisch. Könnte mich Herr Keller bitte auf dem Handy anrufen? Das ist die 0151/18345563.

⮌ ...

⮌ Danke schön und auf Wiederhören.

Fit für Einheit 10? Testen Sie sich!

über Berufserfahrungen sprechen

💬 Was haben Sie schon beruflich gemacht? 👌 ....

▸ KB 1.2 – 1.4

einen Lebenslauf schreiben

💬 Was schreibt man in einen tabellarischen Lebenslauf?

👌 .... ▸ KB 2.3

über Berufswünsche sprechen

Als Kind wollte ich ...., (aber) jetzt .... ▸ KB 3.1 – 3.3

telefonieren am Arbeitsplatz

den Grund für den Anruf sagen: .... ▸ KB 4.7

Wortfelder

Berufe: ....

Tätigkeiten: ....

Arbeit

Orte: ....

Bewerbung: ....

▸ KB 1.1 – 1.4, 2.1, 2.3, 3.1 – 3.2, 3.5

Grammatik

Gründe nennen mit *weil* und *denn*

Ich lerne Deutsch,
- weil ....
- denn .... ▸ KB 3.3

Nominalisierung

Wohnung – *wohnen* Lesung – .... Umschulung – ....

parken – das .... aufstehen – das frühe .... ▸ KB 3.6 – 3.7

Höfliche Bitten mit *könnte* und *hätte*

.... Sie einen Moment Zeit für mich? – Aber natürlich!

.... du mir bitte deinen Stift geben? – Hier, bitte schön. ▸ KB 4.1 – 4.5

Aussprache

2.17

Zwielaute

Ei, eu, au – zwei Vokale, ein Laut, für viele Leute kein Problem. ▸ KB 3.4

Station 3

1 Berufsbilder

1 Beruf *Ergotherapeut/in*

a) **Gesundheitsberufe. Welche kennen Sie? Sammeln Sie: Wer, wo und was?**

Wer: *Der Arzt / Die Ärztin:*
Wo: *im Krankenhaus, ...*
Was: *Patienten untersuchen ...*

b) **Lesen Sie die Informationsbroschüre. Ordnen Sie den Fotos Zeilen aus dem Text zu.**

Zeile ....

➤➤ **Ergotherapeuten arbeiten mit Patienten,** die sich nicht richtig bewegen können oder Probleme mit der Konzentration haben. Durch spezielle Bewegungen und durch das Spielen und Basteln mit unterschiedlichen Materialien, wie z. B. Holz oder Papier, verbessern die Patienten ihre
5 Bewegungen und ihre Konzentration. Die Ergotherapeuten planen die Therapien mit den Ärzten zusammen.

➤➤ **Die Ausbildung macht Anna Spaß.** „Der Fachschulunterricht ist eine Mischung aus Theorie und praktischer Arbeit. Ein Vorteil ist, dass wir den Berufsalltag in vier Praktika kennenlernen", erzählt sie. Zurzeit macht sie ein
10 Praktikum in einem Seniorenheim. Anna übt mit den alten Menschen alltägliche Bewegungen, z. B. das An- und Ausziehen. Sie hat im Praktikum auch schon mit hyperaktiven* Kindern gearbeitet. Sie hat mit den Kindern z. B. das Erkennen und Nachbauen von Formen und Strukturen geübt. Die Kinder sollten so das ruhige und konzentrierte Spielen lernen.

15 *Hyperaktive Kinder sind immer in Bewegung. Sie können nicht ruhig sitzen und sich nicht lange oder nur schwer konzentrieren.

Anna Landmann (19) will Ergotherapeutin werden. Die Ausbil-
20 dung dauert drei Jahre. Anna ist im dritten Ausbildungsjahr und lernt an einer Berufsfachschule. Nach der
25 Ausbildung will sie in einem Seniorenheim arbeiten. Ihre Hobbys sind Sport und Kochen und sie macht
30 gerne Musik mit ihrer Band.

c) **Wer macht was? Ordnen Sie zu.**

Die Ergotherapeuten 1

Die Patienten 2

a machen eine dreijährige Ausbildung.
b haben Probleme mit der Bewegung oder mit der Konzentration und dem Lernen.
c arbeiten mit Ärzten zusammen und planen Therapien.
d verbessern durch Spielen und Basteln ihre Konzentration.
e müssen alltägliche Bewegungen trainieren.
f arbeiten auch mit Kindern, die Probleme mit der Konzentration haben.

2 Hier lerne ich gern … **Wie und wann lernen Sie am besten? Kreuzen Sie an und vergleichen Sie.**

Nachdenken über das Lernen				
Kursstatistik				
	a	b	c	d
Wie?	II	I	I	III
Wann?	III	II		
Mit wem?				
Womit?				
Wo?				

1. Wie?
a ☐ Im Sitzen.
b ☐ Im Stehen.
c ☐ Im Liegen.
d ☐ Ich muss mich immer bewegen.

2. Wann?
a ☐ Morgens.
b ☐ Mittags.
c ☐ Nachmittags.
d ☐ Abends.

3. Mit wem?
a ☐ Allein.
b ☐ In der Gruppe.
c ☐ Im Kurs.
d ☐ Mit einer Partnerin / einem Partner.

4. Womit?
a ☐ Mit Musik.
b ☐ Bei Ruhe.
c ☐ Beim Fernsehen.
d ☐ …

5. Wo?
a ☐ In der Küche.
b ☐ Im Bett.
c ☐ In meinem Zimmer.
d ☐ In der Bibliothek.

3 Lernen mit Bewegung

a) **Artikelgymnastik: Jede/r schreibt zwei Nomen auf einen Zettel. Sammeln Sie die Zettel ein. Bilden Sie drei Gruppen: *der, das, die*. Eine/r liest die Nomen ohne Artikel laut vor. Jede Gruppe springt bei „ihrem" Artikel auf.**

b) **Bewegtes Lesen: Notieren Sie gemeinsam 15 Komposita aus der Wörterliste ab Seite 277. Stellen Sie sich im Kreis auf. Sprechen Sie die Wörter langsam und bewegen Sie sich im Kreis. Jede Silbe ist ein Schritt. Beginnen Sie mit dem rechten Fuß.**

4 Ein Satz als Hörcollage

2.20 a) **Verstehen Sie den Satz? Hören Sie und schreiben Sie die Wörter in der richtigen Reihenfolge.**

suche suche suche… / ich ich ich… / Arbeitsstelle Arbeitsstelle Arbeitsstelle.. / eine eine eine… / neue neue neue…

b) **Bilden Sie zwei Gruppen. Denken Sie sich einen Satz aus. Jede/r aus Gruppe A geht duch den Raum und sagt ein Wort aus dem Satz laut. Gruppe B hört die Wörter, rät den Satz und stellt die Sprecher/innen in der richtigen Reihenfolge auf.**

2 Wörter – Spiele – Training

1 Beruferaten. Was bin ich?

a) **Sammeln Sie Berufe und Tätigkeiten, die Sie kennen.**

Beruf	Tätigkeit
Automechaniker	Autos reparieren, Kunden beraten
Krankenschwester	Patienten pflegen

b) **Schreiben Sie jeden Beruf auf eine Karte. Mischen Sie die Karten und ziehen Sie eine. Die Gruppe fragt, Sie antworten mit *ja* oder *nein*. Nach fünfmal *nein* haben Sie gewonnen. Die Fragen unten helfen.**

Arbeiten Sie Arbeitest du	an der Universität / an der Schule / bei …? am Theater / …? im Krankenhaus / im Büro / …? in der Werkstatt / in der Bank / …? mit Menschen / mit Kindern / am Computer / allein? tagsüber / nachts / am Wochenende?
Verkaufen Sie Verkaufst du	Schuhe / Brötchen / Fahrkarten / …?
Kannst du Müssen Sie	Autos reparieren / Fremdsprachen sprechen / Kunden beraten / Termine machen / kochen / am Computer arbeiten / …?

2 Rückendiktat. **Setzen Sie sich Rücken an Rücken und diktieren Sie abwechselnd Wort für Wort. Den Text für Partner/in 2 finden Sie auf Seite 247.**

Partner/in 1

Zwei *Bauarbeiter* unterhalten ....

in .... Mittagspause. ....

eine .... : „Wenn ....

sechs .... im .... habe, ... gehe .... nicht ....

arbeiten." .... fragt .... andere: „................ was .... du, ...

.... du .... drei .... hast?" .... erste .... :

„Ist .... klar! .... gehe .... nur .... halbe ....

arbeiten!"

3 Wortkette. **Wie viele Wörter schaffen Sie in 60 Sekunden? Schreiben Sie jedes Wort nur einmal.**

Buch   Haus   Sonne   Europa   A...

4 Testen Sie sich!

a) **Kreuzen Sie an. Zählen Sie dann die Punkte in der Tabelle zusammen. Die Auflösung finden Sie auf Seite 247.**

Stadt- oder Landmensch – welcher Typ sind Sie?

1. **Wie leben Sie gern?**

   A ☐ Ruhig.
   B ☐ Hektisch.
   C ☐ Laut.

2. **Kennen Sie Ihre Nachbarn?**

   A ☐ Nein, keinen einzigen.
   B ☐ Ja, fast alle.
   C ☐ Einige wenige.

3. **Wo sind Sie in Ihrer Freizeit am liebsten?**

   A ☐ Im Straßencafé.
   B ☐ Im Theater/Kino.
   C ☐ Im Park, in der Natur.

4. **Natur ist ...**

   A ☐ für mich Entspannung, Ruhe.
   B ☐ total langweilig.
   C ☐ mir egal.

5. **Wohin laden Sie eine neue Freundin / einen neuen Freund ein?**

   A ☐ Zu einem Picknick im Park.
   B ☐ In mein Lieblingsrestaurant.
   C ☐ Zu einem Frühstück mit frischen Eiern auf dem Balkon.

6. **Verkehrsmittel. Welche benutzen Sie gern?**

   A ☐ U-Bahn, Straßenbahn oder Taxi. Ich hasse Parkplatzsuche.
   B ☐ Ich fahre am liebsten Fahrrad.
   C ☐ Ein Leben ohne Auto kann ich mir nicht vorstellen.

7. **Was tun Sie gegen Stress?**

   A ☐ Eine Party für heute Abend vorbereiten.
   B ☐ Mich mit einem guten Buch auf den Balkon legen.
   C ☐ Mich um den Garten kümmern.

8. **„Zu Hause" heißt für Sie ...**

   A ☐ Freunde können immer kommen.
   B ☐ Ruhe und Entspannung.
   C ☐ Schnell zum Flughafen oder zum Zug kommen.

Zählen Sie Ihre Punkte zusammen.

	1	2	3	4	5	6	7	8
A	1	3	3	1	2	2	2	2
B	2	1	2	3	3	1	3	1
C	3	2	1	2	1	3	1	3

b) **Vergleichen Sie Ihre Ergebnisse.**

Oh, ich bin ein Landmensch.

Warum denn das?

3 Filmstation

1 Typisch Landleben?

a) **Sehen Sie den Clip ohne Ton und sammeln Sie
Wörter zum Thema „Landleben".**

das Feld, die Tiere, ...

b) **Beruf Landwirt/in. Sehen Sie den Clip mit Ton und ordnen Sie die Tätigkeiten den
Fotos zu.**

1. Tiere füttern – 2. den Stall reinigen – 3. die Buchhaltung machen – 4. Traktor fahren

c) **Richtig oder falsch? Sehen Sie den Clip noch einmal und kreuzen Sie an.**

	richtig	falsch
1. Familie Reusse hat einen Bauernhof mit über 300 Kühen.	☐	☐
2. Melanie arbeitet sehr viel am Computer.	☐	☐
3. Melanie hatte als Kind ein Pferd.	☐	☐
4. Melanie findet, dass die Arbeit in der Landwirtschaft langweilig ist.	☐	☐

d) **Was sind die Aufgaben einer Milch-
königin? Sehen Sie den Clip noch
einmal und kreuzen Sie an.**

1. ☐ Melanie informiert über die Land-
   wirtschaft auf Messen und in Schulen.
2. ☐ Sie berät Tierärzte.
3. ☐ Sie spricht mit Kindern über gesunde
   Ernährung.
4. ☐ Sie verkauft Milch.

e) **Welche Milchprodukte essen und trinken Sie gern? Machen Sie eine Umfrage im Kurs.**

2 Weimar eine Kleinstadt mit Weltruf

7

a) Sehen Sie den Clip ohne Ton bis 01:47 und bringen Sie die Fotos der Sehenswürdig-keiten in die richtige Reihenfolge.

Herzogin Anna Amalia Bibliothek

Goethe-Schiller-Denkmal

Goethes Gartenhaus

b) Welche Sehenswürdigkeiten in Weimar kennen Sie noch? Sammeln Sie.

Bauhaus-Museum, ...

c) Sehen Sie den Clip bis zum Ende und ordnen Sie die Informationen zu.

Goethes Gartenhaus ist, 1	a geschrieben und gedichtet.
Goethe und Schiller haben in Weimar 2	b ein Höhepunkt für jede Reisegruppe.
Die Herzogin Anna Amalia Bibliothek ist 3	c weltoffene Art der Einwohner von Weimar.
Den Brand der Herzogin Anna Amalia Bibliothek können 4	d viele Weimarer nicht vergessen.
Noriko gefällt die 5	e eine der schönsten Bibliotheken der Welt.

d) Was ist eine Kleinstadt mit Weltruf? Kreuzen Sie an und sprechen Sie dann im Kurs.

1. ☐ Die Stadt hat wenige Einwohner, aber ist bekannt.
2. ☐ Man spricht auf der ganzen Welt von der Stadt.
3. ☐ Es gibt viele Sehenswürdigkeiten in der Stadt.
4. ☐ Viele Touristen besuchen die Stadt.
5. ☐ In der Stadt leben Personen aus der ganzen Welt.
6. ☐ In der Stadt haben viele berühmte Persönlichkeiten gewohnt.

> Ich weiß nicht, was „Weltruf" bedeutet.

> Das heißt, die Stadt ist sehr bekannt.

e) Welchen Eindruck haben Sie von Weimar?
Welchen Aussagen stimmen Sie zu?
Kreuzen Sie an und vergleichen Sie im Kurs.

1. ☐ Die Stadt ist sehr grün.
2. ☐ In der Stadt kann man viel Musik hören.
3. ☐ In der Stadt fahren fast keine Autos.
4. ☐ Die Straßen sehen sehr alt aus.
5. ☐ In der Stadt leben viele junge Menschen.
6. ☐ Die Sehenswürdigkeiten sind sehr interessant.

4 Magazin

Tiere in der Zeitung

In vielen Nachrichten im Radio, im Fernsehen und in Zeitungen spielen Tiere eine wichtige Rolle. Menschen und Tiere leben seit Jahrhunderten zusammen. Die Tiere helfen den Menschen, aber sie machen auch manchmal Probleme. Menschen finden es besonders witzig, wenn Tiere menschlich sind. Der frühere deutsche Bundespräsident Johannes Rau sagte über seinen Hund: „Als Hund ist er eine Katastrophe, aber als Mensch ist er unersetzlich!"

---

30   *Tierisches aus aller Welt*

Feuerdrama in Bayern

Wau! Ronja rettet Familie das Leben

Würzburg – Die fünf Jahre alte Husky-Hündin Ronja hat ihrem „Frauchen" das Leben gerettet. Das Haus brannte schon bis zum Dach, als sie laut bellte und auf das Bett von Heide P. sprang. Die 43 Jahre alte Frau aus Lembach (Mühlkreis) weckte ihre Töchter (19 und 16) und ihren

Mann. Gemeinsam konnten sie sich dann mit dem Hund aus dem brennenden Haus retten. Der Bürgermeister von Lembach sagte: „Die Familie hat großes Glück gehabt. Es war eine Rettung in letzter Minute!"

Die Hündin Ronja (5) und ihre Familie haben jetzt kein Zuhause mehr.

Kuh gewinnt Schönheitswettbewerb

Erika – ist zum zweiten Mal die schönste Kuh in Deutschland. Das schwarz-weiß gefleckte Tier aus Osterkappeln im Landkreis Osnabrück (Niedersachsen) setzte sich beim Schönheitswettbewerb auf der

Erika: Schleswig-Holsteins schönste Kuh

Deutschen Holstein-Schau im Juni gegen rund 215 schwarzweiße Konkurrentinnen durch. Die Zuschauer waren begeistert. Erika hat viel Erfahrung mit Schönheitswettbewerben, denn die Jury wählte sie schon einmal 2013 zur Sieger-Kuh. „Da haben wir jetzt einen echten Promi im Stall", freut sich ihr Besitzer Karsten Segers. Wie bei den menschlichen Models sind gutes Aussehen und eine gute Figur ein absolutes Muss für die Kühe.

Fußball-Orakel Paul. Der Krake lag fast immer richtig!

Paul, – ein Krake im Sea Life Centre in Oberhausen, sagte bei der Fußball-Europameisterschaft 2008 und bei der Fußball-Weltmeisterschaft 2010 fast alle Spiele richtig voraus. Einige Tage vor dem Spiel wurden zwei Glas-Boxen

in das Aquarium gesenkt. In den Boxen war Wasser und Futter. Auf einer Seite waren die Nationalflaggen von den Ländern, die gegeneinander spielen mussten. Paul fraß sein Futter aus einer Box und sagte so den Sieger voraus. Bei der

WM 2010 wählte er acht Mal richtig die Box mit der Sieger-Flagge aus. Er sagte auch den Sieg Spaniens im Finale gegen die Niederlande voraus. Kein anderer Orakel-Krake hatte so oft Recht wie Paul.

Krake Paul bei der „Arbeit"

Was kann man mit Zeitungsartikeln machen?

- Überschriften lesen; Artikel überfliegen
- Vermutungen äußern: Was steht in dem Artikel?
- wichtige Wörter markieren
- Notizen machen: Wer? Wo? Was?
- eine Nachricht in einem Satz zusammenfassen
- einen interessanten Artikel auswählen, genau lesen und darüber sprechen
- mit dem Wörterbuch arbeiten

Tierisches aus aller Welt 31

Hund schießt auf Jäger

In Bulgarien hat ein Hund auf sein Herrchen geschossen und den 35 Jahre alten Jäger leicht verletzt.

Sofia – Das Unglück passierte im Nordosten des Landes bei Rasgrad. Der Mann war auf der Jagd und hat auf einen Vogel geschossen, wie Zeitungen in Sofia berichten. Der Hund war schneller als sein Herr. Weil der Hund den Vogel nicht losgelassen hat, hat der Mann den Hund mit dem Gewehr geschlagen. Dabei ist der Hund auf den Abzug getreten und der Schuss hat den Jäger getroffen.

Betrunkene schwedische Elche randalieren vor Seniorenheim

Große Tiere nach dem Genuss von faulen Äpfeln außer Kontrolle

Stockholm (nach dpa) – Polizisten mit Hunden mussten die Bewohner des Seniorenheims „Am Waldesrand" im schwedischen Östra Gynge vor betrunkenen Elchen schützen. Gestern berichtete die Zeitung „Dagens Nyheter", dass die großen Tiere viele faule Äpfel gefressen haben und dann betrunken durch den Wald gelaufen sind. Auch ein Polizeikommando mit Hunden konnte die Elche nicht stoppen. Polizeisprecher Fredrik Jonson sagte: „Aggressive betrunkene Elche sind hier ganz normal im Herbst, weil die Tiere richtige Apfelfans sind und große Mengen fressen. Viele Äpfel, die am Boden

Der Elch ist normalerweise ein sehr friedliches Tier

liegen, sind faul und enthalten Alkohol." Er konnte aber nicht sagen, wie viele faule Äpfel ein Elch essen muss, bis er betrunken ist.

Tierheim Berlin

Termine:
11. Juli 2015
Langer Tag der Tiere

25./26. Juli 2015
Familienwochenende

13. September 2015
Tag der offenen Tür

Spendenkonto
Postbank Berlin
IBAN: DE100205000001044700
BIC: BFSWDR12ZDF

Eichhörnchen unterbricht Champions-League-Spiel

Das kleine Tier wird in England zum Medienstar

London – Am Mittwoch beim Champions-League-Spiel zwischen dem FC Arsenal und Villareal rannte ein Grauhörnchen zehn Minuten lang durch den Strafraum von Arsenal-Keeper Jens Lehmann. Das Spiel musste sogar unterbrochen werden. Das aus Amerika eingewanderte Grauhörnchen hat in England seine europäischen roten Verwandten fast ganz verdrängt. Es ist ro-

buster und kommt vor allem in Städten gut zurecht. Mitten in der ersten Halbzeit war so ein Grauhörnchen, von den Zuschauern begeistert gefeiert, in die Nähe von Arsenals Tor gelaufen. „Es turnte irgendwo links rum", so Lehmann, und ließ sich erst nach ein paar Minuten wieder verjagen. Lehmann: „Es war einfach zu schnell für mich."

10 Feste und Feiern

Hier lernen Sie

▷ über Feste und Bräuche sprechen
▷ über Geschenke sprechen
▷ Feste und Feiern vergleichen
▷ über Bedingungen und Folgen sprechen

1 Feste feiern

1 der Valentinstag   2 der Karneval   3 Weihnachten

1 Feste

Ü1

a) **Welche Feste auf den Fotos kennen Sie?**

> *Die Brezel gehört zum Oktoberfest.*

> *Ich glaube, dass … zu … gehört.*

b) **Ordnen Sie die Symbole in der Wort-Bild-Leiste den Festen zu.**

2 Feste international

Ü2

a) **Lesen Sie den Artikel und markieren Sie Feste und Symbole aus 1.**

35 | KULTUR & WISSEN

WEIHNACHTEN – EIN EXPORTHIT

Feste wandern um den Globus. Einige kommen aus Deutschland. Und es gibt auch neue Feste.

Viele Feste sind heute international, man feiert sie auf der ganzen Welt. Viele Weihnachtsbräuche und -symbole kommen aus den
5 deutschsprachigen Ländern, z.B. der Weihnachtsbaum. Eine Chronik aus Bremen in Norddeutschland berichtet 1570 von einem kleinen Tannenbaum mit Äpfeln,
10 Nüssen und Papierblumen. Zu Weihnachten durften die Kinder die Leckereien aufessen. Weihnachtsbäume findet man heute überall in Europa, Amerika sogar in
15 Süd-Ost-Asien. Mit dem Baum, den Geschenken und Liedern ist Weihnachten heute ein internationales Fest.
Zu Ostern verschenkt man in ganz
20 Europa Ostereier. In den deutschsprachigen Ländern bringt sie der Osterhase, der auch in den USA und Australien populär ist. Deutschsprachige Auswanderer haben ihn
25 mitgenommen.

einhundertzweiundachtzig

das Dirndl   der Adventskranz   die Ostereier   die Maske

4 Halloween　　**5 das Oktoberfest**　**6 Ostern**

Es gibt aber auch Feste, die nach Europa zurückkommen, z. B. der Valentinstag und Halloween. Beide wanderten mit den Auswanderern
30 in die USA. Seit einigen Jahren feiert man sie auch wieder in Europa. Am Valentinstag machen sich Verliebte kleine Geschenke, z. B. Blumen, Karten oder Schoko-
35 lade. Und zu Halloween verkleiden sich die Kinder als Geister, gehen von Haus zu Haus und sammeln Süßigkeiten. Das wichtigste Hallo-

ween-Symbol ist der Kürbis. Wenn
40 man Augen, Nase und Mund in einen Kürbis schneidet und eine Kerze hineinstellt, dann vertreibt das die bösen Geister.
Als Clown, Cowboy, Prinzessin
45 oder nur mit einer Maske oder Mütze – sich verkleiden macht Spaß, vor allem zu Karneval (auch Fasching oder Fastnacht) im Feb-ruar oder März. Man feiert Karne-
50 val im ganzen deutschsprachigen Raum. Berühmt sind aber auch der

Karneval in Rio de Janeiro in Brasi-lien oder der Karneval in Venedig in Italien.
55 Das Oktoberfest ist wahrscheinlich der zweitgrößte Exporthit unter den deutschen Festen. Das Münch-ner Oktoberfest gibt es seit 1810. Oktoberfeste feiert man aber
60 heute in der ganzen Welt, von Amerika bis Japan, oft mit Bier, Brezeln und Blasmusik – ganz wie in Bayern!

b) **Welche Feste haben Tradition in Deutschland und Europa? Welche Feste gibt es erst seit kurzer Zeit wieder? Sammeln Sie im Artikel.**

c) **Welche internationalen Feste feiert man in Ihrem Land (nicht)? Berichten Sie.**

3 Über Feste sprechen. **Fragen und antworten Sie.**
Ü3

über Feste sprechen

Was sind für Sie wichtige Feste?	Ich feiere gern … Für mich ist … das wichtigste Fest.
Wann feiern Sie …?	Wir feiern am Wochenende / am 3. Oktober / … / im Sommer/Herbst/ …
Wie feiern Sie …? / Wie feierst du …?	Wir feiern mit einem guten Essen. Wir essen … Wir machen Musik und tanzen. / Wir reden viel.
Mit wem feiern Sie …? / Mit wem feierst du …?	Wir feiern mit Freunden / mit Nachbarn / mit meiner Schwester / mit …
Wo feiern Sie? / Wo feierst du …?	Wir feiern zu Hause / bei Freunden / im Restaurant / im Hotel / in der Kneipe / draußen. / Wir mieten einen Raum.

einhundertdreiundachtzig **183**

2 Ein Jahr – viele Feste

1 Feste und Bräuche in Deutschland

Ü4–5

a) **Lesen Sie die Zeitungsartikel. Notieren Sie für jedes Fest drei Wörter.**

Ostern: Frühling, Kinder, Schokolade

b) **Lesen Sie Ihre drei Wörter laut vor. Die anderen erraten das Fest.**

Der Karneval hat eine große Tradition

Am Rosenmontag im Februar verkleiden sich die Leute. Sie tragen bunte Kostüme und feiern auf der Straße. Zum Karneval in Köln gibt es Kamelle (Bonbons) und Bützchen (Küsschen). Am Bodensee feiert man die alemannische Fastnacht mit traditionellen Masken. Sie vertreiben den Winter.

a

Ostern ist im Frühling. Der Osterhase versteckt für die Kinder Ostereier aus Schokolade. Ein anderer Brauch ist das Eierklopfen oder das Eierwerfen.

b

Sommerfeste

feiert man überall unterschiedlich. Es gibt Stadt- oder Straßenfeste. Man isst Bratwurst oder Pommes und hört Musik. Im Rheingebiet feiert man Weinfeste.

c

Im Herbst feiert man auf dem Land **Erntefeste**. Das sind Dorffeste mit Musik, Tanz und einem Umzug durch das Dorf. Man freut sich über die Ernte. In den Alpen feiert man den Almabtrieb, das heißt, die Kühe kommen von den Bergwiesen zurück in den Stall im Dorf.

d

Weihnachten

ist in Deutschland das wichtigste Familienfest im Jahr.
Am Heiligen Abend (24.12.) bringen der Weihnachtsmann oder das Christkind die Geschenke, die dann unter dem Weihnachtsbaum liegen.

e

Das Jahresende feiert man mit **Silvesterpartys** *und einem großen Feuerwerk. Man stößt mit Sekt an und sagt: „Prosit Neujahr!" Die Leute wünschen sich ein „Frohes neues Jahr".*

f

c) **Bilden Sie Gruppen. Jede Gruppe stellt ein Fest vor.**

2 Alles gemerkt? **Notieren Sie drei Fragen zu den Zeitungsartikeln. Fragen und antworten Sie.**

3 Wortfeld Feste. **Ergänzen Sie das Wortfeld.**

Ü6

sich verkleiden

das Karnevalskostüm

Feste feiern

der Karneval — das Sommerfest — die Grillparty / das Stadtfest

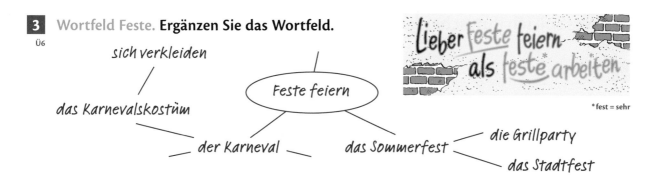

Lieber Feste feiern als feste* arbeiten

*fest = sehr

4 Ellas Party

Ü7–9

a) **Was hat Ella bekommen? Ordnen Sie die Wörter zu.**

1 die Luftmatratze
2 die Uhr
3 das T-Shirt
4 die Tasse
5 die Jacke

b) **Hören Sie den Dialog. Welche Geschenke hat Ella von wem bekommen?**

2.21

eine Uhr 1
eine Tasse mit Blumen 2
eine neongrüne Luftmatratze 3
eine hellblaue Jeans-Jacke 4
ein gelbes Teddy-Shirt 5

a von ihren Eltern
b von ihrer Tante Dörthe
c von ihrem Freund Adrian

c) **Formulieren Sie wahre und falsche Aussagen zum Dialog. Die anderen korrigieren.**

| Ella sagt, dass Frieda fragt, ob | die neue Luftmatratze die neue Uhr das gelbe Teddy-Shirt die Tasse mit den Blumen Ellas alte Luftmatratze bei den Geschenken von Dörthe | ein Geschenk von Adrian ist. immer etwas Witziges dabei ist. gut zur Jeans-Jacke passt. von ihren Eltern ist. zum Schlafen o.k. ist. von ihrer Tante Dörthe ist. seit dem Sommer kaputt ist. aus einem weichen Stoff ist. |

d) **Markieren Sie die Präpositionen in c). Ergänzen Sie den Merksatz.**

Regel Von a........, b........, m*it*.. nach v........, s........, z........ fährst immer mit dem Dativ du.

30

5 Noch mehr Geschenke. **Schreiben Sie eine Fortsetzung zum Dialog aus 4 b). Nutzen Sie die Stichwörter.**

1. Kalender ab 2017 – von ihrem Bruder Karl – aus den USA mitgebracht / (nicht) sehr nützlich
2. Geschenk – von meiner Schwester – morgen bei der Post abholen / (nicht) neugierig
3. Buch – von meiner Freundin aus der Türkei – seit drei Jahren kennen / (nicht) sehr spannend

ABC

3 Was soll ich ihm schenken?

1 Geschenke

Ü10

a) **Über welche Geschenke freuen Sie sich (nicht)?**

> Ich freue mich über Bücher.

> Ich finde, ein Mülleimer ist kein Geschenk!

die Socken

das Geschirr

der Gutschein

der Badeschaum

der Mülleimer

der Schmuck

der Kuss

die Krawatte

das Geld

der Gummibaum

b) **Sammeln Sie weitere Geschenke, über die Sie sich freuen. Vergleichen Sie.**

2 Die Prinzen: Was soll ich ihr schenken?

2.22

a) **Hören Sie das Lied von der Band „Die Prinzen" und lesen Sie mit. Vermuten Sie: Wer ist „sie"? Warum will er „ihr" etwas schenken?**

Was soll ich ihr schenken?

Jeden Tag und jede Nacht
muss ich daran denken,
jeden Tag und jede Nacht,
was soll ich ihr schenken,
was soll ich ihr schenken?
Alles, alles hat sie schon,
alles, alles und noch mehr,
alles, alles hat sie schon,
was soll ich da schenken,
ohne sie – ohne sie zu kränken.

'n Gummibaum? – hat' se schon!
Badeschaum? – hat' se schon!
'n rotes Tuch? – hat' se schon!
'n Sparbuch? – hat' se schon!
'n Knutschfleck? – will' se nich!
'n Bumerang? – da hat' se mich!
Sogar 'ne Matratze –
   hat' se, hat' se, hat' se!
Was soll ich da schenken,
ohne sie zu kränken?!

b) **Was schenken Sie „ihr"? Machen Sie einen guten Geschenkvorschlag.**

3 Was soll ich schenken? Konsonanten durch Übertreibung üben *(scharfes Flüstern)*.

2.23

Hören Sie den Dialog. Achten Sie auf die stimmlose, starke und scharfe Aussprache der Konsonanten. Sprechen Sie nach.

- ♡ Was schenkst du Beate zum Geburtstag?
- ♤ Weiß ich auch noch nicht. Wollen wir etwas zusammen schenken?
- ♡ Das neue Buch von Donna Leon?
- ♤ Wie langweilig! Wie wär's mit einer CD? Oder einer schicken Sporttasche?
- ♡ Gute Idee!

4 „Autogrammjagd". **Sammeln Sie Unterschriften.**

Haben Sie Ihrer Mutter schon einmal Parfüm geschenkt?	*Frede*
Kann man einem Mann Parfüm schenken?	
Wünschen Sie sich zum Geburtstag Geschenke?	
Finden Sie, dass man ein Messer schenken kann?	
Kann man dem Partner Kleidung schenken?	

5 Typisch Mann – typisch Frau? **Wer schenkt wem was?**
Sprechen Sie schnell.

Er schenkt **ihr**   ein teures Parfüm / einen Ring.
Sie schenkt **ihm**   ein Hemd / ein Taschenmesser.
                   Blumen / eine Krawatte.
                   ...

*Können Sie mir helfen?
Ich suche ein Geschenk
für ...*

6 Ein kurzes Grammatikdrama

25

a) **Lesen Sie die Geschichte. Wie geht sie weiter?**

Sie schreibt ihm einen Brief. Er öffnet ihn nicht.
Sie schreibt ihm eine SMS. Er ignoriert sie.
Sie schenkt ihm ein Buch. Er liest es nicht.
Sie gibt ihm ihre Telefonnummer. Er ruft sie nie an.
Sie gewinnt im Lotto und zeigt ihm ihren Lottoschein. ...

👍 **Lerntipp**
*geben, schenken, zeigen,
bringen, wünschen, leihen –
immer mit Dativ und Akkusativ*

b) **Lesen Sie den Lerntipp. Markieren Sie die Verben in der Geschichte in a).**

7 Sätze-Rallye. **Welche Gruppe kann in zwei Minuten die meisten Sätze schreiben?**

Ü11

Nominativ (Wer?)		**Dativ** (Wem?)	**Akkusativ** (Was?)
	gibt	seiner Frau	ein Buch.
	schenkt	ihrem Kollegen	einen Schal.
Laura	zeigt	seinen Freunden	eine Einladung.
Mein Bruder	bringt	ihrer Nachbarin	die Stadt.
...	leiht	seinem Chef	ein Videospiel.
		ihren Kindern	Geld.

*Ich wünsche dir
alles Gute!*

8 Dativ und Akkusativ im Satz. **Schreiben Sie fünf Sätze mit den Verben aus 7.**

25   Ü12

                              Dativ   Akkusativ

1. Ich   bringe   meiner Kollegin   einen Kaffee.

2. Bringst   du   deiner Kollegin   einen Kaffee?

9 Geschenke in Ihrem Land. **Was schenken Sie wem und wann? Was darf man in Ihrem
Land nicht schenken?**

ABC ▤

4 Keine Katastrophen, bitte!

1 Alle Jahre wieder

Ü13

a) Lesen Sie den Zeitungsartikel. Welche Tipps gibt die Feuerwehr? Kreuzen Sie an.

1. ☐ Der Baum darf nicht zu alt und trocken sein.
2. ☐ In der Nähe vom Weihnachtsbaum darf keine Gardine sein.
3. ☐ Niemand darf den Raum mit dem Weihnachtsbaum verlassen.
4. ☐ Die Tür muss immer frei sein.
5. ☐ Kinder dürfen nicht in den Raum mit dem Weihnachtsbaum.
6. ☐ Sicherheit ist wichtiger als Romantik.

Alle Jahre wieder ...

Heim & Sicher · 28

Echte Kerzen am Weihnachtsbaum sind viel romantischer als elektrische. Aber was passiert, wenn der Baum brennt? Wenn
5 eine Gardine in der Nähe hängt, dann geht alles ganz schnell: Zuerst brennt der Baum, dann brennt die Gardine und am Ende die ganze Wohnung. Ge-
10 fährlich sind alte und trockene Bäume. Was kann man dagegen tun? Die Feuerwehr sagt: Wenn man Kinder im Haus hat, dann soll man nur elektrische Kerzen
15 benutzen. In den USA sind echte Kerzen sogar verboten. Hier sind ein paar Tipps: Der Baum darf nicht vor einer Tür stehen, weil man sonst nicht aus
20 dem Raum kann. Wenn man echte Kerzen benutzt, stellt man einen Eimer Wasser neben den Baum. Dann kann man ein Feuer schnell löschen. Den
25 Baum nie allein lassen! Wenn man aus dem Zimmer geht, muss man die Kerzen löschen.

Echte Kerzen? Nie wieder!

b) Feiern Sie Weihnachten oder ein anderes Fest mit Kerzen? Sind die Kerzen echt? Warum (nicht)?

 2 Bedingungen und Folgen: Wenn – dann. **Lesen Sie das Beispiel. Beenden Sie die Sätze**
20 Ü14 **und markieren Sie wie im Beispiel.**

Wenn man Kinder (hat), (dann) soll man elektrische Kerzen benutzen.

1. Wenn der Baum brennt, *dann* ....

2. Wenn man echte Kerzen benutzt, ...

3. Wenn man aus dem Zimmer geht, ...

3 Was tun Sie, wenn ...? **Ergänzen Sie.**

Wenn ich traurig bin, ...	im Bett bleiben
Wenn ich einen Tag frei habe, ...	Freunde treffen
Wenn ich gute Laune habe, ...	ins Kino gehen
Wenn ich müde bin, ...	ein Buch lesen
Wenn ich krank bin, ...	ausschlafen
Wenn ich im Deutschkurs bin, ...	schön frühstücken ...

Wenn ich einen Tag frei habe, dann treffe ich Freunde.

Und was machst du, wenn ...?

5 Ostern – ein internationales Fest

1 Osterbräuche
Ü15

a) **Lesen Sie die Pinnwand-Texte. Aus welchem Land kommen diese Osterbräuche? Was vermuten Sie?**

1. ☐ Tschechien 2. ☐ Schweiz 3. ☐ Griechenland 4. ☐ Spanien 5. ☐ Italien

Viele Leute machen mit der Familie oder mit Freunden am Montag einen Ausflug. Beim Picknick essen wir die Ostertorte, das ist ein salziger Kuchen mit Spinat und gekochten Eiern.

Laura Sivari, 17, Genua

a

Bei uns kommen am Ostersonntag alle auf den Marktplatz und schlagen ihre bunten Eier zusammen. Das Ei, das nicht kaputt geht, gewinnt.

b Urs Widmer, 37, Bern

c

Am Ostersonntag färben und bemalen die Mädchen und Frauen die Ostereier. Am Ostermontag gehen die Männer auf dem Land von Haus zu Haus und singen Osterlieder.

Pavel Svoboda, 24, Prag

Wir feiern Ostern eine Woche später als in Deutschland. Am Freitag feiern wir eine Messe. Alle bringen weiße Kerzen mit. Am Sonntag haben wir eine Familienfeier und wir essen Lamm.

d Ioánnis Papadakis, 64, Methana

Bei uns gibt es in der „Heiligen Woche" Prozessionen mit prächtig geschmückten Figuren. Die ganze Stadt ist auf den Beinen, alle machen mit.

Nayra Díaz-Martin, 43, Huelva

e

 b) **Hören Sie und überprüfen Sie Ihre Vermutungen.**

2.24

c) **Wortfeld Ostern. Sammeln Sie Wörter aus den Pinnwand-Texten in einem Wortfeld.**

2 Über Feste berichten. **Schreiben Sie einen Ich-Text. Nutzen Sie die Redemittel von Seite 183.**
Ü16

Ich freue mich auf ... Bei uns ist es Tradition, dass ...
Ich feiere ... zusammen mit ... Für mich es ist wichtig, dass ...

ABC

1 Feste und Symbole

a) **Streichen Sie das nicht-passende Wort.**

1. Halloween: der Geist – der Kürbis – ~~die Valentinstagskarte~~ – die Süßigkeiten – das Kostüm
2. Oktoberfest: die Brezel – das Bier – die Blasmusik – das Dirndl – die Maske
3. Karneval: die Maske – der Fasching – das Osterei – das Kostüm – die Musik
4. Valentinstag: der Kürbis – die Verliebten – das Geschenk – die Blume – die Schokolade

b) **Sammeln Sie mindestens zehn Wörter zum Thema Weihnachten.**

> *Weihnachten: der Weihnachtsbaum, ...*

2 Feste gehen um die Welt

a) **Kreuzen Sie die richtigen Aussagen an und korrigieren Sie die falschen. Der Artikel auf Seite 182/183 hilft.**

1. ☐ Die meisten Weihnachtsbräuche kommen aus den USA.
2. ☐ Der Osterhase wanderte mit den Auswanderern bis nach Australien und in die USA.
3. ☐ Halloween und Valentinstag feierte man zuerst in den USA.
4. ☐ Zum Valentinstag verkleiden sich die Kinder und sammeln Süßigkeiten.
5. ☐ Karneval feiert man in Deutschland nur in wenigen Städten, z. B. in Köln und Mainz.
6. ☐ Das Münchner Oktoberfest ist ein Exporthit. Sogar Japaner feiern das Fest.

b) **Ergänzen Sie die Länder und Feste mit Hilfe des Artikels auf Seite 182/183.**

1.
2.
3.
4. Oktoberfest
5.
6. Australien
7.
8.
9.

c) **Ein kleines Wort – eine große Funktion. Suchen Sie das fehlende Wort im Artikel auf Seite 182/183 und ergänzen Sie.**

1. auf der *ganzen* Welt
2. ein Fest
3. in Europa
4. in den Ländern

5. seit Jahren
6. Geschenke machen
7. die Geister
8. der Exporthit

3 **Was ist für Sie das wichtigste Fest?**

2.18

a) **Hören Sie die Antworten der Personen und notieren Sie das wichtigste Fest für die Person.**

1	2	3	4
Juliane Weber (32) mit Lasse (4) und Lea (2)	Hagen Steinert (25) Nina Hövelbrinks (23)	Sigrid Heuer (58)	Sven Wagner (37) mit Fiona (6)

b) **Wer sagt das? Ergänzen Sie die Foto-Nummer. Manchmal gibt es mehrere Personen.**

1. ☐☐☐ Ich bin immer froh, wenn der Frühling kommt.
2. ☐☐☐ Es ist schön, wenn die ganze Familie zusammen ist.
3. ☐☐☐ Weihnachten ist mir sehr wichtig.
4. ☐☐☐ Ich mag keine Feste, weil es oft nur um Geschenke geht.
5. ☐☐☐ Karneval ist lustiger als Weihnachten.
6. ☐☐☐ Ich verkleide mich gern.

4 **Feste und Bräuche. Beantworten Sie die Fragen. Die Zeitungsartikel auf Seite 184 helfen.**

1. Was sind Erntefeste und wie feiert man sie?
2. Wann gibt es normalerweise Sekt und ein großes Feuerwerk?
3. In welchem Monat findet der Rosenmontag statt?
4. Was tragen die Leute zur alemannischen Fastnacht?
5. Was ist für viele Deutsche das wichtigste Familienfest?

> *1. Das sind Dorffeste auf dem Land mit Musik und Tanz.*

5 **Goethe und Musik**

a) **Überfliegen Sie den Flyer. Welches Fest findet statt? Markieren Sie.**

Goethe und Musik
Ein Sommerfest* im Weimarer Park für Klein und Groß

Wer? *Institut für Jazz der Weimarer Hochschule Franz Liszt und die Germanistik der Friedrich-Schiller-Universität Jena*

Was? *Goethe hören und sehen mit Live-Musik und Lesungen von Studenten und Studentinnen, essen und trinken, tanzen und spielen*

Wann? *28. August ab 15 Uhr*

Wo? *Im Park in der Nähe vom Haus der Frau von Stein*

*Findet bei Regen nicht statt

b) **Schreiben Sie fünf W-Fragen und beantworten Sie sie.**

> *Was gibt es an diesem Tag? Live-Musik und …*

Alles Liebe zum

6 **Wie feiern Sie?** Machen Sie in Ihrem Heft ein Wörternetz zum Thema Silvester/Neujahr.

Straße — Ort — Silvester / Neujahr — Datum — 31. Dezember

Essen — Silvester / Neujahr — Gäste — Familie

7 Party-Gespräche

a) **Lesen Sie die Sprechblasen. Kreuzen Sie die richtigen Aussagen an und korrigieren Sie die falschen.**

1. ☐ Jana findet Julian nicht hübsch.
2. ☐ Julian studiert seit dem Sommersemester.
3. ☐ Sara will mit Freunden zum See fahren.
4. ☐ Sara und Silva wollen mit dem Auto fahren.
5. ☐ Silva will nach dem Seminar losfahren.
6. ☐ Pieter wohnt noch bei seiner Tante.
7. ☐ Pieter hat es nicht weit bis zur Uni.

Sara Silva Jana Astrid Julian Magnus Pieter

b) **Markieren Sie in a) die Dativ-Präposition und das Nomen im Dativ wie im Beispiel.**

c) **Markieren Sie das passende Pronomen und das Verb, das den Dativ braucht.**

💬 Gefallen dir die Blumen nicht?
👄 Oh doch! Die gefallen **mich**/**mir** sehr gut.
💬 Und helfen dir deine Schwestern bei der Party?
👄 Nein, ich habe **ihnen**/**ihn** ja auch nicht geholfen. Das ist schon okay.
💬 Hast du schon Sebastian zum Geburtstag gratuliert? Der hat doch auch heute ...
👄 Herrje, ich habe **ihn**/**ihm** noch nicht gratuliert. Gut, dass du es sagst!
💬 Ich weiß, du hast gerade viel zu tun, aber kannst du mir bei einer Sache helfen?
👄 Ja klar, ich helfe **dir**/**dich** gern. Was gibt es denn?

🔊 d) **Hören Sie und kontrollieren Sie Ihre Lösungen aus c) mit der CD.**
2.19

8 Rätsel

a) Lesen Sie den Zeitungsausschnitt. Streichen Sie die nicht-passende Präposition.

> **Rätselfreunde** Jede Woche wieder: Rätselspaß für Rätselfreunde
>
> Das Fest kommt **aus/bei**[1] Europa. Das Fest ist **von/mit**[2] den Auswanderern in die USA gekommen. **Nach/Von**[3] dort ist es wieder nach Europa zurückgewandert. Das Fest feiert man **zu/seit**[4] vielen hundert Jahren. **Mit/Bei**[5] uns in Deutschland feiern dieses Fest meistens die Kinder. Die Kinder laufen von Haus zu Haus und sammeln Süßigkeiten. **Vor/Nach**[6] dem Fest kommt bald Weihnachten.
>
> *Ihre Lösung schicken Sie bitte an folgende Adresse: lösung@raetselfreunde.de.*
> *Viel Glück!*
> – 17 –

b) Wie heißt das Fest? Notieren Sie. ....

9 Textkaraoke

🔊 **a) Hören Sie und sprechen Sie die 👄-Rolle im Dialog.**

2.20

👂 ...

👄 Oh, dankeschön. Das ist nett, dass du anrufst.

👂 ...

👄 Von meinem Vater habe ich neue Kopfhörer bekommen. Meine sind doch seit dem Urlaub kaputt.

👂 ...

👄 Genau! Und mit meinem Bruder gehe ich zu einem Konzert.

👂 ...

👄 Zu den Prinzen ... Und von meiner Mutter gab es eine neue Jacke.

👂 ...

👄 Rate mal, was ich von meinen Großeltern bekommen habe!

👂 ...

👄 Die beiden bezahlen mir meine Party und du bist eingeladen.

👂 ...

b) Markieren Sie in a) die Präposition mit Dativ.

c) Wählen Sie eine Präposition aus und ergänzen Sie.

1. Die Freundin gratuliert .... Geburtstag. (zum/bei/nach)

2. Die neuen Kopfhörer sind .... einer deutschen Firma. (seit/von/zu)

3. Mit meinem Bruder fahre ich .... unserer Tante. (zu/nach/bei)

4. Die Jacke ist .... weichem Stoff. (zu/bei/aus)

5. Das ist ein Geschenk .... den Großeltern. (mit/von/seit)

10 Darf man das schenken?

a) Lesen Sie die Aussagen. Richtig (r) oder falsch (f)? Was meinen Sie?

1. ☐ Schlechte Geschenke sind genauso schlimm wie keine Geschenke.
2. ☐ Geld ist immer ein sicheres und gutes Geschenk.
3. ☐ Werbegeschenke (Kalender, Stifte, Parfüm) darf man verschenken.
4. ☐ Reduzierte Ware (Sonderangebote) verschenkt man nicht.

Alles Liebe zum

b) Lesen Sie den Zeitungsartikel. Welche Informationen finden Sie? Unterstreichen Sie in a).

Bald ist wieder Weihnachten oder eine wichtige Person hat Geburtstag?

Sie schenken lieben Menschen gern etwas? Dann denken sie VORHER nach, was Sie der Person schenken. Ein Bericht von Redakteur Michael Wollny

⁵ In einem großen Online-Geschenke-Portal haben Kunden diskutiert, was ihre „schlimmsten Geschenk-Erfahrungen" waren. Alle finden: Schlechte Geschenke sind schlimmer als gar keine Geschenke. Also schenken Sie lieber nichts oder denken Sie vorher nach! ¹⁰ Hier eine kleine Liste von schlechten Geschenken: Schenken Sie niemals Putzmittel, Glühbirnen, Diät-Bücher oder zu kleine/große Kleidung, einen Geldgutschein vom gemeinsamen Konto oder Werbegeschenke (wie z. B. Medizin-Kalender, Gratis-Parfüm vom Flugzeug oder dem Hotel). Auch alte Schokolade oder billige/ ¹⁵ reduzierte Dinge sind keine gute Idee. Schenken Sie Freude und keinen Frust!

c) Lesen Sie die Situation. Beantworten Sie die Frage.

Ihre Freundin will ihrer Schwiegermutter ein Diät-Buch und eine Bluse in der Größe 42 schenken. Ist das eine gute Idee?

11 Wer? Wem? Was? – Verben mit Dativ- und Akkusativergänzung

a) Schreiben Sie Sätze und verwenden Sie die Possessivartikel.

b) Variieren Sie neu. Schreiben Sie mindestens sechs Sätze.

Herr Paul schenkt seiner Freundin Konzertkarten.

c) Ersetzen Sie die Dativ-Ergänzungen aus a) mit einem Pronomen.

Herr Paul gibt seinen Kindern Geld.
→ Er gibt ihnen Geld.

12 Dativ und/oder Akkusativ

a) **Kreuzen Sie an und unterstreichen Sie die Ergänzungen.**

	DATIV	AKKUSATIV
1. Das Bild gefällt <u>meiner Freundin</u> nicht.	☒	☐
2. Familie Schröter schreibt den Freunden eine Karte.	☐	☐
3. Simon schenkt seiner Frau jeden Freitag Blumen.	☐	☐
4. Ich danke Ihnen sehr.	☐	☐
5. Frau Peterlein gibt ihren Kindern ein Stück Schokolade.	☐	☐
6. Hilfst du deiner Mutter beim Umzug?	☐	☐
7. Meine Mutter zeigt ihrer Freundin ein neues Kleid.	☐	☐
8. Ich schicke meiner Oma jedes Jahr eine Weihnachtskarte.	☐	☐

b) **Ersetzen Sie die Dativ-Ergänzung, wenn möglich, mit einem Pronomen.**

13 Die Feuerwehr rät

a) **Lesen Sie die Broschüre. Sammeln Sie Informationen zu den folgenden Zahlen.**

50 – 600 – 2 – 70 – 95

Hilfe, es brennt!
Ihre Feuerwehr informiert.

Zahlen und Fakten

- Jede **2.** Minute – so oft brennt in Deutschland eine Wohnung oder ein Haus.
- Pro Monat haben **50** Menschen einen Unfall mit Feuer und verbrennen sich.
- **600** Personen sterben pro Jahr in Deutschland, wenn es brennt.
- **95 %** der Opfer sterben nicht durch das Feuer, aber durch die Luft.
- Wenn es brennt, liegen **70 %** der Opfer im Bett und merken es nicht.

Aber es muss nicht bei Ihnen brennen, wenn Sie vorsichtig sind!
Das können Sie tun:

- ✔ Elektrische Geräte immer ausschalten und nicht im Stand-by-Modus haben.
- ✔ Kaufen Sie elektrische Geräte, die eine gute Qualität haben.
- ✔ Kein Feuer in der Nähe von Kindern machen!
- ✔ Rauchen Sie nicht im Bett oder wenn Sie müde sind.
- ✔ Wenn Kerzen brennen, immer im Raum sein.
- ✔ Schalten Sie den Herd immer aus.
- ✔ Keine Zigaretten etc. in den Mülleimer werfen.

b) **Beenden Sie die Sätze.**

1. Wenn man elektrische Geräte kauft, müssen diese ...
2. Wenn man Kinder hat, darf man kein ...
3. Wenn man müde ist, dann darf man ...
4. Wenn man eine Kerze anmacht, muss man ...
5. Wenn man etwas gekocht hat, dann muss man ...

1. Wenn man elektrische Geräte kauft, müssen sie eine gute Qualität haben.

Alles Liebe zum

14 Bedingungen und Folgen: Nebensätze mit *wenn*

a) **Ordnen Sie zu.**

Mein japanischer Freund will
das Oktoberfest besuchen. **1**
Ich bekomme von meinem Freund
keine Valentinstagskarte. **2**
Es regnet zu Ostern. **3**
Zu meiner Grillparty kommen
20 Gäste mehr als geplant. **4**
Der Weihnachtsbaum brennt. **5**

a Ich bin sehr traurig.
b Ich verstecke die Ostereier im Haus.
c Ich rufe schnell die Feuerwehr.
d Ich schicke einen Freund einkaufen.
e Ich fahre mit ihm nach München.

b) **Verbinden Sie die Sätze mit *wenn – dann*.**

1. Wenn mein japanischer Freund das Oktoberfest besuchen will,
dann fahre ich mit ihm nach München.

15 Ostern international. **Lesen Sie noch einmal die Beiträge auf Seite 189 und kreuzen Sie die richtigen Aussagen an. Korrigieren Sie die falschen.**

1. ☐ In Griechenland isst man zu Ostern Lamm.
2. ☐ In Tschechien gibt es Prozessionen und man singt Osterlieder.
3. ☐ In Spanien isst man die traditionelle Ostertorte und feiert eine Messe.
4. ☐ In Italien geht man am Ostersonntag zum Marktplatz und isst Ostertorte.
5. ☐ In der Schweiz findet Ostersonntag das traditionelle Eierschlagen statt.

16 Lerneraufsatz zum Thema „Über ein Fest berichten"

a) **Lesen Sie den Lerneraufsatz und formulieren Sie fünf W-Fragen zum Text. Beantworten Sie sie.**

Woher kommt Masuyo?

Dieses Weihnachten bin ich in Deutschland bei einer Familie, weil ich das Fest kennenlernen möchte. Mein deutscher Freund erzählt, dass die Deutschen am Heiligabend (das ist der 24.12.) in die Kirche gehen. Am Abend gibt der Weihnachtsmann (oder das Christkind) den Kindern Geschenke. Auch die Erwachsenen schenken den anderen etwas. Man schenkt der Familie, den Verwandten und auch Freunden Süßigkeiten und schöne Dinge. Weihnachten ist das wichtigste deutsche Familienfest. Mir gefällt Weihnachten sehr. Aber es ist für mich hier in Deutschland auch etwas komisch! Wenn wir Weihnachten in Japan feiern, dann treffen wir Freunde, aber nicht die Familie. Wir gehen aus und haben Spaß. Ich weiß auch gar nicht, was ich meinen Gasteltern und den Kindern (Robert, 12 Jahre und Luise, 7 Jahre) schenken kann. Vielleicht habt ihr ja eine gute Idee? Wer kann mir helfen?

Masuyo Tenkoya, 15, Japan

b) **Finden Sie je zwei Verben, die Dativ bzw. Dativ und Akkusativ brauchen. Markieren Sie.**

c) **Schreiben Sie Masuyo, was er schenken kann.**

Fit für Einheit 11? Testen Sie sich!

Mit Sprache handeln

über Feste und Bräuche sprechen

💬 Was sind für Sie wichtige Feste? Und wie feiern Sie?

👆 .... ▸ KB 1.3, 2.3, 5.2

über Geschenke sprechen

💬 Was schenken Sie Ihrer Mutter zum Geburtstag? 👆 ....

▸ KB 3.1, 3.5, 3.7–3.8

über Bedingungen und Folgen sprechen

Wenn ich krank bin, ...

Wenn man Kerzen am Baum hat, dann .... ▸ KB 4.2 – 4.3

Wortfelder

Sommerfeste: ....   internationale Feste:

Feste

Traditionen: ....   *Weihnachten – Karneval –* ....

▸ KB 2.3

Grammatik

Präpositionen mit Dativ

Von ...., ..., ..., nach ...., ..., z .... fährst immer mit dem Dativ du.

Die Tasse ist .... meiner Tante Heidi. Die neue Uhr passt super .... T-Shirt. ▸ KB 2.4

Verben mit Dativ

gefallen: Das Auto gefällt mir!   danken: ....

helfen: .... ▸ KB 2.4

Verben mit Dativ und Akkusativergänzung

💬 Was schenken Sie Ihrer Mutter? 👆 .... ▸ KB 3.6 – 3.8

Bedingungen und Folgen: Nebensätze mit *wenn*

...., dann muss man den Herd ausschalten.

Man muss den Herd ausschalten, ... ▸ KB 4.2 – 4.3

Aussprache

2.21

Konsonanten üben – scharfes Flüstern

Was schenkst du Beate zum Geburtstag? – Ich schenke ihr Süßigkeiten. ▸ KB 3.3

Hier lernen Sie

▶ Emotionen ausdrücken und darauf reagieren
▶ einen Film zusammenfassen
▶ über einen Film sprechen
▶ Personen vorstellen

Das Rätsel der Emotionen – wir wissen nur sehr wenig!

Was meinen wir, wenn wir von „Freude" sprechen? Warum weinen Menschen bei Musik? Können alle Menschen Ärger zeigen? Seit 2007 sucht das Berliner Forschungsprojekt „Languages of Emotion" (LoE) Antworten auf diese Fragen. BERICHT VON EVELYN BURGEMEISTER

1 2 3 4 5

*Kleiner Test: Können Sie diese Emotionen lesen und zeigen? Dann gehören Sie nicht zu den 10% der „Gefühlsblinden" in Deutschland.

1 Gesichter lesen – Emotionen erkennen

1 Das Rätsel der Emotionen

Ü1–3

a) **Welche Emotionen zeigt die Frau? Ordnen Sie ein passendes Emoticon aus der Wort-Bild-Leiste zu.**

> *Zu Foto 4 passt „weinen".*
> *Die Frau ist traurig.*

b) **Lesen Sie die Aussagen. Welchen stimmen Sie (nicht) zu? Kreuzen Sie an.**

	stimmt	stimmt nicht
1. Mit dem Körper „sprechen" (Körpersprache) ist sehr wichtig.	☐	☐
2. Besonders mit den Händen zeigt man Emotionen.	☐	☐
3. Manche Menschen haben keine Gefühle.	☐	☐
4. Die Kultur bestimmt, wie man Emotionen zeigt.	☐	☐

c) **Lesen Sie den Artikel und vergleichen Sie mit Ihren Antworten aus b).**

2 Emotionswörter. **Sammeln Sie Wörter für Emotionen im Artikel.**

positiv ☺	negativ ☹
Freude.........	....

einhundertachtundneunzig

weinen

etwas eklig finden

sich freuen

wütend sein

5 Menschen sprechen nicht nur mit Worten, sie sprechen auch mit ihrem Körper. Sie können so Sympathie oder Antipathie, Aggression oder Freundlichkeit ausdrücken. Besonders Gesichter zeigen, wenn jemand nervös oder 10 ruhig, ärgerlich oder entspannt ist. Die Sprache des Gesichts ist die Sprache der Emotionen. Freude, Trauer, Wut, Ekel, Angst – das kann man (normalerweise) mit dem Gesicht ausdrücken und oft besser als mit 15 Worten. Einige Menschen können Gesichter aber nicht so gut lesen. 10 % der Deutschen sind „gefühlsblind". Das heißt, dass sie ihre eigenen Gefühle oder die der anderen nicht so gut erkennen können. Aber haben diese 20 Menschen wirklich keine Gefühle? LoE-Forscher untersuchten „Gefühlsblinde" und „Normale". Das Ergebnis: „Gefühlsblinde" reden weniger und sind schneller im Stress. Wenn sie Emotionen ausdrücken, machen

25 sie weniger Gesten. Ihnen fehlen die Worte für Gefühle. Aber: Sie haben Gefühle! Eine zweite Frage der LoE-Forscher: Welche Beziehung haben Emotionen und Kultur? Es gibt sieben Emotionen, die alle Menschen auf 30 der Welt teilen: Freude, Wut, Ekel, Angst, Verachtung, Traurigkeit und Überraschung. Aber es gibt kulturelle Unterschiede. In manchen Kulturen zeigt man mehr Emotionen mit dem Gesicht und in anderen weniger, weil 35 das Zeigen von Gefühlen dort nicht höflich ist. Das wissen wir auch: Die Gesichtsausdrücke, die man aus der eigenen Kultur kennt, versteht man am besten. Für uns alle heißt Kommunikation auch mit dem Gesicht 40 und dem Körper sprechen.
Sie haben eine Frage oder einen Kommentar?

Schreiben sie an
burgemeister@psycho-magazin.de

25

---

3 Emotionen ausdrücken und darauf reagieren

Ü4

a) **Was passt zusammen? Ordnen Sie zu.**

Redemittel

Emotionen ausdrücken		auf Emotionen reagieren
Das ist (echt) eine Überraschung!	1	a Das ist ja super. / Ich freue mich für dich!
Igitt, ist das eklig! Iiieh!	2	b Stimmt, das ist echt/wirklich eklig!
Ich bin stinksauer! So ein Mist!	3	c Sei nicht traurig. / Das tut mir ehrlich leid.
Wahnsinn! Toll! Klasse!	4	d Sei nicht sauer! / Warum bist du so wütend?
Ich bin so traurig.	5	e Wow! Ja, finde ich auch. / Ja, stimmt.

 b) **Kontrollieren Sie mit der CD und lesen Sie laut.**

2.25

c) **Ordnen Sie die Redemittel aus a) den Emoticons in der Bildleiste zu.**

4 Und Sie? **Wählen Sie eine Frage aus. Berichten Sie.**

Gibt es Musik, die Sie traurig/fröhlich/wütend macht?
Waren Sie schon einmal stinksauer?
Wann waren Sie das letzte Mal richtig überrascht? Warum?
Wovor hatten Sie als Kind Angst?

Immer wenn ich Musik von Adele höre, werde ich traurig.

sich wundern

sich erschrecken

verliebt sein

cool sein

2 Ein deutscher Liebesfilm

1 Erbsen auf halb 6

Ü5

a) Sehen Sie sich die Fotos an. Was erwarten Sie von dem Film? Kreuzen Sie an.

☐ Action ☐ Krimi ☐ Liebe ☐ Dokumentation ☐ Drama ☐ Komödie ☐ Reise

b) Lesen Sie den Artikel aus einer TV-Zeitschrift. Markieren Sie die Textstellen, die die folgenden Fragen beantworten.

Wer? – Was? – Wo? – Warum? – Mit wem?

Movie

Erbsen auf halb 6

Eine Tragikomödie, die sich auf sympathische und humorvolle Weise dem Thema Blindheit widmet

Ein emotional mitreißender Film, nach dem Sie die Welt mit anderen Augen „sehen"!

Jakob (Hilmir Snær Gudnason) ist ein erfolgreicher Theaterregisseur. Am Anfang des Films hat er einen Autounfall, an dem er schuld ist. Er
5 wird blind. Jakob ist wütend und verzweifelt, weil er seinen Beruf als Regisseur an den Nagel hängen muss, und trennt sich von seiner Freundin. Er hat Angst vor der
10 Zukunft und will nicht mehr weiterleben. Aber er möchte noch seine todkranke Mutter, die in Russland lebt, besuchen. Dann lernt er Lilly (Fritzi Haberlandt)
15 kennen. Lilly ist von Geburt an blind. Sie findet sich in ihrer Welt gut zurecht. Gemeinsam machen sie sich auf den langen Weg nach Osten. Die Reise ist Thema des
20 Films, Ort der Handlung ist Osteuropa. Die beiden Blinden kommen manchmal in gefährliche Situationen. Trotzdem gibt es auch viel Komik und Humor. Am Ende des
25 Films sind beide verändert: Jakob lernt, dass man sein Schicksal akzeptieren muss, und Lilly verliebt sich in ihn. Langsam finden die beiden Menschen zueinander.
30 Jakob erklärt Lilly, wie die Farbe Gelb aussieht, nämlich wie die Farbe der Sonne auf einem warmen Stein. Lilly hilft Jakob bei der Orientierung im Dunkeln. Beim
35 Essen z. B. ist es wichtig zu wissen, wo etwas auf dem Teller liegt. Lilly erklärt den Trick mit der Uhr. „Stellen Sie sich den Teller als Uhr vor", sagt die blinde Frau zur Kell-
40 nerin, „und dann sagen Sie mir, auf welcher Zeit das Essen liegt."

DIE WUNDERBARE GESCHICHTE EINER BLINDEN LIEBE

Erbsen
auf halb 6

FRITZI HABERLANDT

HILMIR SNÆR GUDNASON

EIN FILM VON LARS BÜCHEL

Auf der Reise kommen sich Lilly und Jakob ganz langsam näher

Harald Schrott, Fritzi Haberlandt und Hilmir Snær Gudnason bei den Dreharbeiten

„Erbsen auf halb 6" Senator Filmverleih 2003, Regie: Lars Büchel | 16

2 Mit einer Textgrafik arbeiten

Ü6

a) **Ergänzen Sie die Textgrafik ohne noch einmal zu lesen. Helfen Sie sich gegenseitig.**

| Jakob ist von Beruf ... Er hat einen ... | → | Er trifft ... | → | Lilly ist ... |

Er ist ...

Zusammen reisen sie ... → Lilly hilft Jakob ...

Er will ...

Sie verlieben sich und sie ...

Sie erklärt den Trick ...

b) **Vergleichen Sie Ihre Textgrafik mit dem Artikel.**

Der Film handelt von Jakob.

c) **Erzählen Sie den Inhalt des Films mit Hilfe der Textgrafik.**

Er hat einen Unfall.

 3 Das Rätsel der Emotionen – Der Genitiv

27 Ü7

a) **Ergänzen Sie mit Hilfe der Artikel auf Seite 198 – 200.**

der Film: das Ende *des* Film*s*

das Gesicht: die Sprache .... Gesicht ....

die Sonne: die Farbe .... Sonne ....

die Forscher: die Frage .... LoE-Forscher

> **Minimemo**
>
> unbestimmter Artikel
> das Ende eines Films
> die Sprache eines Gesichts
> die Farbe einer Blume
> Im Plural entfällt der unbe-
> stimmte Artikel (= Nullartikel)

b) **Ergänzen Sie die Filmtitel. Lesen Sie dann laut und schnell.**

Der Name .... Rose / Monty Pythons Ritter .... Kokosnuss	ist ein toller Film!
Indiana Jones – Jäger .... verlorenen Schatzes	habe ich schon (oft) gesehen.
Der Untergang .... Hauses Usher	kenne ich gar nicht.
Der Herr .... Ringe / Harry Potter – der Stein .... Weisen	möchte ich einmal sehen.

4 Der Trick mit der Uhr – Wortschatz lernen

 a) **Hören Sie die Filmszene. Zeichnen Sie auf dem Teller ein, wo die Kartoffeln und die Erbsen liegen.**

2.26

b) **Tragen Sie fünf weitere Lebensmittel ein. Berichten Sie dann Ihrer Partnerin / Ihrem Partner, was wo auf dem Teller liegt.**

Der Käse liegt auf zwei Uhr, richtig?

Genau. Käse auf zwei Uhr. Super!

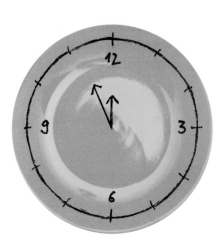

c) **„Erbsen auf halb 6". Erklären Sie den Titel des Films.**

ABC

5 Vor der Kamera

Ü8

a) **Lesen und ergänzen Sie: Hilmir (H) oder Fritzi (F)?**

1. ☐ wurde 1975 geboren.
2. ☐ spielte auch in Musicals mit.
3. ☐ bekam den deutschen Filmpreis.
4. ☐ ist in Island sehr bekannt.
5. ☐ war Mitglied am Thalia Theater.
6. ☐ bekam den Berlinale Preis „Shooting Star".

Hilmir Snær Gudnason, geb. 1969 in Reykjavik, ist einer der bekanntesten Theater- und Filmschauspieler Islands. Er hat klassisches Theater auf vielen Bühnen gespielt und den Preis als „Bester Schauspieler" für seine Leistung als „Hamlet" bekommen. Die Karriere des sympathischen Schauspielers war steil. Auf dem Filmfestival „Berlinale" (jedes Jahr im Februar in Berlin) bekam er 2000 den Preis als „Shooting Star". Im Jahr 2003 spielte er neben Franka Potente in der deutschen Verfilmung des Romans „Blueprint". Diese Rolle machte ihn international bekannt. Gudnason ist wirklich sehr vielseitig: er hatte auch schon Rollen für Musicals.

Fritzi Haberlandt wurde 1975 in Ostberlin geboren. Nach ihrer Ausbildung an der Ernst-Busch-Schauspielschule begann sie ihre Karriere auf den Berliner Theaterbühnen und spielte in New York und Hannover. Von 2000 bis 2006 war sie Mitglied des Thalia Theaters in Hamburg. Danach spielte sie am Berliner Maxim Gorki Theater. Dort ist sie noch immer ab und zu, seit 2009 aber auch am Wiener Burgtheater. Sie bekam im Jahr 2000 den bayrischen Filmpreis und 2004 den Deutschen Filmpreis für die beste Nebenrolle. 2012 war sie wieder für den Deutschen Filmpreis nominiert. Das Szene-Magazin „Neon" wählte sie in die Liste der 100 wichtigsten jungen Deutschen. Auf den Film „Erbsen auf halb 6" bereitete sie sich mit einem Blindentrainer vor.

Movie | 17

Hilmir Snær Gudnason

Fritzi Haberlandt

b) **Machen Sie Notizen und berichten Sie über die Schauspieler (Filme, Projekte, Erfolge, ...).**

c) **Haben Sie eine/n Lieblingsschauspieler/in? Beschreiben Sie ihn/sie. Die anderen raten.**

Mein Schauspieler sieht super aus. Er ist jetzt 64 Jahre alt. Er hat dunkle Haare.

Robert de Niro?

Nein, nein. Er ist auch Sänger und ...

 6 Alle lieben Filme? – Indefinita.

28 Ü9 **Vergleichen Sie und schreiben Sie Sätze mit den Vorgaben. Verwenden Sie die Indefinita.**

alle

viele

wenige

einige/manche

können schauspielern – lieben Filme – stehen gern vor der Kamera – sind zwölf Mal im Jahr im Theater – wollen Schauspieler werden – führen Regie – müssen Texte lernen – ...

 7 Schauspielgymnastik: Laute dehnen. **Hören Sie, sprechen Sie nach und machen Sie mit.**

2.27

Zuerst das rechte Auge auf, dann das linke Auge auf.
Und die Nase hoch. Den Mund runden.
Jetzt das linke Auge zu, und das rechte Auge zu.
Und die Ohren hoch und lachen. Guten Morgen!

8 Hilmir steht gern vor der Kamera

Ü10

a) Präpositionen: Markieren Sie und ordnen Sie zu.

	Wo?	Wohin?	Akkusativ	Dativ
1. Lilly und Jakob machen sich auf den Weg nach Osteuropa.	☐	☒	☒	☐
2. Sie sind auf dem Weg nach Russland.	☐	☐	☐	☐
3. Fritzi steht seit 1998 auf der Bühne.	☐	☐	☐	☐
4. Nur einige Leute gehen auf die Schauspielschule.	☐	☐	☐	☐
5. Fritzi hat eine Ausbildung an der Schauspielschule gemacht.	☐	☐	☐	☐
6. Mein Name steht in der Liste.	☐	☐	☐	☐
7. Der Film war 2003 in den deutschen Kinos.	☐	☐	☐	☐
8. Gehst du gern ins Kino?	☐	☐	☐	☐
9. Viele waren gestern im Theater.	☐	☐	☐	☐
10. Hilmir stellt sich gern vor die Kamera.	☐	☐	☐	☐
11. Der Regisseur steht lieber hinter der Kamera.	☐	☐	☐	☐

b) Präpositionen mit Akkusativ oder Dativ? Ergänzen Sie die Regel.

31

Ich lege die DVD auf den Tisch.

Die DVD liegt auf dem Tisch.

Ich stelle die DVD in das Regal.

Die DVD steht im Regal.

Lerntipp
Auf die Verben achten:
stellen, legen, setzen + Akkusativ
stehen, liegen, sitzen, sein + Dativ

Regel Richtung/Bewegung: .... Ort: ....

9 Wer macht was? Wo ist was?

Ü11

a) Beschreiben Sie die Filmszene wie im Beispiel. Vergleichen Sie.

Hilmir sitzt auf dem Stuhl.

Der Kameramann steht hinter ...

Der Hund ...

b) Der Bühnenbildner hat viel zu tun. Hören Sie und notieren Sie. Berichten Sie dann.

2.28

10 Über einen Film sprechen. **Berichten Sie über Ihren letzten Kinobesuch.**

Ü12

Redemittel
Warst du schon in ...? / Kennst du den Film „...“?
Ich war in „...“. / Der Film heißt „...“.
Das ist ein Krimi / Actionfilm / Thriller / Liebesfilm / eine Komödie ...
In dem Film geht es um ... / Das ist ein Film mit ... / von ...
Der Ort der Handlung ist ... / Der Film spielt in ...

Internettipp
www.kino.de

Ich war in dem neuen Film mit Benedict Cumberbatch.

ABC

3 Mitten im Leben

1 Zwei starke Frauen

Ü13

a) **Lesen Sie eines der beiden Porträts. Machen Sie sich Notizen zu folgenden Punkten.**

Behinderung – Beruf/Interessen – Arbeitsalltag – andere Menschen – Wünsche

- 18 -   Frauen heute

Mitten im Leben – Zwei Frauen im Porträt
Frauen heute-Redakteurin Julia Sommer besuchte zwei Frauen, die mitten im Leben stehen

Annette Stramel

Annette Stramel ist von Geburt an blind. Aber sie studierte und ist jetzt Deutschlehrerin. Nach dem Studium setzte sie Anzeigen in die Zeitung: „Deutschlehrerin gibt Privatunterricht". Wenn sich jemand meldete, dann sagte sie immer sofort, dass sie blind ist. Manche Anrufer beendeten das Gespräch dann sofort. Aber sie hatte auch viele Schüler.
10 Die lernten Deutsch anders – sehr aktiv. „Sie haben mehr gesprochen, vorgelesen und mit Hörtexten gearbeitet", sagt Stramel. „Ich habe korrigiert und den Schülern Fragen gestellt." Im Moment unterrichtet sie in Stuttgart. Frau Stramel hat sehende und blinde Lerner, die Deutsch oder die
15 Blindenschrift lernen. Diese Schrift ist 200 Jahre alt. Sie besteht aus sechs Punkten, mit denen man auch mathematische Aufgaben und Noten für Musikstücke schreiben kann. Das Lernen der Wörter funktioniert am besten mit Dingen, die man anfassen kann. Ihre Lerner machen täglich neue
20 Erfahrungen. Das Lehrwerk kann Frau Stramel in Blindenschrift lesen – so weiß sie immer, wo die sehenden Lerner sind. Frau Stramel arbeitet auch gerne am Computer. Texte auf dem Computer sind kein Problem, der Computer liest sie vor. Ohne Zweifel – Annette Stramel steht mitten im Leben.

Judith Harter

Judith Harter ist Industriekauffrau 25 und Mutter von zwei Kindern. Sie liebt Bauchtanz! Judith ist gehörlos. Wie kann sie also tanzen? Mit 19 Jahren startete sie mit Bauchtanzkursen an der Volkshochschule, 30 dann reiste sie zu Workshops in ganz Deutschland, später sogar in Europa. Wie sie tanzt? Sie fühlt die dunklen Töne in den Füßen und beobachtet die anderen, mit denen sie tanzt. Judith war schon als kleines Kind eine gute Beobachterin. So lernte sie 35 von ihrer Mutter das Lesen und Schreiben. Sie musste Diktate schreiben und dabei von den Lippen der Mutter ablesen. Judith liest auch in alten Stummfilmen von den Lippen ab. Sie lernte so immer mehr Wörter und konnte mit der Zeit auch sehr gut Lippenlesen. Sie leitet heute ihre Lippendol- 40 metscher-Agentur. Sie und ihre Kollegen helfen Patienten, die keine Stimme mehr haben. Judith kann die Gebärdensprache und freut sich, wenn Menschen in jeder Sprache miteinander reden können. Sie möchte auch, dass mehr Sendungen im deutschen Fernsehen Untertitel haben. Nur 45 knapp 24 Prozent der TV-Sendungen haben Untertitel. Gehörlose kommen oft sehr viel schwerer an Informationen, weil sie z. B. die Nachrichten nicht hören können.

b) **Stellen Sie Ihre Person vor und machen Sie Notizen zur anderen.**

Annette Stramel ist von Geburt an blind. Sie ist ...

c) **Erklären Sie die Wörter. Der Kontext hilft. Nutzen Sie auch ein Wörterbuch.**

Frau Stramel: blind – die Anzeige – der Privatunterricht – die Blindenschrift – die Note
Frau Harter: der Bauchtanz – gehörlos – Lippen lesen – der Untertitel – die Gebärdensprache

d) **Finden Sie Gemeinsamkeiten und Unterschiede zwischen den Frauen. Arbeiten Sie mit Ihren Notizen und berichten Sie.**

2 Frau Stramel im Interview

2.29

a) **Hören Sie. Welche Aussagen stimmen? Kreuzen Sie an und korrigieren Sie die falschen Aussagen.**

1. ☐ Ich habe Französisch, Englisch und Deutsch studiert.
2. ☐ Ich habe in verschiedenen Zeitungen Anzeigen aufgegeben.
3. ☐ Oft haben Schüler abgesagt, weil ich blind bin.
4. ☐ Der Kurs beginnt um zehn Uhr.
5. ☐ Meine Kursteilnehmer kommen aus verschiedenen Ländern.
6. ☐ Einige von ihnen sind sehbehindert, andere sind blind.
7. ☐ Mein größtes Hobby ist Musik. Ich spiele Flöte.
8. ☐ Der Computer ist für mich nicht so wichtig – ich bin ja blind.

b) **Machen Sie weitere Notizen: 1. Kursteilnehmer, 2. Arbeitsmittel, 3. Hobbys.**

3 „Der Kurs, in dem ..."

24, 29   Ü14-15

a) **Markieren Sie den Relativsatz wie im Beispiel.**

1. Der Kurs besteht aus fünf Migranten. Frau Stramel arbeitet im Moment in dem Kurs.
   Der Kurs, in **dem** Frau Stramel im Moment arbeitet, besteht aus fünf Migranten.

2. Das Lehrwerk ist in Brailleschrift übertragen. Sie arbeiten mit dem Lehrwerk im Kurs.
   Das Lehrwerk, mit dem sie im Kurs arbeiten, ist in Brailleschrift übertragen.

3. Die Schrift ist 200 Jahre alt. Mit ihr kann man auch Noten schreiben.
   Die Schrift, mit der man auch Noten schreiben kann, ist 200 Jahre alt.

4. Die Räume sind bequem und haben Internetanschluss. Sie arbeiten in den Räumen.
   Die Räume, in denen sie arbeiten, sind bequem und haben Internetanschluss.

b) **Markieren Sie die Relativsätze (*in, mit* + Dativ) in den Porträts auf Seite 204.**

4 Wünsche und Ideale. **Beschreiben Sie.**

Deutschkurs: Es gibt nur nette Teilnehmerinnen.
Lehrerin: Sie macht viele Projekte mit uns.
Lehrbuch: Es gibt nur interessante Texte.
Urlaub: ... – Auto: ...

Der ideale Deutschkurs ist ein Kurs, in dem ...

5 Mitten im Leben stehen

a) **Was bedeutet der Ausdruck „mitten im Leben stehen"? Kreuzen Sie an.**

1. ☐ ... bedeutet, dass man zu viel arbeitet und deshalb im Stress ist.
2. ☐ ... meint, dass eine Person gut im Leben zurechtkommt.

b) **Kennen Sie eine Person, die mitten im Leben steht? Berichten Sie.**

Meine Mutter ist ein Mensch, der mitten im Leben steht. Sie arbeitet und ...

ABC

1 Emotionen

a) Sammeln Sie zu jedem Foto Wörter. Der Artikel auf Seite 198/199 hilft.

a

b

c

d

e

> Foto a:
> die Frau – zu Hause –
> Zeitung lesen –
> sich erschrecken –
> die Überraschung –
> einen Schreck bekommen –
> allein sein –
> die Nachricht – ...

b) Beschreiben Sie die Fotos.

> Foto a zeigt eine Frau. Sie liest Zeitung. Sie erschreckt sich.
> Vielleicht hat sie ...

2 Das Rätsel der Emotionen

a) Beantworten Sie die Fragen mit Hilfe des Artikels auf Seite 198/199.

1. Was ist das LoE-Projekt und seit wann gibt es das Projekt?
2. Welche Fragen wollen die LoE-Forscher und Forscherinnen beantworten?
3. Warum sprechen Menschen nicht nur mit dem Mund?
4. Wie viel Prozent der Deutschen sind nicht „gefühlsblind"?
5. Was ist der Unterschied zwischen normalen und „gefühlsblinden" Menschen?
6. Gibt es Emotionen, die jeder Mensch kennt und ausdrücken kann?
7. Welche Unterschiede gibt es beim Zeigen von Emotionen in den Kulturen?

b) Suchen Sie das Wort im Artikel. Markieren Sie es und notieren Sie die Zeile.

1. Menschen, die ihre Gefühle nicht gut ausdrücken können, nennt man *gefühlsblind*   *Zeile 16*

2. Bewegungen mit den Händen beim Sprechen sind ....

3. Eine wissenschaftliche Studie – oft mit vielen Forschern – ist ein ....

4. Wenn man sehr wütend ist, dann zeigt man ....

5. Man kann Gesichter lesen – besonders gut die .... in der eigenen Kultur. ....

6. Wenn man herzliche Gefühle für eine Person hat, spricht man von ....

3 Das Rätsel der Emotionen: Wörter und Ausdrücke

a) Ergänzen Sie das Wort und ergänzen Sie den Artikel. Kontrollieren Sie mit dem Artikel auf Seite 198/199. Nutzen Sie auch ein Wörterbuch.

1. *die* Wissenschaftlerin
2. ...... Emo
3. ...... Forschungspr
4. ...... Sym

5. ...... Anti
6. ...... Aggre
7. ...... Ges
8. ...... Bezi

9. ...... Verach
10. ...... Traur
11. ...... Überra
12. ...... Gesichtsaus

b) Bilden Sie das Gegenteil. Der Artikel hilft.

1. unruhig ....
2. freundlich ....
3. angespannt ....

4. schlecht ....
5. langsam ....
6. unhöflich ....

c) Kombinieren und notieren Sie. Manchmal gibt es mehrere Möglichkeiten. Vergleichen Sie mit dem Artikel.

Emotionen	1	a	ausdrücken
Antworten auf Fragen	2	b	sprechen
mit dem Körper	3	c	machen
Ärger	4	d	zeigen
Antipathie/Sympathie/Aggression/...	5	e	suchen
Gefühle	6	f	erkennen
im Stress	7	g	sein
(viele/weniger/mehr) Gesten	8	h	haben

d) Markieren Sie die Wortverbindungen in den Fragen.

1. Sind Sie ein Mensch, der beim Sprechen viele Gesten macht?
2. Wenn Sie richtig im Stress sind, was machen Sie dann?
3. Zeigen Sie Emotionen bei fremden Menschen, zum Beispiel Wut oder Ärger?
4. Drücken Sie bei einer Person, die Sie nicht mögen, Ihre Antipathie aus? Wenn ja, wie?
5. Kann man Gefühle ohne Worte ausdrücken?
6. Auf welche Fragen suchen die LoE-Forscher Antworten?
7. Wie nennt man Menschen, die weniger Emotionen haben oder zeigen?

e) Beantworten Sie mindestens zwei Fragen in d).

4 Flüssig sprechen. **Hören Sie und sprechen Sie nach.**

2.22

1. Eklig! – Igitt, ist das eklig! – Igitt, ist das vielleicht eklig!
2. Ich freu mich! – Ich freu mich für dich! – Ich freu mich total für dich!
3. Super! – Das ist ja super! – Das ist ja wirklich super!
4. Was ist passiert? – Was ist denn passiert? – Was ist denn hier passiert?
5. Wahnsinn! – Das ist der Wahnsinn! – Das ist ja echt der Wahnsinn!

5 Erbsen auf …

a) Jakob (J) und/oder Lilly (L)? Notieren Sie und vergleichen Sie mit dem Artikel auf Seite 200.

1. ☐ ☐ will nicht mehr leben.
2. ☐ ☐ hatte einen schweren Autounfall.
3. ☐ ☐ möchte nach Osteuropa reisen.

4. ☐ ☐ verliebt sich auf der Reise.
5. ☐ ☐ kennt den Trick mit der Uhr.
6. ☐ ☐ kommt in gefährliche Situationen.

b) Suchen Sie die folgenden Ausdrücke in der TV-Zeitschrift auf Seite 200. Was bedeuten Sie? Kreuzen Sie an.

1. sich einem Thema widmen
   a ☐ sich mit einem Thema beschäftigen
   b ☐ ein Thema nicht nennen

2. etwas an den Nagel hängen
   a ☐ etwas aufhängen
   b ☐ etwas nicht mehr tun (können)

3. von Geburt an
   a ☐ später, nach der Geburt
   b ☐ seit der Geburt

4. sich in der Welt zurechtfinden
   a ☐ keine Hilfe brauchen
   b ☐ eine Reise machen

6 Über einen Film berichten

a) Lesen Sie den Text und sammeln Sie Informationen zu den folgenden Punkten.

Titel – Hauptrolle – Drehbuch – aus dem Jahr – Regie und Kamera

www.tittelmeier.de

tittelmeier.de

Kritik: Kino, Fernsehfilme, Serien   Links ▼   Programm ▼   Exklusiv ▼

„Margarete Steiff", Deutschland 2006   ✶✶✶✶✶✶

ein Drama nach dem Drehbuch von Susanne Beck und Thomas Eifler
Regie und Kamera: Xaver Schwarzenberger

Inhalt: Margarete Steiff (Annika Luksch als 10-Jährige; Heike Makatsch als Erwachsene) kann wegen einer Kinderkrankheit nicht mehr gehen. Die Eltern haben Angst. Wie soll sie später allein leben? Aber Margarete hat einen Plan. Mit der Hilfe des Bruders (Fritz) geht sie zur Schule. Das Geld des Dorfes macht
5 sogar eine Operation in Wien möglich. Aber ohne Erfolg – Margarete sitzt weiter im Rollstuhl. Sie kommt zurück nach Giengen, aber im Zug lernt sie Julius Tichy aus Salzburg kennen. Er hilft ihr und so eröffnet sie bald im Haus der Eltern ein Geschäft. Dort macht sie Kleider für Damen und später auch kleine Elefanten aus Stoff. Die Kinder lieben die Tiere der mutigen Frau. Als Julius Margaretes Freun-
10 din heiratet, ist Margarete sehr wütend und streitet sich auch mit ihrem Bruder Fritz. Sie haben viele Jahre keinen Kontakt. Margarete gründet die Firma „Steiff" und produziert Teddy-bären. Sie arbeitet von früh bis nachts, weil sie so einsam und wütend ist. Der Teddybär ist für sie und ihren Bruder ein Symbol der Freundschaft. Und Fritz meldet sich schließlich bei ihr …

Heike Makatsch
als Margarete Steiff

b) Möchten Sie den Film sehen? Begründen Sie.

c) **Lesen Sie den Internet-Artikel noch einmal. Ergänzen Sie die Textgrafik mit Stichpunkten.**

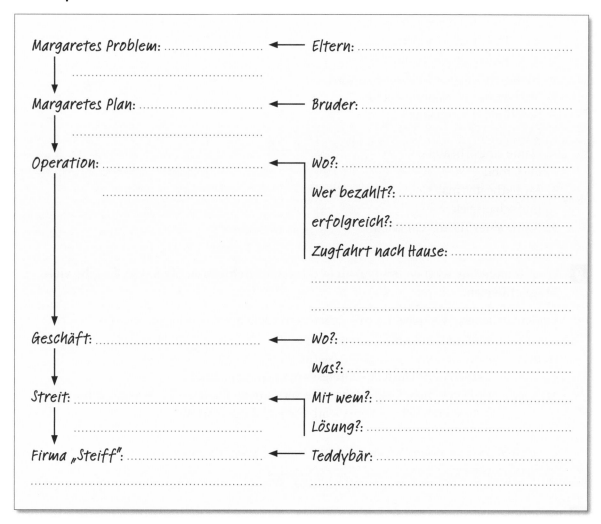

7 Das Gefühl der Freude

a) **Markieren Sie im Internet-Artikel aus 6 a) alle Genitivformen.**

b) **Bestimmen Sie: *maskulin* (m), *feminin* (f), *neutrum* (n), *Plural* (Pl.) der Genitivformen.**

1. ☐f das Gefühl der Freude
2. ☐ das Leben der Anderen
3. ☐ die Hilfe des Bruders
4. ☐ die Probleme der Erwachsenen
5. ☐ das Geld des Dorfes

6. ☐ ein Symbol der Freundschaft
7. ☐ im Haus der Eltern
8. ☐ die Teddybären der Firma Steiff
9. ☐ der Stoff des Kleides
10. ☐ der Streit der Geschwister

c) **Markieren Sie die Genitivform.**

1. Was ist für Sie das größte Problem der heutigen Zeit?
2. Glück ist keine Frage des Geldes.
3. Was war das Thema des letzten Kinofilms, den Sie gesehen haben?
4. Ist Gelb wirklich die Farbe der Sonne?
5. Können Sie die Gesichtsausdrücke der anderen Menschen gut lesen?
6. Kinder, Haushalt, Job – alles eine Frage der Organisation.

8 Kreuzworträtsel. **Lesen Sie noch einmal den TV-Artikel auf Seite 202. Lösen Sie dann das Kreuzworträtsel.**

1. Name des Berliner Filmfestivals
2. nicht Hauptrolle, sondern ...
3. die Hauptstadt von Island
4. Name eines deutschen Szene-Magazins
5. Nachname des Isländers Hilmir ...
6. berühmtes Drama von Shakespeare
7. Name eines Theaters in Hamburg
8. Musiktheater, man singt und schauspielert
9. Name eines Theaters in Wien

1 _ _ _ _ _ A _
2 _ _ _ _ R _ _ _
3 _ _ _ _ _
4 _ _ N _ _
5 _ _ _ _ _ _
6 _ _ _ _ _ T _
7 _ _ _ _ A _ _ _ _ _
8 _ _ _ _ _ _ _ _ _
9 _ _ N _ _ _ _ _ _ _ _ _

Lösungswort: ....

9 Was denken Sie: wenige, einige, viele oder alle? **Schreiben Sie Sätze. Es gibt viele Möglichkeiten.**

Kinder: lieben Eis – spielen gern – gehen gern zur Schule – essen gern Gemüse – gehen gern ins Bett – mögen Fernsehen – helfen gern im Haushalt – ...

Frauen: lieben Schuhe – sind gut in Mathematik – fahren schnell Auto – machen den Haushalt – interessieren sich für Fußball – ...

Männer: verdienen mehr Geld – fahren besser Auto als Frauen – können gut zuhören – interessieren sich für Sport – arbeiten im Kindergarten

> *Ich glaube, alle Kinder lieben Eis und spielen gern. Aber ...*

10 Interview mit einem Regisseur

a) **Lesen Sie den Dialog und streichen Sie das nicht-passende Wort.**

💬 Guten Tag, Herr Emmerland. Wann waren Sie das letzte Mal ~~ins~~/im Kino?

👄 Ich gehe sehr selten **ins/im** Kino. Wirklich.

💬 Würden Sie eigentlich gern einmal vor **die/der** Kamera stehen?

👄 Ich arbeite lieber hinter **der/die** Kamera, das ist mein Job. Ich gehe nicht vor **der/die** Kamera.

💬 Sie arbeiten an einem neuen Film. Worum geht es?

👄 Es ist ein klassischer Actionfilm. Ein Auto kommt und parkt vor **einer/einem** Bank. Eine schöne Frau steigt aus dem Auto. Sie geht über **die/den** Straße in **die/der** Bank.

💬 Und dann? Was passiert dann?

👄 Das Auto steht noch auf **der/die** Straße vor **der/die** Bank, aber ein Mann liegt verletzt neben **dem/das** Auto. Mehr erzähle ich Ihnen nicht.

💬 Das ist nicht nett.

👄 Das stimmt, ich lade Sie zur Premiere ein. Ist das ein Angebot?

💬 Wenn ich über **den/dem** roten Teppich laufen kann und Sie sich im Kino neben mich setzen? Nein, nein, Herr Emmerland. Danke für das Gespräch.

🔊 2.23 b) **Hören Sie und vergleichen Sie Ihre Ergebnisse mit der CD.**

11 Eine Bühnenbildnerin bei der Arbeit

a) **Schreiben Sie Sätze wie im Beispiel.**

stellen/stehen  die Assistentin
die Vase
der Boden

 die Vase
der Boden

Beispiel

Die Assistentin stellt die Vase auf den Boden. Die Vase steht auf dem Boden.

legen/liegen  die Assistentin
die Bücher
das Regal

 die Bücher
das Regal

1

setzen/sitzen die Assistentin
der Hund
das Sofa

 der Hund
das Sofa

2

hängen/hängen  die Assistentin
das Bild
die Wand

 das Bild
die Wand

3

b) **Und Sie? Beantworten Sie die Fragen zu Ihrem Zimmer.**

1. Was steht neben der Tür?
2. Was haben Sie auf das Fensterbrett gestellt?
3. Was liegt in Ihrem Regal?
4. Was legen Sie oft auf Ihren Schreibtisch?
5. Was hängt an Ihrer Wand?
6. Was möchten Sie gern an die Wand hängen?
7. Haben Sie ein Haustier? Wo sitzt es oft?
8. Was steht auf dem Boden?

 12 Textkaraoke

2.24

a) **Hören Sie und sprechen Sie die ☞-Rolle im Dialog.**

 ...
☞ Nein. Wie heißt der Film und worum geht es denn?
 ...
☞ Ach, ich weiß nicht. Ich mag eigentlich keine Dramen.
 ...
☞ Friedrich Schiller? Nein, ich mag lieber Komödien oder Liebesfilme.
 ...
☞ Wenn du jetzt noch mehr erzählst, muss ich nicht mehr ins Kino gehen.
 ...
☞ Na ja, warum eigentlich nicht?

b) **Hören und lesen Sie noch einmal. Sammeln Sie Informationen zu den Punkten.**

Titel? – Krimi oder ...? – Worum geht es? – Figuren? – Zeit und Ort der Handlung?

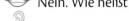

13 Mitten im Leben. **Finden Sie das fehlende Verb im Porträt auf Seite 204 und schreiben Sie die Wortverbindung in Ihr Heft.**

eine Anzeige in die Zeitung ... – das Gespräch ... – Fragen ... – täglich neue Erfahrungen ... – kein Problem ... – voll im Leben ... – Mutter von zwei Kindern ... – eine gute Beobachterin ... – das Lesen und Schreiben ... – Diktate ... – von den Lippen ... – Patienten ... – keine Stimme ... – einen Untertitel ... – schwer an Informationen ...

14 Das Dunkel-Restaurant. **Verbinden Sie und schreiben Sie Sätze. Markieren Sie das Relativpronomen.**

In Berlin gibt es jetzt 1
das erste Dunkel-Restaurant
Deutschlands,

Im Restaurant lernt man die 2
Probleme kennen,

Im Restaurant arbeitet 3
Sabrina Henning,

Es gibt nur sehr 4
wenige Gäste,

Viele Gäste haben Probleme 5
mit Messer und Gabel,

Herr Bräutigam ist ein 6
begeisterter Gast,

a der die Arbeit großen
Spaß macht

b mit denen sie im Dunkeln
nach dem Essen suchen.

c mit denen Blinde jeden
Tag leben müssen.

d in dem nur blinde
Kellnerinnen und
Kellner arbeiten.

e dem diese Erfahrung
sehr wichtig ist.

f denen das Restaurant
nicht gefällt.

15 Braille-Schrift, BASIC, Körpersprache ...

a) **Lesen Sie die Sätze. Zu welcher Beschreibung passt welches Foto? Ordnen Sie zu.**

1. Louis Braille ist der Erfinder der Brailleschrift. Mit Brailleschrift können Blinde lesen und schreiben.
2. Schon 1200 benutzt Franco von Köln Noten. Mit Noten schreibt er Musik auf.
3. BASIC ist eine Computersprache. Programmierer arbeiten mit dieser Sprache.
4. Der Morsecode ist ein System aus Strichen und Punkten. Man kann Nachrichten mit diesem System schicken.
5. Die Körpersprache ist für den Menschen sehr wichtig. Emotionen kann man mit Körpersprache zeigen.

b) **Verbinden Sie die Sätze wie im Beispiel.**

Louis Braille ist der Erfinder der Brailleschrift, mit der Blinde lesen und schreiben können.

Fit für Einheit 12? Testen Sie sich!

Emotionen ausdrücken und darauf reagieren

 sich freuen Wahnsinn! Ja, das ist toll! – ⌣ .... ▸KB 1.3

über einen Film sprechen

💬 Welchen Film hast du im Kino gesehen? ⌣ .... ▸KB 2.10

eine Person vorstellen

Frau Stramel ist .... ▸KB 3.1

Wortfelder

Emotionen:

traurig sein, die Trauer, ... ▸KB 1.2

Film

das Kino, die Kamera, die Bühnenbildnerin, ... ▸KB 2.9–2.10

Grammatik

Genitiv verstehen

die Farbe .... Erde – das Ende .... Films – die Größe .... Hauses – die Probleme .... Forscher
▸KB 1.3

Indefinita: alle, viele, einige/manche, wenige

💬 Was mögen alle/viele/manche/wenige Kinder? ⌣ .... ▸KB 2.6

Präpositionen mit Dativ- oder Akkusativergänzungen

	AKK	DAT
Die Kellnerin stellt den Teller auf den Tisch.	☐	☐
Der Teller steht auf dem Tisch.	☐	☐

▸KB 2.8

Verben mit Akkusativ / Verben mit Dativ

Ich lege die DVD auf **den/dem** Tisch. – Die DVD liegt auf **den/dem** Tisch.
Sie stellt das Buch in **das/dem** Regal. – Das Bucht steht **im/in** Regal. ▸KB 2.8

Relativsätze: *in/mit* + Dativ

Der Kurs, in .... Frau Stramel arbeitet, hat sechs Schüler. ▸KB 3.3

2.25

Schauspielgymnastik: Laute dehnen

Guten Morgen! Augen auf und Nase hoch!  ▸KB 2.7

12 Ideen und Erfindungen

Hier lernen Sie

▷ über Erfindungen und Produkte sprechen
▷ sagen, welche Dinge man oft braucht und wozu
▷ mit einer Textgrafik arbeiten
▷ Vorgänge beschreiben, ein Rezept erklären

1 Ideen aus D-A-CH

IN DEUTSCHLAND, ÖSTERREICH UND IN DER SCHWEIZ GAB ES VOR ALLEM IM 19. JAHRHUNDERT UND IN DER ERSTEN HÄLFTE DES 20. JAHRHUNDERTS BESONDERS VIELE ERFINDUNGEN UND TECHNISCHE INNOVATIONEN.

1 DAS ASPIRIN 1897
ERFINDER FELIX HOFFMANN

2 DER DIESELMOTOR 1890
ERFINDER RUDOLF DIESEL

3 DIE STRASSENBAHN 1881
ERFINDER WERNER VON SIEMENS

4 DER KAFFEEFILTER 1908
ERFINDERIN MELITTA BENTZ

5 DER BUCHDRUCK 1440
ERFINDER JOHANNES GUTENBERG

6 DAS JENAER GLAS 1887
ERFINDER OTTO SCHOTT

7 DER TEEBEUTEL 1929
ERFINDER ADOLF RAMBOLD

8 DIE ZAHNPASTA 1907
ERFINDER O.H. VON MAYENBURG

9 DAS FERNSEHEN 1930
ERFINDER MANFRED VON ARDENNE

10 DAS MP3-FORMAT 1987
ERFINDER FRAUNHOFER-INSTITUT

11 DER KLETTVERSCHLUSS 1949
ERFINDER GEORGE DE MESTRAL

12 DIE SCHIFFSSCHRAUBE 18
ERFINDER JOSEF RESSEL

1 Über Erfindungen sprechen

Ü1–2

a) Welche Erfindungen, welche Erfinderinnen und Erfinder kennen Sie?

b) Welche Erfindungen benutzen Sie jeden Tag?

> Ich trinke jeden Tag Kaffee.
> Der Kaffeefilter war wichtig.

c) Seit wann gibt es die Erfindungen in der Wort-Bild-Leiste?
Vergleichen Sie im Kurs. Recherchieren Sie und ergänzen Sie die Jahreszahlen.

der Reißverschluss 1914

die Nähmaschine _48

die Fernbedienung _55

der Staubsauger _01

DAS QUIZ DER ERFINDUNGEN:

JAHRESZAHL

1. Diese Erfindung braucht man in der Industrie und im Haushalt. Sie ist transparent und „feuerfest", große Hitze ist für sie kein Problem. Die Erfindung wird heute in Zwiesel (Bayern) produziert.

2. Diese deutsche Erfindung benutzen viele. Sie wird seit dem 19. Jahrhundert in der ganzen Welt produziert und hilft gegen Kopfschmerzen, aber auch bei Herzproblemen.

3. Diese Erfindung war eine Revolution. Sie machte die Produktion von Texten billiger und schneller. Immer mehr Menschen konnten Bücher haben und lesen. Eine berühmte Bibel trägt den Namen des Erfinders aus Mainz.

4. Ein Schweizer hat ihn erfunden. Die Natur war Vorbild für seine Erfindung. Besonders praktisch ist er an Sportschuhen. Für Kinder ideal: Man muss keine Schuhe mehr binden.

5. Diese Erfindung wird zuerst in Amerika von vielen Menschen genutzt. Ein Physiker hat sie aber 30 Jahre vorher in Berlin gemacht. Die Erfindung hat Filme in die Wohnzimmer gebracht und den Alltag verändert. Heute sind die Geräte flach und digital.

6. Diese Technologie aus einem deutschen Forschungslabor ist besonders attraktiv für Musikfans, weil man mit ihr viele Lieder auf einem kleinen Chip speichern kann. Mit ihr kann man auch unterwegs Musik hören, zum Beispiel vom Handy.

7. Dass diese Erfindung aus Österreich kommt, ist eine echte Überraschung, denn das Land liegt nicht am Meer. Für die Seefahrt war diese Erfindung wichtig, um schneller fahren zu können.

12 917

2 Erfindungen

Ü3–4

a) **Lesen Sie das Quiz, notieren Sie die Jahreszahlen und addieren Sie sie. Kontrollieren Sie das Ergebnis.**

b) **Lesen Sie noch einmal und notieren Sie Informationen zu den Erfindungen, Erfinder, Land und Jahreszahl.**

3 Kennen Sie Erfindungen aus Ihrem Land? **Recherchieren und berichten Sie.**

Ü5

Redemittel

über Erfindungen sprechen

... hat ... erfunden. / ... gibt es seit ... / ... wurde im Jahre ... erfunden.
... wurde in ... erfunden. / ... ist eine Erfindung aus ... / ... kommt aus ...

zweihundertfünfzehn

das Streichholz _28

der Toaster _30

die Glühbirne _54

die Mikrowelle _46

2 Erfindungen – wozu?

1 Erfindungen – eine lange Tradition

Ü6–7

a) Welche Aussagen sind falsch? Lesen Sie den Magazin-Artikel, kreuzen Sie an und korrigieren Sie.

1. ☐ Lindes Erfindung macht die Kühlung von Bier möglich.
2. ☐ Carl Benz entwickelte das Fließband.
3. ☐ Die MP3-Technik wurde nicht in Japan erfunden, aber dort zuerst produziert.
4. ☐ 2010 kommen mehr Erfindungen aus Deutschland als aus Japan.

b) Lesen Sie noch einmal und machen Sie eine Tabelle zu den Informationen aus dem Artikel: Erfindungen, Erfinder, Land und Jahreszahl.

WISSEN — 36 —

Das Erfinden hat eine lange Tradition in den deutschsprachigen Ländern

In Deutschland gab es Ende des 19. Jahrhunderts besonders viele Patente*. Erfindungen sind nötig, damit man Probleme lösen kann. Für die Münchner Brauereien war z.B. das Kühlen des
5 Biers ein Problem. Nur kühles Bier war lange haltbar und der Transport möglich. Carl von Linde war Professor an der Technischen Hochschule in München. Mit der Erfindung der Kühlmaschine konnte er 1876 dieses Problem lösen.
10 Die Serienproduktion der Kühlschränke für die privaten Haushalte startete aber erst 1913 in den USA.

*Ein Patent schützt eine Erfindung und den Erfinder. Er darf dann die Nutzung erlauben oder verbieten.

Gottlieb Daimler entwickelte 1885 das erste Motorrad und zusammen mit Carl Benz und
15 Wilhelm Maybach zwei Jahre später das erste Automobil. 30 Jahre später baute Henry Ford in den USA das erste Fließband, um billige Autos für mehr Menschen zu produzieren.

Oft werden Erfindungen aus den deutschsprachi-
20 gen Ländern zuerst in anderen Ländern bekannt und in Serie produziert. Der „Flüssigkeitskristallbildschirm" (liquid cristal display: LCD) für Computer und Smartphones ist z.B. eine Erfindung aus der Schweiz, um technische Geräte flacher zu
25 machen. Das Speichern und das Veröffentlichen von Musik sind heute mit der MP3-Technik möglich. Diese Technik ist eine Entwicklung aus Erlangen, wurde aber zuerst in Japan produziert.

Noch heute ist Deutschland das Land mit den mei-
30 sten Erfindungen in Europa. 2010 waren es mehr als 21.000 Erfindungen. International liegt das Land auf Platz drei hinter den USA und Japan. Pro Kopf ist die Schweiz die größte Erfindernation: 2012 meldete die Schweiz pro eine Million Ein-
35 wohner 1032 Patente an. Das ist Weltspitze. Die Gründe: Top-Universitäten und internationale Firmen sind innovativ und kreativ.

🔍 **2** Aus Verben Nomen machen. **Sammeln Sie Beispiele aus den Texten auf Seite 215/216.**

26 Ü8

1. erfinden → *der Erfinder*
2. kühlen → das ....
3. transportieren → der ....

4. produzieren → die ....
5. speichern → das ....
6. entwickeln → die ....

3 Wozu ...? **Fragen und antworten Sie im Kurs.**

Ü9

Wozu	brauchen Menschen einen Kühlschrank?	Um Lebensmittel zu kühlen.
	braucht man einen MP3-Player?	Um Musik zu hören.
	braucht man ein Patentamt?	Um Patente anzumelden.
	braucht man ein LCD-Display?	Um Geräte flacher zu machen.

4 Zwei Dinge, die ich brauche – zwei Dinge, die ich nicht brauche. **Schreiben Sie Sätze.**

Ich brauche (k)ein/e/en

Zeitung/Bücher,	um mich zu informieren.
Smartphone,	um Freunde zu treffen.
Geld/Kreditkarte,	um mobil zu sein.
Auto/Fahrrad,	um glücklich zu sein.
Internet/Computer,	um Musik zu hören.
...	...

5 Einen Zweck ausdrücken

19

a) **Markieren Sie im Magazin-Artikel in 1 Nebensätze mit *um ... zu* + Infinitiv.**

Ich brauche kein Auto, um mobil zu sein.

b) **Analysieren Sie die Sätze in 4 und beantworten Sie die Fragen.**

1. Wo steht *um*? 2. Wo steht *zu*? 3. Wo steht das *Verb im Infinitiv*?

c) **Wozu braucht man ...? Erklären Sie in einem Satz.**

1. Zahnpasta   2. Autos
3. Fernsehen   4. Filtertüten
5. Klettverschlüsse   6. Teebeutel

Man braucht Zahnpasta, um sich die Zähne zu putzen.

6 Wozu? *um ... zu / damit*

19 Ü10

a) **Vergleichen Sie die beiden Sätze.**

Erfindungen sind nötig, um Probleme zu lösen.
Erfindungen sind nötig, damit <u>die Menschen</u> Probleme lösen können.

b) **Ergänzen Sie die Regel.**

Regel *Damit*-Sätze und *um ... zu*-Sätze haben die gleiche Bedeutung.

Der Unterschied ist: *Damit*-Sätze haben .... Nominativergänzung.

Um ... zu-Sätze haben .... Nominativergänzung.

7 Gründe im Alltag. **Einen Zweck ausdrücken mit *damit*.**
Fragen und antworten Sie.

1. einen zweiten Job suchen → meine Wohnung bezahlen können
2. Deutsch lernen → in Deutschland arbeiten können
3. eine Ausbildung machen → einen guten Job finden können
4. einen Tanzkurs machen → interessante Menschen treffen können
5. einen Reisepass brauchen → ins Ausland reisen können

Wozu suchst du einen zweiten Job?

Ich suche einen Job, damit ich meine Wohnung bezahlen kann.

ABC

3 Schokolade

1 Wortfeld Schokolade. **Lesen Sie den Artikel und ergänzen Sie das Wortfeld.**

Ü11–12

Geschichte — Schokolade — Produktion

Produkte

Die Geschichte der Schokolade

In Südamerika kennt man die Kakaobohne seit mehr als 2000 Jahren. Im 17. Jahrhundert wurde der Kakao durch die Spanier dann nach Europa importiert. Hier wurde er aber
5 lange Zeit nur als Medizin gegen Fieber und Bauchweh verkauft. Damals war das Produkt noch sehr teuer. Im 18. Jahrhundert konnte man Schokolade noch nicht essen, es gab nur Trinkschokolade. Die erste Schokolade
10 zum Essen wurde 1849 in England produziert. Sie war leider ziemlich hart und bitter. Das änderte erst der Schweizer Rudolphe Lindt. Er baute 1879 die so genannte „Conche", eine Maschine, die die Schokoladen-
15 masse stundenlang rührt. Dabei wird sie warm und weich gemacht. Der Prozess dauerte oft mehr als 72 Stunden. 1972 verbes-

serte die Firma Lindt & Sprüngli diese Produktionsmethode. Für Schokoladenproduk-
20 tion mit Milch braucht man jetzt nur noch zwei Stunden, für Schokolade ohne Milch sechs Stunden. Dann wird die Schokolade geformt und verpackt. Lindts Erfindung wird heute überall zur Herstellung von Schoko-
25 lade verwendet. Die Schweizer Lindt & Sprüngli Gruppe (gegründet 1898 als Lindt & Sprüngli AG) hat heute sechs Produktionsstandorte in Europa und zwei in den USA. Im Moment ist Schokolade mit wenig Zucker
30 und ohne Milch in Deutschland wieder sehr populär, und viele kleine Schokoladenproduzenten sind mit ihren Spezialitäten - zum Beispiel Schokolade mit Pfeffer oder Kräutern - sehr erfolgreich.

- 14 -

2 Mit einer Textgrafik arbeiten. **Zeichnen Sie**
Ü13 **die Textgrafik in Ihr Heft und ergänzen Sie mit Informationen aus dem Artikel in 1.**

> seit mehr als 2000 Jahren –
> im 17. Jahrhundert – früher sehr
> hart – Gründung – Schokolade
> wird warm und weich – ...

Titel: *Die Geschichte der Schokolade*
↓
Südamerika:

Europa: ⟶ Medizin:
⟶ Preis:
⟶ erste Schokolade:

früher: ⟶ *heute:*

Lindt: ⟶ Erfindung:
⟶ Prozess:

Deutschland:
↓
↓
Lindt & Sprüngli: ⟶ Produktionsmethode:
⟶ Standorte:

Trends: Spezialitäten:

3 Wie wird das gemacht?

36, 37

a) **Vergleichen Sie die Sätze und ergänzen Sie die Regel.**

Aktiv
Die Mitarbeiter verpacken die Schokolade.
Die Maschine rührt die Schokolade.

Nominativ   Akkusativ

Passiv
Die Schokolade **wird verpackt**.
Die Schokolade **wird gerührt**.

Nominativ

Regel Das Passiv wird mit dem Verb .... und dem Partizip II gebildet.

b) **Das Partizip II wiederholen.**
Sammeln Sie die Verben im Artikel
auf Seite 218 und machen Sie eine Liste.

Infinitiv	Partizip II
importieren	importiert
verkaufen	

4 Ein Produkt vorstellen

Ü14

a) **Lesen Sie die Produktbeschreibung und beantworten Sie die Fragen.**

1. Was wird produziert?
2. Woraus besteht das Produkt?
3. Seit wann gibt es das Produkt?

4. Wo kann man das Produkt kaufen?
5. Wo wird es hergestellt?
6. Was kostet es?

Mus aus Mühlhausen

Es steht überall in Deutschland im Supermarktregal –
aber auch in Madrid und Rio de Janeiro.
Pflaumenmus aus Mühlhausen ist ein Verkaufshit.
Die Zentrale der Firma „Mühlhäuser" ist heute in
5 Mönchengladbach. Dort wird vor allem Marmelade
produziert. Die Früchte kommen fast alle aus Europa.
Das Mus wurde zuerst 1908 in Mühlhausen in
Thüringen produziert. Jedes Jahr werden heute
Millionen Gläser hergestellt. Ein Glas kostet etwa
10 2,50 Euro. Das Mus besteht aus Pflaumen, Zimt und
anderen Gewürzen. Das genaue Rezept ist geheim.
Das Produkt wurde oft getestet und liegt immer auf
Platz 1. Es schmeckt einfach am besten. Ein Besuch
auf der Internetseite der Firma macht richtig Appetit
15 auf Mus und Marmelade.

 b) **Markieren Sie die Präteritum-Formen in der Produktbeschreibung und ergänzen Sie**
36, 38   **den Satz.**

Präsens Passiv: In Mönchengladbach wird heute Marmelade produziert.

Präteritum Passiv: In Mühlhausen .... zuerst 1908 das Mus produziert.

5 Eine Werbung gestalten. **Schreiben Sie einen kurzen Text und machen Sie ein Plakat**
über ein Produkt. Verwenden Sie Wörter und Wendungen aus der Produktions-
beschreibung in Aufgabe 4. Beantworten Sie dabei die sechs Fragen aus 4 a).

ABC

4 Die süße Seite Österreichs

1 Ein süßes Geheimnis. **Lesen Sie die Internetseite. Welche Informationen stimmen?**
Ü15 **Kreuzen Sie an und vergleichen Sie.**

1. ☐ Die Sacher-Torte ist ein Schokoladenkuchen mit Marmelade.
2. ☐ Die Internetseite informiert über das Unternehmen Sacher.
3. ☐ Auf der Internetseite findet man das Rezept für die Sacher-Torte.
4. ☐ Die Torte wird seit 1832 gebacken.

Seit wann wird die Torte gebacken?

Ein süßes Geheimnis ▼ | Collection | Sacher Confiserien | Original Sacher-Torte auf Facebook | Bildergalerie

Ein echtes Stück Wien

Seit 1832 ist die Original Sacher-Torte die wohl berühmteste Torte der Welt. Das Originalrezept ist ein streng gehütetes Geheimnis unseres Hauses. Saftiger, flaumiger Schokoladenkuchen wird mit hausgemachter Marillenmarmelade verfeinert. Perfektioniert wird diese köstliche Torte mit einer edlen Kuvertüre. Die Original Sacher-Torte wird in reiner Handarbeit von unseren erfahrenen Konditorinnen und Konditoren hergestellt.

Im 11. Wiener Bezirk werden heute vom Hotel Sacher rund 300.000 Torten pro Jahr in Handarbeit von 21 Konditoren und 25 Verpackern hergestellt. Handarbeit heißt zum Beispiel: Eine Mitarbeiterin schlägt pro Tag 7.500 Eier auf. Bis vor 10 Jahren wurden die Torten sogar noch mit der Hand geschnitten. Heute gibt es dafür eine automatische Schneidemaschine, die die Torte teilt.

Am besten man genießt ein Stück Original Sacher-Torte mit ungesüßtem Schlagobers und einer Tasse Kaffee oder Tee.

Die Original Sacher-Torte ist ein markenrechtlich geschütztes Produkt.

2 Produktions-Wörter beschreiben. **Was bedeuten diese Wörter? Ordnen Sie zu.**

ohne Maschinen produzieren 1	a die Schneidemaschine
die Menge, die in einem Jahr hergestellt wird 2	b der Verpacker
ein Mensch, der Produkte einpackt 3	c in Handarbeit
eine Maschine, die ein Produkt automatisch teilt 4	d der Konditor
Berufsbezeichnung für einen Menschen, der Torten herstellt 5	e die Jahresproduktion

3 Werbesprache – Produkte mit Adjektiven beschreiben

a) Markieren Sie die Adjektive auf der Internetseite auf Seite 220.

b) Welche Adjektive passen zu diesen Erklärungen?

1. Viele Leute kennen es: ....

2. Das Gegenteil von „trocken": ....

3. jmd. hat viel Routine: ....

4. Das Gegenteil von „sauer": ....

2.30 Ü16

4 Wie macht man eine Sachertorte?

a) Welche Zutaten braucht man? Hören Sie und kreuzen Sie im Rezept an.

b) Hören Sie noch einmal und notieren Sie die Mengenangaben im Rezept.

Zutaten **Sachertorte**

☐ .... Eier   ☐ etwas Orangensaft
☐ .... Salz   ☐ ein TL Backpulver
☐ .... Zucker   ☐ .... Kochschokolade
☐ .... Mehl   ☐ Erdbeermarmelade
☐ .... Öl   ☐ Marillenmarmelade
☐ .... Butter   ☐ Kuvertüre
☐ etwas Milch

5 Reihenfolge in Texten markieren

2.30

a) Hören Sie noch einmal und markieren Sie *dann, danach, zum Schluss* auf Seite 272.

b) Lesen Sie den Text laut. Betonen Sie *dann, danach, zum Schluss*.

6 Ein Rezept erklären – Lieblingsrezepte aus D-A-CH und aus Ihrem Land

a) Arbeiten Sie in Gruppen. Wählen Sie ein Rezept und recherchieren Sie die Zutaten.

b) Gestalten Sie eine Rezept-Kollage und präsentieren Sie sie im Kurs.

Landeskunde

Gute Rezepte reisen um die Welt. Ein Beispiel sind die Schwäbischen Maultaschen. Typisch schwäbisch? Ja, aber das Original stammt aus China. Die ersten „Jiazi" wurden in der Han-Dynastie um das Jahr 200 hergestellt. Aus China kam das Rezept zuerst nach Russland. Dort nennt man sie „Pelmeni". Man sagt, Marco Polo brachte sie nach Italien und nannte sie „Ravioli". Von dort aus kamen sie, wie viele andere Gerichte in die deutsche Küche. In Süddeutschland nennt man sie „Maultaschen". Man kann sie mit Fleisch oder vegetarisch füllen. Man isst sie mit Suppe oder mit gerösteten Zwiebeln. Interessant ist auch die georgische Variante, die „Khinkali" (ხინკალი). Sie werden mit der Hand gegessen, aber nicht ganz. Man öffnet sie mit den Zähnen, trinkt die Suppe und isst dann die Füllung und lässt etwas Teig auf dem Teller liegen. Es gibt viele Gerichte in verschiedenen internationalen Variationen. Welche kennen Sie?

Khinkali

Jiazi

ABC 📖

1 Was sind die zwei wichtigsten Erfindungen?

a) Hören Sie die Interviews. Notieren Sie die Erfindung und die Begründung der Person.

2.26

Name	Erfindung	Warum?
Renata Kleinert, 62	1. Waschmaschine 2.	– viel mehr (Frei-)Zeit, weniger Haushalt
Jürgen Rosenthal, 53	1. 2.	
Leni Raue, 16	1. 2.	

b) **Was sind für Sie die zwei wichtigsten Erfindungen? Begründen Sie.**

2 Kreuzworträtsel. **Ergänzen Sie mit der passenden Erfindung.**

Mit dieser Erfindung ...
1. putzt man sich die Zähne.
2. gehen Kopfschmerzen weg.
3. macht man zum Beispiel Schuhe zu.
4. informieren und entspannen sich Menschen.
5. fahren Menschen täglich ins Büro.
6. macht man ein heißes Getränk.
7. bewegt man große und kleine Schiffe.
8. bringt man ein Auto in Fahrt.
9. macht man ein heißes schwarzes Getränk.

5 S T R A ß E N B A H N

Lösung: ....

3 Jahreszahlen. **Hören Sie die Informationen zu den Fotos und notieren Sie das Jahr.**

2.27

1. 1817   2. ....   3. ....   4. ....   5. ....

4 Adjektive. **Ergänzen Sie das Gegenteil. Das Quiz auf Seite 215 hilft.**

1. analog – *digital* ....
2. intransparent – ....
3. teuer – ....
4. langsam – ....

5. unpraktisch – ....
6. unattraktiv – ....
7. unecht – ....
8. unwichtig – ....

5 Lerneraufsatz zum Thema: „Eine Erfindung aus meinem Land"

a) **Lesen Sie den Lerneraufsatz und setzen Sie das passende Wort ein.**

Autofahrer – Erfinderinnen – Scheibenwischer – Fenster – ~~Erfinderin~~ – Firma

Ich möchte über eine Erfindung aus meinem Land schreiben.
Ich komme aus Montgomery, Alabama, in den USA. Meine
Erfinderin .....¹ kommt auch aus Alabama, aus Green County.
Sie heißt Mary Anderson und lebte von 1866 bis 1953. 1903 hat
sie den Scheibenwischer erfunden. ....²
gibt es also schon seit 111 Jahren! Mit dieser Erfindung können ....³
auch bei Regen und Schnee sicher fahren. Warum Mary Anderson diese Erfindung
machte?
Bei einem Besuch in New York City im Winter 1902 musste sie auch Straßenbahn fahren.
Der Fahrer hatte das ....⁴ offen, weil er bei Schnee und Regen
nicht gut sehen konnte. Es war sehr kalt und auch gefährlich. Also machte Mary
Anderson zuhause eine Skizze und eine ....⁵ baute das erste
Modell. Aber die Autoindustrie hatte kein Interesse. Erst ab 1920 – die Produktion von
Autos war viel höher – baute man Autos mit Scheibenwischern. Ich finde es toll, dass
eine Frau diese Erfindung gemacht hat. Es gibt viele
Erfinder, aber nur wenige ....⁶.

Lauren Eddison, 22, USA

PS: Auf dem Foto fahre ich das erste Mal Auto
in Deutschland! ☺

b) **Welche Aussagen sind richtig? Kreuzen Sie an und korrigieren Sie die falschen.**

1. ☐ Mary Anderson kommt aus Montgomery, einer Stadt in den USA.
2. ☐ Anderson ist die Erfinderin vom Scheibenwischer.
3. ☐ Scheibenwischer gibt es seit Anfang des 19. Jahrhunderts.
4. ☐ Anderson hatte die Idee für einen Scheibenwischer in einer Straßenbahn in New York.
5. ☐ Das Interesse der Autoindustrie war von Anfang an sehr groß.

6 Erfindungen im deutschsprachigen Raum

a) Suchen Sie das passende Wort im Magazin-Artikel auf Seite 216 und notieren Sie es.

1. Wenn man etwas erfunden hat und man die Erfindung schützen möchte, dann muss man ein ... anmelden.
2. ... ist die Produktion von einer großen Zahl gleicher oder ähnlicher Produkte in Serie.
3. Ein ... ist eine „Produktionsstraße" bzw. ein Band, das mit immer gleicher Geschwindigkeit läuft. Auf dem Band „fahren" Produkte, die noch nicht fertig sind.
4. ... steht für MPEG-1 Audio Layer 3. So kann man digitale Musik (z. B. von CD) in viel kleineren Dateien speichern.

b) Alles gemerkt? Beantworten Sie die Fragen. Kontrollieren Sie dann mit dem Magazin-Artikel auf Seite 216.

1. In welcher Stadt löste Carl von Linde das Kühlproblem?
2. Welches Land hatte die ersten Kühlschränke in privaten Haushalten?
3. Was war früher da: Motorrad oder Automobil?
4. Welche Erfindung kommt aus Erlangen?
5. Welches Land macht international die meisten Erfindungen?
6. Welches europäische Land macht die meisten Erfindungen pro Kopf?

> *Das Kühlproblem löste*
> *Carl von Linde in ...*

7 Das Europäische Patentamt

a) Lesen Sie die Internetseite und ergänzen Sie die Grafik.

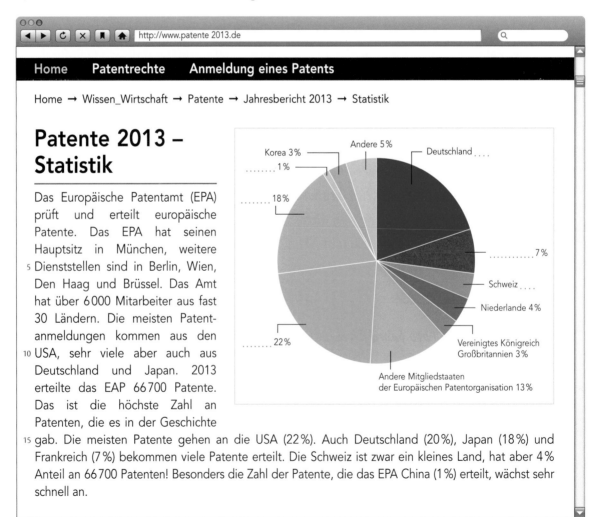

http://www.patente 2013.de

Home **Patentrechte** **Anmeldung eines Patents**

Home → Wissen_Wirtschaft → Patente → Jahresbericht 2013 → Statistik

Patente 2013 – Statistik

Das Europäische Patentamt (EPA) prüft und erteilt europäische Patente. Das EPA hat seinen Hauptsitz in München, weitere
5 Dienststellen sind in Berlin, Wien, Den Haag und Brüssel. Das Amt hat über 6 000 Mitarbeiter aus fast 30 Ländern. Die meisten Patentanmeldungen kommen aus den
10 USA, sehr viele aber auch aus Deutschland und Japan. 2013 erteilte das EAP 66 700 Patente. Das ist die höchste Zahl an Patenten, die es in der Geschichte
15 gab. Die meisten Patente gehen an die USA (22 %). Auch Deutschland (20 %), Japan (18 %) und Frankreich (7 %) bekommen viele Patente erteilt. Die Schweiz ist zwar ein kleines Land, hat aber 4 % Anteil an 66 700 Patenten! Besonders die Zahl der Patente, die das EPA China (1 %) erteilt, wächst sehr schnell an.

Korea 3 % — Andere 5 % — Deutschland . . . .
. . . . 1 %
. . . . 18 %
. . . . 7 %
Schweiz . . . .
Niederlande 4 %
. . . . 22 %
Vereinigtes Königreich Großbritannien 3 %
Andere Mitgliedstaaten der Europäischen Patentorganisation 13 %

b) **Richtig oder falsch? Kreuzen Sie an und vergleichen Sie mit der Internetseite.**

	richtig	falsch
1. Wer ein europäisches Patent anmelden möchte, muss zum EPA.	☐	☐
2. Das Europäische Patentamt hat seinen Hauptsitz in Wien.	☐	☐
3. Andere Dienststellen gibt es in München, Berlin und Paris.	☐	☐
4. Die Mitarbeiter des Patentamts kommen aus verschiedenen Ländern.	☐	☐
5. Aus Deutschland kommen die meisten Patentanmeldungen.	☐	☐
6. Auf Platz 3 der erteilten Patente liegt Frankreich mit 7 %.	☐	☐
7. Die Schweiz hat genauso viele Prozente wie die Niederlande.	☐	☐
8. Japan hat prozentual weniger Patente als Deutschland.	☐	☐

8 Nominalisierung der Verben

a) **Sammeln Sie das passende Nomen aus dem Lerneraufsatz auf Seite 223. Notieren Sie es mit dem Verb.**

erfinden – besuchen – fahren – regnen – interessieren – produzieren	*Erfindung – erfinden*

b) **Welches Verb steckt im markierten Nomen? Notieren Sie wie im Beispiel.**

1. Die <u>Prüfung</u> von einem Patent findet im Europäischen Patentamt statt.
2. Der <u>Umzug</u> der Firma kostet sehr viel Zeit und Geld.
3. Die <u>Suche</u> nach einem guten Namen für das neue Produkt war schwierig.
4. Der <u>Transport</u> von Lebensmitteln muss sauber und sicher sein.
5. Man wird nicht einfach <u>Erfinder</u>, man muss eine sehr gute Idee haben.
6. Der <u>Fernseher</u> wurde schon Anfang des 20. Jahrhunderts erfunden.

> *die Prüfung – prüfen –*
> *Ich prüfe das Ergebnis.*

9 Wozu braucht man ...?

a) **Schreiben Sie Fragen zu den Antworten.**

Fahrplan – Kalender – Geld – Brille – CD

1. *Wozu brauchst Du eine CD?* .... Um mich zu entspannen.
2. .... Um die Zeitung lesen zu können.
3. .... Um meine Termine zu planen.
4. .... Um die Rechnung zu bezahlen.
5. .... Um die Bahn nicht zu verpassen.

b) **Schreiben Sie Sätze wie im Beispiel.**

> *Ich brauche eine Zahnbürste,*
> *um Zähne zu putzen.*

1
2
3
4
5
6

10 Rosalinde Meyer hat etwas erfunden. **Formulieren Sie Sätze mit *damit*.**

1. Frau Meyer ruft im Patentamt an.
   sie – schnell – einen Termin – bekommen
2. Frau Meyer bringt die Erfindung persönlich zum Patentamt.
   sie – nicht – auf dem Weg – kaputt gehen
3. Der Sohn von Frau Meyer fährt das Auto.
   seine Mutter – auf das Paket – aufpassen können
4. Das Patentamt nimmt sich viel Zeit für die Prüfung der Anmeldung.
   es – keine Fehler – machen
5. Frau Meyer macht Urlaub.
   sie – vom Stress – sich erholen können

> Frau Meyer ruft im Patentamt an, damit
> sie schnell einen Termin bekommt.

11 Schokolade und ihre Geschichte

a) Beantworten Sie die Fragen mit Hilfe des Artikels auf Seite 218.

1. Durch wen wurde die Kakaobohne nach Europa importiert?
2. Als was wurde der Kakao verkauft?
3. Seit wann schmeckt Schokolade nicht mehr nur bitter und ist hart?
4. Was muss man tun, um Schokolade herzustellen?
5. Wie viel Zeit braucht man heute zur Herstellung von Milchschokolade?
6. Welche Schokoladenspezialitäten sind zurzeit in Deutschland beliebt?

> 1. Die Kakaobohne ist mit den Spaniern nach Europa gekommen.

b) Ergänzen Sie das Wort und den Artikel. Der Artikel auf Seite 218 und das Wörterbuch helfen.

1. .... Bauch_weh_ ....
2. .... Jahrh ....
3. .... Masch ....

4. .... Proz ....
5. .... Produktionsm ....
6. .... Produktionsst ....

c) Markieren Sie im Artikel auf Seite 218 die folgenden Wortverbindungen.

> lange Zeit als Medizin verkaufen – der Prozess dauert … Stunden – die Produktions-
> methode verbessern – … Stunden brauchen – zur Herstellung von … verwenden –
> Produktionsstandorte in … haben – sehr populär sein

 12 Flüssig sprechen. **Hören Sie und sprechen Sie nach.**

2.28

1. zwei Stunden. – dauert zwei Stunden. – Der Prozess dauert zwei Stunden.
2. nach Europa. – kommt nach Europa. – Das Produkt kommt nach Europa.
3. zu lösen. – Probleme zu lösen. – Erfindungen sind nötig, um Probleme zu lösen.

13 Gummibärchen

a) **Lesen Sie den Magazin-Artikel. Formulieren Sie W-Fragen (Wer? Was? Wo? Wie?) und beantworten Sie sie.**

Wissen 03/14

Ein Bärchen geht um die Welt

Gummibärchen werden von allen Kindern und vielen Erwachsenen geliebt. Was nur wenige wissen – 1922 wurde das erste Gummibärchen „geboren". Es wurde
5 damals von Hans Riegel aus Bonn (Haribo) erfunden. Heute ist Haribo ein großer Konzern mit Sitz im Bonner Stadtteil Kessenich. Täglich werden 80 Millionen Gummibärchen produziert. In den fünf Betrieben in Deutschland und 13 weiteren in Europa arbeiten 6000 Mitarbei-
10 ter.

Haribo-Produkte werden in mehr als 100 Ländern transportiert und verkauft.

Was Sie vielleicht gemerkt haben: In der Packung sind immer mehr rote Bärchen! Diese werden am liebsten
15 gegessen. Das wurde in einer Studie herausgefunden.

Viele Deutsche kennen das Werbemotto der Firma. Seit 1935 wird das „Lied" HARIBO macht Kinder froh gesungen. 1962 wurde das Motto ergänzt mit: und Erwachsene ebenso. Eine Studie von Kabel1 sagt, dass es der bekann-
20 teste Werbespruch in Deutschland ist. Lied und Motto wurden in etliche Sprachen übersetzt.

Hans Riegel, Gründer der Firma Haribo

Hier einige Beispiele:
- Haribo, c'est beau la vie –
  pour les grands et les petits
- Haribo, dulces sabores –
  para pequeños y mayores
  oder Vive un sabor mágico –
  ven al mundo Haribo
- Kids and grown-ups love it so –
  the happy world of Haribo

b) **Zeichnen Sie die Textgrafik in Ihr Heft und ergänzen Sie sie.**

c) **Markieren Sie im Magazin-Artikel alle Partizip II-Formen und ergänzen Sie Ihre Liste von Seite 219.**

14 Passiv: Präsens und Präteritum

a) Markieren Sie im Haribo-Artikel alle Passiv-Formen im **Präsens** und **Präteritum**.

b) Ergänzen Sie die Tabelle.

	Präsens	Präteritum
ich	werde	
du	wirst	wurdest
er/es/sie		
wir		
ihr	werdet	wurdet
sie/Sie		

+

gefragt
angerufen
informiert
gehört
produziert
verpackt
...

c) Schreiben Sie Wortgruppen wie im Beispiel. Lesen Sie diese dann laut und schnell.

ich wurde gefragt; sie werden produziert und verpackt

15 Bekannte Produkte. **Sacher-Torte (S) oder Mus aus Mühlhausen (M)? Notieren Sie.**

1. ☐ ... wird noch heute in einem Hotel in Handarbeit gefertigt.
2. ☐ ... wird aus Pflaumen, Zimt und Gewürzen hergestellt.
3. ☐ ... wird nach einem Rezept von 1832 gemacht.
4. ☐ ... wird gern mit Schlagsahne gegessen.
5. ☐ ... wird sogar in Südamerika verkauft.

16 Passiv: Präsens und Präteritum

2.29 **a)** **Hören Sie und ordnen Sie die Arbeitsschritte.**

☐ Zum Schluss wird die fertige Rüblitorte über Nacht in den Kühlschrank gestellt.
☐ Die Masse wird in einer Tortenform gebacken.
☐ Dann wird die Ei-Zucker-Masse mit Mehl und Backpulver gemischt.
☐ Nach den Möhren und Mandeln wird der Eischnee untergehoben.
☐1 Zuerst werden das Eigelb, der Zucker und weitere Zutaten gemischt.
☐ Nach dem Backen wird alles mit Marmelade und Puderzucker überzogen.
☐ Im dritten Schritt werden geriebene Möhren und Mandeln hinzugegeben.

b) **Unterstreichen Sie in a) die Passiv-Formen.**

c) **Was der Fernsehkoch sagt. Machen Sie aus den Passiv-Sätzen aus a) Aktiv-Sätze.**

Mischen Sie zuerst das Eigelb, den Zucker und weitere Zutaten. Dann ...

Fit für B1? Testen Sie sich!

Mit Sprache handeln

über Erfindungen sprechen

💬 Welche Erfindungen kennen Sie?

👆 .... ▸ KB 1.1 – 1.3

einen Zweck ausdrücken

💬 Wozu brauchen Sie Internet? 👆 .... ▸ KB 2.2

ein Rezept erklären

💬 Wie macht man eine Sachertorte?

👆 Man braucht .... ▸ KB 4.4 – 4.5

Wortfelder

Produkte und Erfindungen

Kaffee, Kaffeefilter, ... ▸ KB 1.1 – 1.3

Zutaten

Schokolade, Zucker, ... ▸ KB 4.1 – 4.4

Grammatik

Nebensätze mit *um ... zu* / *damit*

Wozu brauchen Sie denn einen Facebook-Account?

Ich brauche einen Facebook-Account, um ....

Ich brauche einen Facebook-Account, damit .... ▸ KB 2.6 – 2.7

Passiv: Vorgänge beschreiben (*werd-* + Partizip II)

Aktiv   **Passiv**

Die Arbeiter verpacken das Produkt. ....

Die Maschine macht die Schokolade warm. .... ▸ KB 3.4

Passiv Präteritum (*wurd-* + Partizip II)

Die Sachertorte *wurde* 1832 *erfunden* . (erfinden).

Sie .... am Anfang nur im Hotel Sacher .... (verkaufen)

Bis vor 10 Jahren .... die Torten mit der Hand .... (schneiden) ▸ KB 3.4 – 3.5

Station **4**

1 Berufsbilder

1 Vier Berufe in Hotels und Gaststätten. **Lesen Sie den Magazin-Artikel. Wer ist wer im Team? Notieren Sie die Namen unter den Fotos.**

Arbeiten im Hotel

Beat, Annalena, Clara und Benjamin haben zur gleichen Zeit im „Hotel Interlaken" im Berner Oberland angefangen. *Beat Ruchti* macht eine Ausbildung zum Hotelkaufmann. Die Ausbildung
5 dauert drei Jahre. „Eine gute Mischung aus Theorie und Praxis", sagt er. Im Moment arbeitet er an der Rezeption und im Büro. Er begrüßt die Gäste, organisiert den Gepäcktransport und druckt die Rechnungen bei der Abreise aus –
10 meistens alles zur gleichen Zeit. „Die Gäste warten nicht gern an der Rezeption", sagt er. Fremdsprachen sind für ihn sehr wichtig und natürlich Freundlichkeit. „Auch wenn manche Gäste Wünsche haben, die man nicht erfüllen kann."
15 *Clara Boch* arbeitet auch seit drei Monaten im „Hotel Interlaken". Als Hotelfachfrau ist sie für die Zimmer zuständig. In Hotels erledigen Hotelfachleute verschiedene Aufgaben: Sie machen den Zimmerservice, halten Gästezimmer sauber und
20 machen die Betten.

1   2

Annalena Maier arbeitet im Restaurant. Sie kommt aus Pirna in Sachsen und hat dort eine Ausbildung zur Restaurantfachfrau gemacht. Früher sagte man „Kellnerin". Restaurantfachleu-
25 te bedienen Gäste, arbeiten im Restaurant, am Buffet und in der Bar. Sie beraten die Gäste, servieren Speisen und Getränke. Sie schreiben Rechnungen und kassieren.
Benjamin Jaeger sagt, dass Koch sein Traum-
30 beruf ist. „Mir hat Kochen immer Spaß gemacht, auch zu Hause. Im Grunde habe ich mein Hobby zum Beruf gemacht." In großen Küchen ist alles sehr professionell organisiert, damit es schnell geht und der Gast nicht so lange warten muss.
35 Es gibt Köche, die Kaltspeisen vorbereiten, Köche für Soßen und Experten für Süßspeisen. Der Küchenchef macht auch den Einkauf. Benjamin möchte später Küchenchef werden. Er sagt, dass
40 man in diesem Beruf gute Aufstiegschancen hat, wenn man mobil und flexibel ist. ■

3   4

2 Informationen aus einem Magazin-Artikel sammeln. **Wählen Sie einen Beruf aus dem Magazin auf Seite 230 aus und ergänzen Sie die Tabelle. Berichten Sie dann.**

Beruf	Arbeitsorte	Tätigkeiten
....	....	....

3 Wörter, die gut zusammen passen

a) **Suchen Sie im Magazin-Artikel Wortverbindungen mit *machen*.**

eine Ausbildung machen, ...

b) **Suchen Sie weitere Wortverbindungen im Artikel.**

Gäste begrüßen, ...

c) **Beschreiben Sie einen Beruf im Hotel. Benutzen Sie die Verbindungen aus dem Text.**

4 Sich über einen Beruf informieren

a) **Formulieren Sie Fragen zu den Antworten. Es gibt manchmal mehrere Möglichkeiten.**

1. ....

Die Ausbildung zur Hotelkauffrau dauert drei Jahre.

2. ....

Die Arbeit an der Rezeption finde ich besonders vielseitig.

3. ....

In dem Beruf gibt es gute Karrierechancen.

4. ....

Küchenchefs machen den Einkauf und organisieren die Küche.

b) **Üben Sie die Fragen und Antworten aus a) zu zweit.**

c) **Notieren Sie noch zwei Fragen und Antworten zu den Hotelberufen.**

5 Von Beruf Lokführerin

2.31

a) **Hören Sie das Interview. Was sagt Ann-Katrin Vogel über ihren Arbeitstag, die Schule und die Kollegen? Notieren Sie.**

b) **Was heißt „eine Ausbildung" machen? Hören Sie noch einmal und notieren Sie Informationen.**

Ann-Katrin Vogel, 27

2 Wörter – Spiele – Training

1 Eine Berufsstatistik im Kurs machen. **Welche Berufe gibt es im Kurs? Welche Berufe interessieren Sie am meisten / gar nicht?**

finde ich interessant	Berufe	finde ich nicht interessant
|||	Bankkaufmann	╫╫
	...	

2 Bildbeschreibungen üben

a) **Beschreiben Sie das Bild. Verwenden Sie die Wörter und Wendungen im Kasten.**

die Wiese – der Hügel –
die Häuser – der Zaun –
die Eisenbahn –
die Menschen –
die Bahnschienen –
blau – rot – gelb – blau –
grün – schwarz

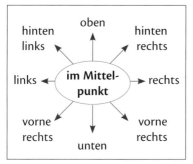

b) **Das Bild heißt „Belgische Eisenbahn" und ist von Lyonel Feininger. Recherchieren Sie, aus welchem Land der Künstler kommt.**

c) **Beschreiben Sie ein Bild, das Ihnen gefällt.**

Auf dem Bild sieht man ...

Das Bild zeigt einen Mann, der ... / eine Frau, die ...

Am besten gefällt mir ...

3 Zeichnungen diktieren

a) **Zeichnen Sie ein Bild: ein Haus / zwei Kinder / ein Baum / eine Straße / die Sonne / ein Auto / ein Ball ...**

b) **Dann beschreiben Sie Ihr Bild. Ihre Partnerin / Ihr Partner zeichnet.**

Neben dem Haus ...

c) **Vergleichen Sie: Welche Bilder sind am ähnlichsten?**

auf der Straße ...

4 „Autogrammjagd". **Sammeln Sie Unterschriften.**

Warst du schon mal auf einem Oktoberfest?	
Warst du schon mal auf einem Sommerfest?	
Hast du schon mal ein Praktikum gemacht?	
Kennst du jemanden, der im Tourismus arbeitet?	
Hast du schon mal ein Buch auf Deutsch gelesen?	
Hattest du schon mal einen Ferienjob?	
Warst du schon mal auf einem Weihnachtsmarkt?	
Kennst du den Namen einer Erfindung aus D-A-CH?	
Kennst du den Namen eines Films aus D-A-CH?	
Warst du in der letzten Woche im Kino?	

5 Präpositionen mit Dativ und Akkusativ. **Ergänzen Sie die Tabelle und schreiben Sie Sätze.**

> in die Firma gehen – auf die Hotelfachschule gehen – an der Universität arbeiten – an die
> Kasse gehen – auf der Post arbeiten – in der Firma arbeiten – an der Haltestelle warten –
> in einem Sprachkurs sein – in einen Computerkurs gehen – hinter das Haus gehen – hinter
> dem Park wohnen – auf die Post gehen

Wohin?	Wo?
Ich gehe in die Firma.	Ich arbeite in der Firma.

6 Landeskundetest: 10 Feste und Feiern in D-A-CH. **Recherchieren Sie und ergänzen Sie die Feste.**

1. Man trägt Dirndl, trinkt Bier und isst Brezeln: ....
2. Man sagt: Frohes neues Jahr: ....
3. Ein alter Brauch ist Eierschlagen: ....
4. Der Höhepunkt des Festes ist immer am Montag: ....
5. An diesem Tag gibt es die meisten Geschenke am Abend: ....
6. An diesem Tag laden viele Menschen zu einer Party ein: ....
7. An diesem Tag verkleiden sich die Kinder: ....
8. An diesem Tag ist der deutsche Nationalfeiertag: ....
9. An diesem Tag ist der schweizerische Nationalfeiertag: ....
10. An diesem Tag ist der österreichische Nationalfeiertag: ....

3 Filmstation

1 Halloween

a) Welche Symbole passen zu Halloween? Kreuzen Sie an.

1. ☐ die Hexe   4. ☐ die Ostereier   7. ☐ der Kürbis   10. ☐ die Geschenke
2. ☐ das Dirndl   5. ☐ die Geister   8. ☐ der Tannenbaum   11. ☐ die Sonne
3. ☐ die Brezel   6. ☐ die Verkleidung   9. ☐ die Süßigkeiten 12. ☐ die Maske

b) Sehen Sie den Clip bis 00:37. Welche Aussagen sind richtig? Kreuzen Sie an.

1. ☐ Das Fest feiert man in der Nacht vor dem Fest Allerheiligen.
2. ☐ Das Fest hat man zum ersten Mal in den USA gefeiert.
3. ☐ Kinder freuen sich auf das Fest.
4. ☐ Nur Erwachsene verkleiden sich abends als Hexen oder Gespenster.

c) Sehen Sie den Clip komplett an. Ergänzen Sie dann die Lücken mit den Wörtern aus dem Kasten.

> Hexen – Geistern – Nacht – Süßigkeiten – Kinder – Amerika

Halloween feiert man in der .... [1] vom 31. Oktober zum 01. November. Das Fest hat

viel mit .... [2] und Spuk zu tun und wurde zuerst in Irland gefeiert. Im 19. Jahrhundert

kam das Fest von Irland mit den Auswanderern nach .... [3]. Heute feiern besonders

gerne .... [4] Halloween, sie verkleiden sich als .... [5] oder Geister, sagen

einen Spruch und bekommen von den Nachbarn .... [6]. Na dann, fröhliches Gruseln.

d) Sehen Sie noch einmal und ergänzen Sie den Spruch.

> *Was Süßes raus, sonst spukt´s*
>
> *im .... :*

e) Warum feiern die Mädchen Halloween? Notieren Sie.

2 Und Sie? Feiern Sie Halloween? **Fragen und antworten Sie im Kurs.**

> *Wir feiern jedes Jahr Halloween, wir treffen uns ...*

> *Ich habe noch nie Halloween gefeiert. Ich ...*

3 Mythos Sacher. **Was ist ein Mythos? Lesen Sie den Wörterbuchauszug und kreuzen Sie an.**

> **Mythos** >der; -, Mythen< **1.** überlieferte Erzählung aus der Vorzeit eines Volkes (die sich besonders mit Göttern, Entstehung der Welt befasst). **2.** Person, Sache, Begebenheit, die schwer zu erklären ist, verehrt wird und eine besondere Bedeutung hat.

Eine Sache / eine Person / ein Gegenstand,
- ☐ die/der sehr wichtig ist.
- ☐ die/der geheimnisvoll ist.
- ☐ die/der verrückt ist.
- ☐ die/der sehr alt ist.

4 Die Stadt Wien. **Sehen Sie den Clip bis 0:35. Um welche Sehenswürdigkeiten geht es? Kreuzen Sie an.**

9

☐ das Schloss Schönbrunn

☐ der Prater

☐ die Karlskirche

☐ die Staatsoper

5 Das Hotel Sacher

a) **Sehen Sie den Clip komplett. Welche Aussagen sind richtig? Kreuzen Sie an.**

1. ☐ Die Original Sacher-Torte kann man überall in Wien kaufen.
2. ☐ Der Name Sacher kommt von einem Fluss in Wien.
3. ☐ Die Sacher-Torte wird im Sacher-Hotel in Handarbeit hergestellt.
4. ☐ Die Schokolade für die Glasur wird nur für diese Torte produziert.

b) **Sehen Sie den Clip noch einmal und notieren Sie Informationen zum Hotel Sacher. Vergleichen Sie im Kurs.**

Wo?
Wer? ...

WEIHNACHTEN

Vorweihnachtszeit ist eigentlich immer

In manchen Ländern hört man schon im September „Stille Nacht" in den Einkaufszentren. In Deutschland, Österreich und der Schweiz beginnt die Vorweihnachtzeit Mitte November. Das ist die Zeit der Weihnachtsmärkte. Von Lübeck bis Wien, von Dresden bis Zürich. Auf allen Marktplätzen riecht es nach Glühwein, Bratwurst, Weihnachtsgebäck und Bratäpfeln. Der berühmteste Weihnachtsmarkt ist der Christkindlesmarkt in Nürnberg. Im Internet findet er das ganze Jahr statt. Auch das Weihnachtsmuseum in Rothenburg kann man zu jeder Jahreszeit besuchen – persönlich oder im Internet. Ein Tabu gibt es allerdings. Weihnachtslieder im Juli: Das geht gar nicht. Ein Au-pair-Mädchen in Frankfurt musste das lernen, als ihre Gasteltern sehr genervt waren: Sie fand das deutsche Weihnachtslied „O du fröhliche" toll und hat es gern im Haus gesungen. Das Lied wurde übrigens Anfang des 19. Jahrhunderts in Weimar zuerst gesungen.

Das berühmteste Weihnachtslied der Welt

Das Weihnachtslied „Stille Nacht" ist weltbekannt und wurde in viele Sprachen übersetzt. Der Priester Joseph Mohr schrieb es schon 1816 in Oberndorf in der Nähe von Salzburg. Am Morgen des Heiligabends war man gerade bei den Weihnachtsvorbereitungen. Er zeigte es seinem Freund Franz Gruber, der sofort eine Melodie komponierte. Die Männer mussten sich beeilen. Wenige Stunden später wurde das Lied dann von einer Sängergruppe geübt und am Abend in der Kirche gesungen. Die Kirchenbesucher waren begeistert. Später ging das Lied um die Welt. 1835 wurde es zu Weihnachten schon in New York gesungen.

*Stille Nacht, heilige Nacht,
alles schläft, einsam wacht
nur das traute hochheilige Paar,
holder Knabe im lockigen Haar,
schlaf in himmlischer Ruh,
schlaf in himmlischer Ruh.*

Was kann man mit einer Weihnachtsseite machen ? !

- über Weihnachtsbräuche sprechen
- Weihnachtsbräuche vergleichen
- sagen, wie man selbst das Weihnachtsfest vorbereitet und feiert
- Gedichte lesen und Weihnachtslieder singen
- den Christkindlesmarkt im Internet besuchen: www.christkindlesmarkt.de

IN D-A-CH

Advent, Advent ein Lichtlein brennt ...

Erst eins, dann zwei, dann drei dann vier, dann steht das Christkind vor der Tür.

Das Kindergedicht hört man in den vier Wochen vor Weihnachten oft. Am Advents-kranz brennt jeden Sonntag eine Kerze mehr. Für viele Menschen ist diese Zeit das Schönste an Weihnachten. Man kauft Geschenke, die man Heiligabend unter den Weihnachtsbaum legt, backt Plätzchen und bereitet sich auf die Weihnachtstage mit der Familie vor. Trotz „Kaufrausch" und Hek-tik in der Vorweihnachtszeit ist Weihnach-ten für die meisten Menschen das wichtigs-te Familienfest des Jahres.

Der Bratapfel

Ein beliebtes Rezept ist der Bratapfel. Man kann ihn eigentlich immer in der kalten Jahreszeit essen. Und so wird er gemacht: In der Mitte des Apfels wird ein Loch ge-macht. Der Apfel wird mit Marzipan, Nüssen und Rosinen gefüllt. Dann wird er im Ofen gebacken. Ganz einfach und er schmeckt immer – als weihnachtliches Des-sert oder einfach so.

5 Die Fragen-Rallye: Mit 30 Fragen durch A2

Sie brauchen ...

– mindestens zwei Spieler oder zwei Gruppen
– einen Würfel
– Spielfiguren: jeder Spieler eine Münze

Spielregeln ...

1. Alle Spieler würfeln drei Mal. Wer eine Sechs ⚅ hat, beginnt.
   Ein Spieler / eine Gruppe beginnt am Startfeld oben ▼, der/die andere unten ▲.
2. Würfeln Sie und setzen Sie Ihre Münze entsprechend der Augenzahl auf dem Würfel nach vorn.
3. Lösen Sie die Aufgabe. Richtige Antwort: Sie bleiben auf dem Feld.
   Falsche Antwort: zwei Felder zurückgehen.
4. Rausschmeißen: Wenn Sie auf das Feld Ihres Gegners kommen, muss dieser wieder auf das Startfeld zurück und neu anfangen.
5. Gewonnen hat der Spieler / die Gruppe, der/die mit allen Figuren zuerst am Ziel ist.

▼

1. Singen Sie den Anfang eines Geburtstags-liedes.
2. Sie sitzen in Ihrem Lieblingsrestaurant. Rufen Sie den Kellner.
3. Sagen Sie ganz schnell: *tschechisches Streichholzschächtelchen*.
4. Beenden Sie den Satz: *Als ich 14 war, ...*
5. Wortfamilie Arbeit: Nennen Sie vier Wörter.
6. Telefonieren: Die Person ist nicht da, Sie hinterlassen Ihren Namen und eine Nachricht.
7. Ordnen Sie die Feste chronologisch: Weihnachten, Ostern, Silvester, Karneval, Ihren Geburtstag. Beginnen Sie mit Ihrem Geburtstag.
8. Bilden Sie einen Satz mit Dativ und Akkusativ: *Buch – schenken – meine Schwester*
9. Sagen Sie, warum Sie Deutsch lernen. Benutzen Sie ... *um zu*.
10. Sagen Sie es höflich: „Geben Sie mir das Telefon" und „Öffnen Sie das Fenster".
11. Was steht in einem Lebenslauf? Nennen Sie drei Dinge.
12. Beenden Sie den Satz: Als ich sieben war, ...
13. Sie organisieren eine Party: Sagen Sie drei Dinge, die andere tun sollen.
14. Welche Aufgaben hat ein Küchenchef? Nennen Sie drei.
15. Nennen Sie drei touristische Attraktionen in Weimar.

16. Was braucht man für eine Sachertorte: Die Torte wird aus ..., ... und ... gemacht.
17. Nennen Sie einen Grund: Warum haben Sie Deutsch/ ... / ... gelernt: Weil ...
18. Nennen Sie drei Gründe: Warum leben Menschen gerne auf dem Land?
19. Nennen Sie drei Sportarten, die Sie überhaupt nicht interessieren.
20. Nennen Sie drei Tiere, die Sie mögen.
21. Nennen Sie ein Tier, das nicht lebt. Es ist aus Schokolade.
22. Was kann man in der Stadt machen? Nennen Sie fünf Tätigkeiten.
23. Welches Fest mögen Sie am meisten? Begründen Sie.
24. Ergänzen Sie die Frage: Zahlen Sie bar oder ...
25. Sie kaufen am Bahnhof eine Fahrkarte und möchten einen Sitzplatz. Was fragen Sie?
26. Erklären Sie das Wort „Ausbildung".
27. Komparation: Ergänzen Sie: hoch, hö..., ...
28. Sagen sie dreimal schnell und ohne Fehler: *österreichische Skischule und schwedische Schneeschuhe*
29. Nennen Sie vier europäische Kultur-hauptstädte.
30. Welches Tier ist schneller als ein Hund? Welches ist langsamer?

▲

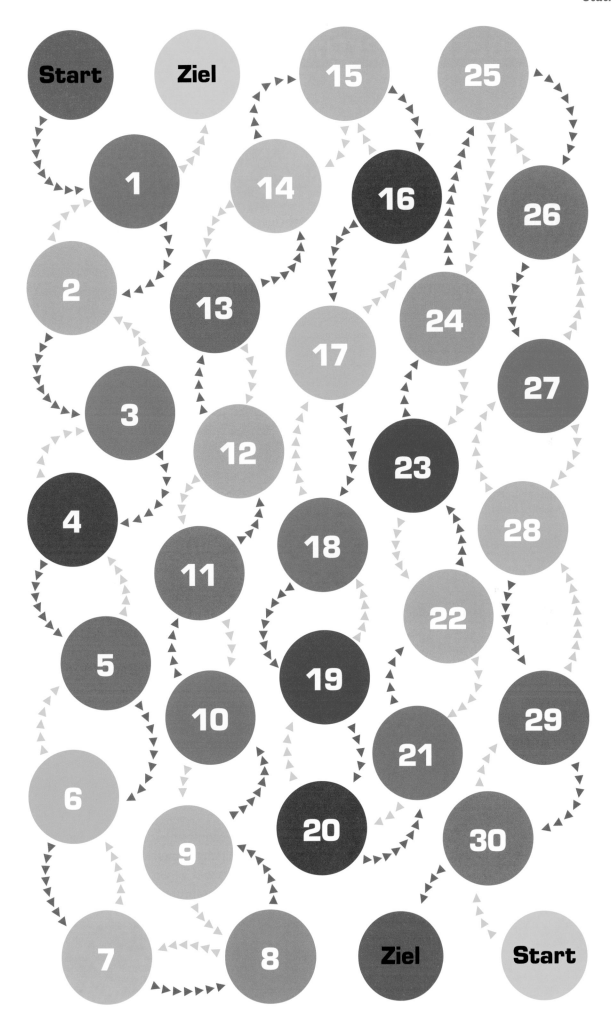

Lesen (ca. 30 Minuten)

Teil 1

Sie lesen in einer Zeitung diesen Text.
Wählen Sie für die Aufgaben 1 bis 5 die richtige Lösung ⓐ, ⓑ oder ⓒ.

Heute vorgestellt: Der frische Wind

Jasmin Lulay hat früher in einer großen Reinigungsfirma in München gearbeitet. Die Bezahlung war gut, aber sie hatte Probleme mit dem Chef. „Er war sehr unfreundlich. Und es gab immer mehr Stress. So hatte ich die Idee, mich selbstständig zu machen." Aber nicht mit der Reinigung von Büros und Gebäuden. „Das machen schon sehr viele Firmen. Aber stell dir vor, du feierst eine tolle Party. Und danach? Überall liegt Essen, Glas, die Küche ist ein Chaos und du weißt nicht, wie du das sauber bekommst? Jetzt kommen wir, *Der Frische Wind*, und bringen alles in Ordnung."

Jasmin Lulay macht nach Partys nicht nur wieder alles sauber, man kann bei ihr auch für den nächsten Morgen frischen Kaffee und ein gesundes Frühstück bestellen.

Und sie berät auch bei der Organisation von Partys und gibt Tipps, wie man feiern kann, ohne dass es viel Müll gibt.

Heute hat Frau Lulay schon mehr als zehn feste Kunden, meistens Studenten. „Toll ist, dass ich viele neue Menschen kennenlerne, und dass alle zufrieden sind", so Jasmin Lulay. „Meine Kunden können ohne Stress und ohne an den nächsten Tag zu denken, feiern. Und sie finden es super, dass sie von uns am nächsten Tag auch noch ein gutes Frühstück bekommen, wenn sie möchten.

Weil alles so gut läuft, sucht Jasmin weitere Mitarbeiter. Sie möchte ihren Service jetzt auch in anderen Städten, nicht nur in München, anbieten.

Beispiel

0 Jasmin Lulay hatte früher …
- ⓐ eine Reinigungsfirma.
- ⓧ einen unsympathischen Chef.
- ⓒ ein schlechtes Gehalt.

1 Jasmin Lulay findet …
- ⓐ Putzen langweilig.
- ⓑ Partys stressig.
- ⓒ Saubermachen kein Problem.

2 Jasmin Lulay räumt nicht nur auf, …
- ⓐ sie hat auch ein eigenes Café.
- ⓑ man kann bei ihr auch Partyräume mieten.
- ⓒ sie hilft auch bei der Planung von Festen.

3 Ihr gefällt, …
- ⓐ dass sie durch ihre Arbeit viele nette Kontakte bekommt.
- ⓑ dass sie mit den Studenten feiern kann.
- ⓒ dass ihre Kunden für sie manchmal ein Frühstück machen.

4 Bald möchte Jasmin …
- ⓐ nicht mehr in München arbeiten.
- ⓑ mit neuen Kollegen zusammenarbeiten.
- ⓒ in eine andere Stadt umziehen.

5 Dieser Text informiert über …
- ⓐ Reinigungsfirmen in verschiedenen Städten.
- ⓑ Partys und Veranstaltungen.
- ⓒ Berufserfahrungen einer Frau.

Teil 2

Sie lesen die Informationstafel in einem Möbelhaus.
Lesen Sie die Aufgaben 6 bis 10 und den Text. In welchen Stock gehen Sie?
Wählen Sie die richtige Lösung a̲, b̲ oder c̲.

Beispiel

0 Sie haben eine neue Wohnung und
suchen Balkonstühle.
a̲ EG
b̶ 1. Stock
c̲ anderer Stock

6 Sie suchen eine Kaffeemaschine.
a̲ 2. Stock
b̲ 3. Stock
c̲ anderer Stock

7 Sie suchen einen Tisch für
Ihr Arbeitszimmer.
a̲ EG
b̲ 1. Stock
c̲ anderer Stock

8 Für Arbeiten in Ihrem Bad suchen
Sie Farbe.
a̲ UG
b̲ 1. Stock
c̲ anderer Stock

9 Sie möchten Kaffee trinken und
etwas essen.
a̲ 2. Stock
b̲ 3. Stock
c̲ anderer Stock

10 Sie suchen ein Regal für Ihren Fernseher.
a̲ EG
b̲ 2. Stock
c̲ anderer Stock

Möbelhaus Schmidt
Bauen & Wohnen

3. Stock: Café – Restaurant – Kundenservice – Kataloge –
Besuchertoiletten – Einrichtungsberatung

2. Stock: Haushalts- & Küchengeräte – Staubsauger –
Waschmaschinen – Kühlschränke – Barhocker –
Büromöbel – Büroartikel – Büroregale

1. Stock: Haus und Garten – Blumen – Blumenerde –
Garten- und Balkonmöbel – Pflanzen –
Sonnenschirme in allen Farben –
Badezimmermöbel, Bad- und Toilettenzubehör –
Spiegelschränke – Wäschekörbe –
Alles für die Küche – Küchenregale –
Arbeitsplatten – Zubehör für Küchenmöbel –
Garderobenmöbel

EG: Wohnen und Schlafen – Stühle –
Wohnzimmermöbel – Wohnzimmertische –
Sessel – Sofas – Betten – Kleiderschränke –
Kommoden – Nachttische – Matratzen –
TV-Möbel – Bodenbeläge & Zubehör –
Geldautomat

UG: Bauen & Renovieren – Malerbedarf –
Baustoffe – Elektromaterial – Fußböden –
Leuchten & Leuchtmittel – Tischlampen –
Außenleuchten – Deckenleuchten –
LED-Leuchten

Teil 3

Sie lesen eine E-Mail.
Wählen Sie für die Aufgaben 11 bis 15 die richtige Lösung a , b oder c .

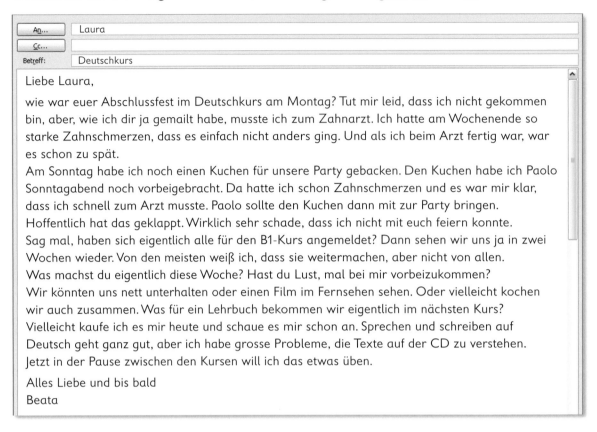

An...	Laura
Cc...	
Betreff:	Deutschkurs

Liebe Laura,

wie war euer Abschlussfest im Deutschkurs am Montag? Tut mir leid, dass ich nicht gekommen bin, aber, wie ich dir ja gemailt habe, musste ich zum Zahnarzt. Ich hatte am Wochenende so starke Zahnschmerzen, dass es einfach nicht anders ging. Und als ich beim Arzt fertig war, war es schon zu spät.
Am Sonntag habe ich noch einen Kuchen für unsere Party gebacken. Den Kuchen habe ich Paolo Sonntagabend noch vorbeigebracht. Da hatte ich schon Zahnschmerzen und es war mir klar, dass ich schnell zum Arzt musste. Paolo sollte den Kuchen dann mit zur Party bringen. Hoffentlich hat das geklappt. Wirklich sehr schade, dass ich nicht mit euch feiern konnte.
Sag mal, haben sich eigentlich alle für den B1-Kurs angemeldet? Dann sehen wir uns ja in zwei Wochen wieder. Von den meisten weiß ich, dass sie weitermachen, aber nicht von allen.
Was machst du eigentlich diese Woche? Hast du Lust, mal bei mir vorbeizukommen?
Wir könnten uns nett unterhalten oder einen Film im Fernsehen sehen. Oder vielleicht kochen wir auch zusammen. Was für ein Lehrbuch bekommen wir eigentlich im nächsten Kurs? Vielleicht kaufe ich es mir heute und schaue es mir schon an. Sprechen und schreiben auf Deutsch geht ganz gut, aber ich habe grosse Probleme, die Texte auf der CD zu verstehen. Jetzt in der Pause zwischen den Kursen will ich das etwas üben.

Alles Liebe und bis bald
Beata

11 Beata entschuldigt sich, ...
   a weil sie nicht geschrieben hat.
   b weil sie nicht zur Party gekommen ist.
   c weil sie nicht pünktlich bei einem Treffen war.

12 Beata hofft, ...
   a dass Paolo einen Kuchen gebacken hat.
   b dass alle gut gefeiert haben.
   c dass Paolo den Kuchen nicht zu Hause vergessen hat.

13 In vierzehn Tagen ...
   a fängt der nächste Kurs an.
   b gibt es wieder eine Party.
   c treffen sich alle Teilnehmer aus dem letzten Kurs.

14 Beata schlägt vor, ...
   a bald ins Kino zu gehen.
   b sich bei ihr zu treffen.
   c ins Restaurant zu gehen.

15 Beata findet es wichtig, ...
   a viele Bücher zu lesen.
   b mehr auf Deutsch zu schreiben.
   c das Hören zu trainieren.

Teil 4

Sechs Personen suchen im Internet nach einem passenden Jobangebot.
Lesen Sie die Aufgaben 16 bis 20 und die Anzeigen a bis f .
Welche Anzeige passt zu welcher Person?
Für eine Aufgabe gibt es keine Lösung. Markieren Sie so ⊠.
Die Anzeige aus dem Beispiel können Sie nicht mehr wählen.

Beispiel

0   Lucy möchte draußen arbeiten. Sie sucht eine Arbeit am Vormittag.   **b**

16   Latika sucht einen Nebenjob als Kellnerin. Sie hat noch nie als Kellnerin gearbeitet.   ☐

17   Gregor sucht eine Arbeit am Abend. Er möchte nicht mit dem Computer arbeiten.   ☐

18   Peter macht gerade Abitur. Er hat gute Computerkenntnisse und möchte sich
       am PC weiterqualifizieren.   ☐

19   Susanne hat gelernt, Webseiten zu machen und sucht eine Arbeit.   ☐

20   Igor hat gerade den Führerschein gemacht und sucht eine Arbeit als Fahrer.   ☐

---

a   www.restaurant-alsace.com

Wer kann uns helfen?

Wir suchen einen qualifizierten Mitarbeiter (m/w) zur Gestaltung unserer Homepage. Wir sind ein neu eröffnetes Restaurant in Berlin und möchten, dass unsere Gäste durch unsere Internetseite Lust auf unser Restaurant bekommen.

---

b   www.ptt.com

Unser Zustelldienst sucht für die Lieferung von Zeitungen, Post, Prospekten und Katalogen Mitarbeiter. Wenn Sie kein Problem haben, früh aufzustehen und gerne mit der Arbeit fertig sein wollen, wenn andere zur Arbeit gehen, bewerben Sie sich bei uns. Die Arbeitszeiten werden im Team eingeteilt. Täglich ca. 4 Stunden.

---

c   www.spedition-gross.de

Internationale Spedition sucht Berufskraftfahrer(in) Nah- und Fernverkehr.

Voraussetzungen: bereits Berufserfahrung als Fahrer, selbstständiges Arbeiten, Führerschein CE
Nach Probezeit sicherer Arbeitsplatz (Vollzeit) bei guter Bezahlung

---

d   www.job-scout.com

Neue Ausbildungsangebote zum Web-Designer

Sie haben eine höhere Schulbildung, sind fit am PC und möchten in einem teamorientierten Unternehmen weiter lernen? Nach der Prüfung zum Webdesigner sind weitere Qualifikationen im Bereich IT-Beratung möglich. Es gibt nur noch wenige Plätze!

---

e   www.giorgio.de

Pizzeria Giorgio sucht Servicepersonal (m/w).

Die Arbeitszeit findet überwiegend zur Mittagszeit statt. Sie sollten Erfahrung im gastronomischen Bereich haben. Zur Verstärkung unseres Teams suchen wir weiter einen Fahrer (m/w), der die Kunden zu Hause beliefert.

---

f   www.andalusia.de

Wir suchen ab sofort: **einen Kellner/ eine Kellnerin** mit Berufserfahrung. Festanstellung nach Probezeit möglich. Gute Bezahlung, flexible Arbeitszeiten, täglich von 16–22 Uhr.
Außerdem suchen wir ab sofort: **Küchenhilfen**, in Teilzeit zur Unterstützung unseres Teams zwischen 19 und 22 Uhr.

Hören (ca. 30 Minuten)

Teil 1
32–36

Sie hören fünf kurze Texte. Sie hören jeden Text zweimal.
Wählen Sie für die Aufgaben 1 bis 5 die richtige Lösung [a], [b] **oder** [c].

1 Wie wird das Wetter am Samstag?
  [a] Es wird sonniger.
  [b] Es kann regnen.
  [c] Es wird kühler.

2 Was soll Susanne nicht vergessen?
  [a] Blumen.
  [b] Essen.
  [c] Musik.

3 Was soll Frau Berger tun?
  [a] Einen Termin verschieben.
  [b] Mit Frau Groß telefonieren.
  [c] In die Firma kommen.

4 Wann kann man die HipRockers sehen?
  [a] Heute abend.
  [b] Im Januar oder Februar.
  [c] Es gibt keinen neuen Termin.

5 Was möchte Jasmin heute machen?
  [a] Im Restaurant essen.
  [b] Zu Hause kochen.
  [c] Essen bestellen.

Teil 2
37

Sie hören ein Gespräch. Sie hören den Text einmal.
Was haben die Leute am Sonntag gemacht?

Wählen Sie für die Aufgaben 6 bis 10 ein passendes Bild aus [a] **bis** [i].
Wählen Sie jeden Buchstaben nur einmal. Sehen Sie sich jetzt die Bilder an.

	0	6	7	8	9	10
Name	Rosa	Eva	Oliver	Gerard	Laura	Robert
Lösung	f					

Teil 3

Sie hören fünf kurze Gespräche. Sie hören jeden Text einmal.
Wählen Sie für die Aufgaben 11 bis 15 die richtige Lösung a , b oder c .

11 Wie kommt der Mann zur Sprachschule?

12 Was kauft der Mann ein?

13 Was funktioniert nicht?

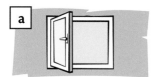 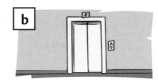 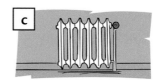

14 Was bestellt der Mann?

15 Was hat die Frau vergessen?

Teil 4

Sie hören ein Interview. Sie hören den Text zweimal.
Wählen Sie für die Aufgaben 16 bis 20 [Ja] oder [Nein] .
Lesen Sie jetzt die Aufgaben.

Beispiel

0 Tobias kann nächste Woche umziehen.
[☒Ja] [Nein]

18 Tobias hat im Supermarkt eine Anzeige gesehen.
[Ja] [Nein]

16 Die Wohnungsangebote im Internet waren alle zu teuer.
[Ja] [Nein]

19 Die Wohnung ist schön und hat viel Licht.
[Ja] [Nein]

17 Im Internet gab es mehr Angebote als in der Zeitung.
[Ja] [Nein]

20 Tobias muss noch vieles in der Wohnung machen.
[Ja] [Nein]

Schreiben (ca. 30 Minuten)

Teil 1

Sie haben sich mit Ihrer Freundin um 12 Uhr im Schwimmbad verabredet. Schreiben Sie eine SMS an Ihre Freundin Lucy.

– Entschuldigen Sie sich, dass Sie nicht pünktlich sein können.
– Schreiben Sie, warum.
– Nennen Sie eine neue Uhrzeit.

**Schreiben Sie 20–30 Wörter.
Schreiben Sie zu allen drei Punkten.**

Teil 2

Ihre Chefin, Frau Schneider, möchte Sie und Ihre Kollegen zu einem Essen ins Restaurant „Las Tapas" einladen. Schreiben Sie Frau Schneider eine E-Mail.

– Bedanken Sie sich und sagen Sie, dass Sie gern kommen.
– Schlagen Sie einen Termin vor.
– Fragen Sie nach dem Weg.

**Schreiben Sie 30–40 Wörter.
Schreiben Sie zu allen drei Punkten.**

Sprechen (ca. 15 Minuten)

Teil 1

**Sie bekommen vier Karten und stellen mit diesen Karten vier Fragen.
Ihr Partner / Ihre Partnerin antwortet.**

Beruf?	Wohnort?	Hobbys?	Lieblingsessen?

Teil 2

Sie bekommen eine Karte und erzählen etwas über Ihr Leben.

Aufgabenkarte A
Was machen Sie gern in Ihrer Freizeit?
– Sport?
– Kino?
– Freunde besuchen?
– Andere Aktivitäten?

Aufgabenkarte B
Wo kaufen Sie am liebsten ein?
– Online?
– Auf Märkten?
– Im Supermarkt?
– In kleinen Geschäften?

Teil 3

**Sie wollen zusammen einen Kaffee trinken. Wann haben Sie beide Zeit?
Finden Sie einen Termin.**

Aufgabenkarte A

Freitag – 20. März				
9–13 Uhr	13–14 Uhr	14–18 Uhr	18–19 Uhr	19–20 Uhr
keine Termine	Mittagspause mit Miriam	Uni	keine Termine	Mediamarkt mit Sven

Aufgabenkarte B

Freitag – 20. März				
8–10 Uhr	10–12 Uhr	12–13 Uhr	13–17 Uhr	17–19 Uhr
Zahnarzt	keine Termine	Mittagspause mit Ewa und Anja	keine Termine	Deutschkurs

Partnerseiten

Einheit 7, Aufgabe 3.3

Partnerspiel: Nach einer Wohnung fragen. **Sie sind Spieler/in 2. Ihre Partnerin /
Ihr Partner arbeitet mit der Seite 130. Fragen Sie nach Wohnung b) und benutzen Sie
die Redemittel. Beantworten Sie dann die Fragen von Spieler/in 1 zu Wohnung a).**

Ruhige, sonnige Whg.
im Zentrum Stuttgarts
zu vermieten. 3 ZKB, 79 m²,
Balkon, Keller und Stellplatz.
790 € und 150 € NK.
Tel.: 06622-4505
Besichtigung:
Di. oder Do. ab 18 Uhr   **a**

2 ZKB, ab 01.05. frei
Tel: 0711-1719248   **b**

*Guten Tag. Ich habe
Ihre Anzeige gelesen. Ist die
Wohnung noch frei?*

Einheit 8, Aufgabe 3.2

Partnerspiel: früher und heute. **Stellen Sie Fragen und ergänzen Sie die Antworten von
Spieler/in 1. Die Tabelle für Spieler/in 1 ist auf Seite 147.**

in der Bebelstraße	**in der Müllerstraße**	**in der Bahnhofsstraße**
früher: *ein Sportplatz*	früher:	früher:
heute:	heute: *ein Supermarkt*	heute: *ein Ärztehaus*
in der Kastanienallee	**in der Goethestraße**	**auf dem Domplatz**
früher: *die Post*	früher:	früher: *ein Hotel*
heute:	heute: *das Bürgerbüro*	heute:

Spieler 1

Heute ist in der Bebelstraße ...

Was	war gab es	hier früher?

Spieler 2

Früher war hier ein Sportplatz.
Heute gibt es in der Müllerstraße ...
Was ...

Einheit 3, Aufgabe 2.2

Rückendiktat: **Setzen Sie sich Rücken an Rücken und diktieren Sie abwechselnd Wort für Wort. Den Text für Partner/in 1 finden Sie auf Seite 176.**

Partner/in 1

Zwei . . Bauarbeiter . . . .

sich . . . . ihrer . . . .

Der . . . . sagt: „ . . . .

ich . . . . Richtige . . . . Lotto . . . . , dann . . . . ich . . . .

mehr . . . ." Da . . . . der . . . . : „ Und . . . . machst . . . . ,

wenn . . . . nur . . . . Richtige . . . . ?" Der . . . . antwortet: „ . . . .

doch . . . . ! Dann . . . . ich . . . . noch . . . . Tage . . . . !"

Station 3, Aufgabe 2.4

Haben Sie sich getestet? Hier finden Sie die Auswertung zum Test „Stadt- oder Landmensch – welcher Typ sind Sie?" auf Seite 177.

Auswertung

8 – 13 Punkte

Sie sind ein Landmensch, der am liebsten draußen in der Natur, im Garten oder auf dem Balkon ist. Sie mögen Tiere, wahrscheinlich haben Sie selbst ein Tier. Auf dem Land finden Sie Ruhe und Entspannung. Der Kontakt zu Ihren Nachbarn ist Ihnen wichtig. Aber: Ein ruhiges Leben kann auch schnell langweilig werden. Fahren Sie auch mal in die Stadt! Ein Stadtbummel oder ein Kinobesuch können auch Spaß machen!

14 – 19 Punkte

Sie sind flexibel! Sie gehen gern aus, genießen aber auch die Natur. Das kann auch ein Spaziergang durch den Stadtpark sein, Sie brauchen keine langen Wanderungen durch den Wald! Kultur und Natur – Sie mögen beides in Ihrer Freizeit. Wahrscheinlich bestimmt Ihr Job, wo Sie wohnen, denn lange Autofahrten zur Arbeit mögen Sie nicht. Aber: Jobwechsel heißt meistens auch Wohnungswechsel. Achten Sie bei jedem Umzug auf die für Sie „richtige Mischung" von Stadt und Land.

ab 20 Punkte

Sie sind ein Stadtmensch. Sie lieben die Hektik, etwas Stress und viele Menschen. Alles was neu, schnell und „in" ist, finden Sie klasse. Ihre Interessen wechseln schnell. Sie wollen Spaß haben und nicht zu Hause sitzen. Aber: manchmal braucht man ein bisschen Ruhe, eine „Auszeit". Fahren Sie aufs Land, wechseln Sie die Perspektive und lernen Sie mal ein anderes, ruhigeres Leben kennen.

Grammatik auf einen Blick

Sätze

1 Gründe nennen: Nebensätze mit *weil*

E 1

Warum ist die Banane krumm?

Äh, weil …

Hauptsatz	Hauptsatz
Ich habe Deutsch gelernt.	Es (war) ein Schulfach.

Hauptsatz	Nebensatz
Ich habe Deutsch gelernt,	**weil** es ein Schulfach (war).

Regel Im Nebensatz steht das Verb am Ende. Der Nebensatz beginnt mit **weil**.

2 Seine Meinung ausdrücken: Nebensätze mit *dass*

E 2

Ich finde,	**dass** das Auto zu teuer (ist).
Meinst du nicht auch,	**dass** das Auto zu teuer (ist)?
Ich habe gesagt,	**dass** ich das Auto zu teuer (finde).

3 Indirekte Fragen

E 5

1 Ja/Nein-Fragen: *ob*

💬 (Kommst) du am Wochenende?

👂 Entschuldigung, was hast du gesagt?

💬 Ich habe gefragt, **ob** du am Wochenende (kommst)?

2 Fragen mit Fragewort: *wann, wo, …*

Hauptsatz	Nebensatz
Kannst du mir sagen,	**wann** du (kommst)?
Ich möchte wissen,	**was** Sie gesagt (haben).
Können Sie mir sagen,	**wo** ich das Haus Nr. 23 (finde)?

Wann kommst du?

Regel Der Nebensatz beginnt mit *ob* oder einem Fragewort und das Verb steht am Satzende.

4 Personen oder Sachen genauer beschreiben: Relativsätze im Nominativ und Akkusativ

E 6

Marillenknödel: Das sind Knödel, die man mit Marillen (Aprikosen) macht.

Christstollen: Das ist ein Kuchen, den man zu Weihnachten backt.

Hauptsatz 1	Hauptsatz 2
Das sind Knödel.	Man macht sie mit Aprikosen.
Das ist ein Kuchen.	Man backt ihn zu Weihnachten.

	Nominativ	Akkusativ
Singular	der	den
	das	das
Plural	die	die
	die	die

Hauptsatz	Relativsatz
Das sind Knödel,	**die** man mit Aprikosen (macht).
Das ist ein Kuchen,	**den** man zu Weihnachten (backt).

Regel Der Relativsatz erklärt ein Nomen im Hauptsatz.

Nominativ   **Der** Mann,   backt gern Kuchen.
              └── **der** in der Wohnung neben uns wohnt, ──┘

Akkusativ   **Der** Kaffee,   ist kalt.
              └── **den** der Kellner eben gebracht hat, ──┘

Nominativ   **Das** Rezept,   suche ich jetzt.
              └── **das** von meiner Oma ist, ──┘

Akkusativ   **Das** Steak,   war zäh.
              └── **das** ich letzte Woche hier gegessen habe, ──┘

Nominativ   **Die** Frau,   wartet schon eine Stunde auf das Essen.
              └── **die** dort am Tisch sitzt, ──┘

Akkusativ   **Die** Suppe,   war salzig.
              └── **die** ich bestellt habe, ──┘

Regel **Plural** im Nominativ und Akkusativ immer **die**: die Männer/Kinder/Frauen, die …

5 Gegensätze ausdrücken: Hauptsätze und Informationen mit *aber* verbinden

E 3

Hauptsatz	Hauptsatz
Eine Reise mit dem Zug dauert länger als mit dem Flugzeug.	Sie ist bequemer.
Eine Reise mit dem Zug dauert länger als mit dem Flugzeug,	**aber** sie ist bequemer.

6 Alternativen ausdrücken: *oder*

E 3

Gehen wir zu dir **oder** zu mir?
Magst du Tee **oder** Kaffee?
Mit Milch **oder** mit Zucker?

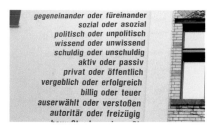

Hauswand in Berlin

Wörter

7 **Nomen verbinden mit Genitiv-*s*: *Jaquelines Großvater***

E 2

Das ist der Großvater von Jacqueline.　　/ das Auto von Günther.　　/ die Frau von Jan.
Das ist Jacquelines Großvater.　　　　　/ Günthers Auto.　　　　　　/ Jans Frau.

8 **Possessivartikel im Dativ**

E 2

Das bin ich mit meiner neuen Kamera!

		der Computer das Radio	die Kamera
Singular	ich	mein**em**	mein**er**
	du	dein**em**	dein**er**
	er/es	sein**em**	sein**er**
	sie	ihr**em**	ihr**er**
Plural	wir	unser**em**	unser**er**
	ihr	eur**em**	eur**er**
	sie/Sie	ihr**em**/Ihr**em**	ihr**er**/Ihr**er**
Plural (Nomen)		mein**en**/unser**en** Computer**n**, Radios, Kameras	

9 **Übersicht Possessivartikel: Nominativ, Akkusativ, Dativ**

E 2

		der	*das*	*die*
Singular	Nominativ	mein Hund	mein Auto	mein**e** Firma
	Akkusativ	mein**en** Hund	mein Auto	mein**e** Firma
	Dativ	mein**em** Hund	mein**em** Auto	mein**er** Firma
Plural	Nominativ	mein**e** Hunde/Autos/Firmen		
	Akkusativ	mein**e** Hunde/Autos/Firmen		
	Dativ	mein**en** Hunde**n**/Autos/Firmen		

Regel Alle Possessivartikel (*dein, sein, unser …*) und auch *(k)ein* haben
die gleichen Endungen wie *mein*.

10 **Übersicht Personalpronomen: Nominativ, Akkusativ, Dativ**

E 6

Du fährst in die Stadt?
Kannst du mich mitnehmen?

Ja, du kannst mit mir bis zum Viktoria-Luise-Platz fahren.

	Nominativ	Akkusativ	Dativ
Singular	ich	mich	mir
	du	dich	dir
	er	ihn	ihm
	es	es	ihm
	sie	sie	ihr
Plural	wir	uns	uns
	ihr	euch	euch
	sie/Sie	sie/Sie	ihnen/Ihnen

11 Reflexivpronomen im Akkusativ: *sich interessieren für*

E 4

💬 **Interessierst** du **dich für** Politik?　💬 Ja, aber ich **ärgere mich über** die Politiker.
Simone **freut sich auf** das Wochenende mit Peter. Sie hat **sich über** sein Geschenk **gefreut**.
Sie **treffen sich** am Wochenende **mit** Freunden.
Meine Kollegin **fühlt sich** heute nicht gut. Sie **regt sich über** unseren Chef **auf**.
Jetzt **entspannt** sie **sich mit** Yoga.

	Personal- pronomen im Akkusativ	Akkusativ- Reflexiv- pronomen
Singular	mich	mich
	dich	dich
	ihn	**sich**
	es	**sich**
	sie	**sich**
Plural	uns	uns
	euch	euch
	sie/Sie	**sich**

👍 **Lerntipp**
Lernen Sie die Verben
mit Präpositionen:
sich ärgern über
sich interessieren für
sich entspannen mit
sich aufregen über

Sie schminkt sich.

Er rasiert sich.

Regel Reflexivpronomen im Akkusativ = Personalpronomen
im Akkusativ, außer in der 3. Person (er, es, sie, sie/Sie)

12 Komparation – Vergleiche mit *als* und Superlativ: *am liebsten*

E 1

Der Mont Blanc (4807 m) ist **höher als**
das Matterhorn (4478 m).

Das Matterhorn ist **der schönste** Berg Europas,
aber nicht **der höchste**.

Der Mont Blanc ist **am höchsten**.

1	schwer	schwer**er**	am schwer**sten**	der/das/die schwer**ste**
	schön	schön**er**	am schön**sten**	der/das/die schön**ste**
	leicht	leich**ter**	am leich**testen**	der/das/die leich**teste**
	weit	weit**er**	am weit**esten**	der/das/die weit**este**
2	lang	l**ä**nger	am l**ä**ng**sten**	der/das/die l**ä**ng**ste**
	jung	j**ü**nger	am j**ü**ng**sten**	der/das/die j**ü**ng**ste**
	groß	gr**öß**er	am gr**öß**ten	der/das/die gr**öß**te
	hoch	h**öher**!	am h**ö**ch**sten**	der/das/die h**ö**ch**ste**
3	viel	**mehr**	am **meisten**	der/das/die **meiste**
	gut	**besser**	am **besten**	der/das/die **beste**
	gern	**lieber**	am **liebsten**	der/das/die **liebste**

Regel Komparativ: Adjektiv + Endung *-er* + *als*

13 Adjektive im Dativ mit Artikel

E 2

Die Frau mit der hellblauen Bluse und der weißen Jeans heißt Mari.

Der Junge mit den blonden Haaren und einem weißen Pullover heißt Jonas.

Regel Adjektive im Dativ mit Artikel: Die Endung ist immer **-en**.

14 Adjektive ohne Artikel: Nominativ und Akkusativ

E 5

Alter Fernseher gesucht!
℡ 030 / 29 77 30 34

Altes Auto, 1972, VW-Käfer, fährt noch! Nur 100,– €,
☎ 089-34 26 77

Verkaufe alte Kamera, suche neuen Heimtrainer.
Tel.: 0171 / 33 67 87 99

Singular	(*der*)	(*das*)	(*die*)
Nominativ	alt**er** Fernseher	alt**es** Handy	alt**e** Uhr
Akkusativ	alt**en** Fernseher	alt**es** Handy	alt**e** Uhr

Plural	(*die*)
Nominativ/Akkusativ	alt**e** Fernseher/Handys/Uhren

Lerntipp
Adjektive ohne Artikel:
Den Artikel erkennt man an der Endung.

Regel Adjektive ohne Artikel haben die gleiche Endung wie Adjektive mit unbestimmtem Artikel (im Nominativ und Akkusativ).

Suche rotes Kleid.

Ich habe ein rotes Kleid gekauft.

15 Zeitadverbien *zuerst, dann, danach*

zuerst ⟶ dann ⟶ danach

Zuerst stehe ich auf, dann gehe ich joggen, danach dusche ich mich.

16 Indefinita – unbestimmte Menge (Personen): *niemand, wenige, viele, alle*

E 4

Alle aus meiner Familie machen Sport.
Viele sind im Fußballverein.
Wenige machen Musik.
Niemand spielt Gitarre.

17 Modalverb *sollen*

E 3

	sollen
ich	soll
du	sollst
er/es/sie	soll
wir	sollen
ihr	sollt
sie/Sie	sollen

Karl hat gerade angerufen. Du sollst ihn vom Bahnhof abholen.

Sätze

18 Nebensätze mit *als*

E 8

	Position 2	
Goethe	studierte	Jura in Leipzig, **als** er 16 Jahre alt (war).
Als er 16 Jahre alt (war,)	studierte	Goethe Jura in Leipzig.
Alexandr	hat	auch gearbeitet, **als** er in Weimar (war).
Als er in Weimar (war,)	hat	Alexandr auch gearbeitet.

19 Einen Zweck ausdrücken

E 12

1 ..., *um ... zu*

Hauptsatz	Nebensatz
Ich nehme ein Taxi,	**um** schnell nach Hause **zu** (kommen).
Ich brauche kein teures Handy,	**um** Freunde an**zu**rufen.
Ich muss mich beeilen,	**um** den Bus nicht **zu** verpassen.

Regel Der Nebensatz beginnt mit *um*. *Zu* steht vor dem Verb im Infinitiv.
Bei trennbaren Verben steht *zu* zwischen Vorsilbe und Verb.
Um ... zu-Sätze haben keine Nominativergänzung, sie beziehen sich auf die
Nominativergänzung im Hauptsatz.

2 *damit*

Hauptsatz	Nebensatz
Ich nehme ein Taxi,	**damit** <u>ich</u> schneller nach Hause komme.
Ich nehme ein Taxi,	**damit** <u>meine Frau</u> das Auto nehmen kann.
Ich lerne Deutsch,	**damit** <u>ich</u> in Österreich arbeiten kann.
Ich brauche einen Reisepass,	**damit** <u>ich</u> ins Ausland reisen kann.

Regel *Damit*-Sätze und *Um ... zu*-Sätze haben die gleiche Bedeutung.
Der Unterschied ist: *Damit*-Sätze haben eine Nominativergänzung.

20 Bedingungen und Folgen: Nebensätze mit *wenn*

E 10

Nebensatz (Bedingung)	Hauptsatz (Folge)
Wenn ich schlechte Laune (habe),	(dann) kaufe ich mir ein Geschenk.
Wenn es regnet,	(dann) muss ich einen Regenschirm mitnehmen.
Wenn der Weihnachtsbaum brennt,	(dann) kommt die Feuerwehr.

21 Gründe nennen: *denn*

E 9

Hauptsatz	Hauptsatz (Grund)
Ich wollte Lehrerin werden,	**denn** mein Vater war auch Lehrer.
Akim macht ein Praktikum bei VW,	**denn** er interessiert sich für Autos.
Wir können heute nicht Fußball spielen,	**denn** das Wetter ist schlecht.

Regel *Denn verbindet zwei Hauptsätze.*

22 Übersicht: Verben im Satz

1 Hauptsätze

		Position 2		
	Ich	fahre	jetzt nach Hause.	
Modalverb	Ich	muss	jetzt nach Hause	fahren.
Perfekt	Ich	bin	gestern zu spät nach Hause	gefahren.
Zeitangabe am Anfang	Gestern	bin	ich zu spät nach Hause	gefahren.
Imperativ	Fahren	Sie	nach Hause!	
Frage	Fahren	Sie	nach Hause?	
	Sind	Sie	gestern mit dem Auto nach Hause	gefahren?
	Wann	fahren	Sie nach Hause?	

2 Hauptsätze und Nebensätze

	Hauptsatz			Nebensatz	
dass	Ich	habe	gehört,	**dass** du gestern zu spät	gekommen bist.
weil	Ich	war	zu spät,	**weil** ich den Bus	verpasst habe.
wenn	Ich	höre	gern Musik,	**wenn** ich gute Laune	habe.
damit	Ich	nehme	das Auto,	**damit** ich schneller	bin.
um ... zu	Ich	fahre	nach Tübingen,	**um** meine Mutter	**zu** besuchen.
Relativsatz	Das	ist	die Frau,	**die** ich in der Stadt	gesehen habe.
als	Sie	hat	mich angerufen,	**als** ich nicht zu Hause	war.

3 Hauptsätze und Hauptsätze

Meine Freundin fährt in den Urlaub,	**aber** ich habe leider keine Zeit.
Ich habe mir ein neues Fahrrad gekauft,	**denn** mein altes Rad war kaputt.
Ich habe die Kinokarten gekauft,	**und** ich habe Friedrich abgeholt.
Wollen wir schwimmen gehen,	**oder** bleibst du lieber zu Hause?

23 Übersicht Satzverbindungen

Nach diesen Wörtern verändert sich die Wortstellung nicht:	Nach diesen Wörtern verändert sich die Wortstellung:
aber, denn, und, oder	*als, damit, dass, weil, um ... zu, wenn ... dann, ob*

24 **Personen/Sachen genauer beschreiben: Relativsätze mit Präpositionen:** *in, mit* **+ Dativ**

E 11

Singular

Hauptsatz 1	Hauptsatz 2
Der Kurs besteht aus fünf Migranten.	Frau Stramel arbeitet im Moment in dem Kurs.

Relativatz

Der Kurs, **in dem** Frau Stramel im Moment (arbeitet), besteht aus fünf Migranten.

Das Lehrwerk, **mit dem** sie im Kurs arbeiten, ist in Brailleschrift übersetzt.

Die Brailleschrift, **mit der** man auch Noten schreiben kann, ist 200 Jahre alt.

Brailleschrift ist **eine** Schrift, **mit der** man auch Noten schreiben kann.

Plural

Die Räume, **in denen** die Studenten arbeiten, sind groß und haben Internetanschluss.

Ich finde **die** Räume, **in denen** ich arbeite, gut.

25 **Dativ- und Akkusativergänzungen im Satz**

E 10

Nominativ (wer?)		Dativ (wem?)	Akkusativ (was?)	
Er	schickt	seiner Freundin	einen Blumenstrauß .	👍 **Lerntipp**
Sie	schreibt	ihm	eine SMS.	*geben, schenken,*
Katrin	schenkt	ihrer Freundin	ein neues Buch.	*zeigen, bringen:*
Max	zeigt	seinem Freund	ein Foto.	immer mit Dativ
Bringst du		mir	ein Brot mit?	und Akkusativ
Zeigst du		mir	dein neues Handy?	

Regel Zuerst die Dativergänzung, dann die Akkusativergänzung

Wörter

26 **Wortbildung**

E 9, 12 **1 Nomen mit** *-ung*

die Rechnung	– rechnen	👍 **Lerntipp**
die Bestellung	– bestellen	In Wörtern mit *-ung* findet
die Prüfung	– prüfen	man meistens ein Verb.
die Entscheidung	– entscheiden	
die Ausbildung	– ausbilden	

Regel Nomen mit *-ung*: Artikel *die*

2 Aus Verben Nomen machen

rauchen – Das Rauchen ist hier verboten!

nachsprechen – Das Nachsprechen von Dialogen trainiert die Aussprache.

lernen – Das Lernen mit den Videos macht mir Spaß.

27 Genitivartikel: *des, der*

E 11

Singular			
	der Film:	das Ende	**des** Films
	das Gesicht:	die Sprache	**des** Gesichts
	die Sonne	die Farbe	**der** Sonne
(Plural)	*die* Deutschen:	die Liste	**der** wichtigsten Deutschen

28 Indefinita

E 11

Viele Deutsche sind in einem Verein. **Manche** Menschen sind in vier Vereinen. **Einige** Hobbys sind nicht teuer. **Viele** Hobbys kosten nichts. **Andere** Hobbys sind sehr teuer. **Man** braucht viel Zeit für ein Hobby. **Jemand** hat uns gestern von seinem Hobby erzählt. **Niemand** hat es verstanden.

> **Regel** Personen und Sachen: *wenige, manche, andere, einige, viele*
> Personen: *jemand, niemand, man*

29 Übersicht Relativpronomen

E 11

Singular		Nominativ	Akkusativ	Dativ
	der	der	**den**	**dem**
	das	das	das	**dem**
	die	die	die	**der**
Plural	*die*	die	die	**denen**

30 Präpositionen mit Dativ: *aus, bei, nach, von, seit, zu, mit*

E 10

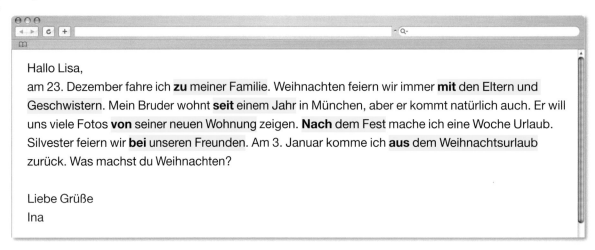

Hallo Lisa,

am 23. Dezember fahre ich **zu** meiner Familie. Weihnachten feiern wir immer **mit** den Eltern und Geschwistern. Mein Bruder wohnt **seit** einem Jahr in München, aber er kommt natürlich auch. Er will uns viele Fotos **von** seiner neuen Wohnung zeigen. **Nach** dem Fest mache ich eine Woche Urlaub. Silvester feiern wir **bei** unseren Freunden. Am 3. Januar komme ich **aus** dem Weihnachtsurlaub zurück. Was machst du Weihnachten?

Liebe Grüße
Ina

31 Präpositionen mit Akkusativ oder Dativ

E 11

 Lerntipp

Auf die Verben achten:

stellen, legen,
setzen + Akkusativ

stehen, liegen, sitzen,
sein + Dativ

Die Assistentin stellt die Pflanze auf den Boden. Die Pflanze steht auf dem Boden.
Die Assistentin legt die Bücher in das Regal. Die Bücher liegen im Regal.
Die Assistentin hängt das Bild an die Wand. Das Bild hängt an der Wand.

Wohin? – Richtung/Bewegung:	**Wo**? – Ort:
mit Akkusativ	**mit Dativ**

⚠ **Zu**: immer mit Dativ   *Wir gehen zu einem Freund.*

32 Vergleiche mit *so/ebenso/genauso ... wie* und *als*

E 7

Uns gefällt es in der Stadt **genauso** gut **wie** auf dem Land.
Das Kulturangebot ist in der Stadt besser **als** auf dem Land.

Regel   *so/ebenso/genauso ...* + Adjektiv (Grundform) + *wie*
Adjektiv (Komparativ) + *als*

33 Modalverben: Präsens und Präteritum

E 7

	müssen		**dürfen**		**können**	
	Präsens	Präteritum	Präsens	Präteritum	Präsens	Präteritum
ich	muss	musste	darf	durfte	kann	konnte
du	musst	musstest	darfst	durftest	kannst	konntest
er/es/sie	muss	musste	darf	durfte	kann	konnte
wir	müssen	mussten	dürfen	durften	können	konnten
ihr	müsst	musstet	dürft	durftet	könnt	konntet
sie/Sie	müssen	mussten	dürfen	durften	können	konnten

	sollen		**wollen**	
	Präsens	Präteritum	Präsens	Präteritum
ich	soll	sollte	will	wollte
du	sollst	solltest	willst	wolltest
er/es/sie	soll	sollte	will	wollte
wir	sollen	sollten	wollen	wollten
ihr	sollt	solltet	wollt	wolltet
sie/Sie	sollen	sollten	wollen	wollten

 Lerntipp

Die **Modalverben im Präteritum** haben keinen Umlaut – aber immer ein *t*:

wir konnten / ihr musstet / sie durften

34 Perfekt und Präteritum
E 8

Damals hat Goethe hier gewohnt.

Im Reiseführer steht:
Goethe wohnte hier.

Regel Das Perfekt kann man in der gesprochenen Sprache fast immer benutzen.
Bei den Modalverben und bei *haben*, *sein* und *werden* benutzt man auch in der
gesprochenen Sprache meistens das Präteritum.

35 Präteritum regelmäßige Verben
E 8

FRIEDRICH SCHILLER
LEBTE NACH SEINER FLUCHT
AUS STUTTGART
UND MANNHEIM
VOM 7. DEZEMBER 1782 BIS
24. JULI 1783
IN DIESEM HAUSE

 Lerntipp
Das Präteritum in der 2. Person (du/ihr)
verwendet man fast nur bei Modalverben und *haben* und *sein*.

 Lerntipp
arbeiten: Infinitivstamm auf *-t* will
immer noch ein *-e.*

Singular	ich	leb-	-te
	er	studier-	-te
	sie	wohn-	-te
Plural	sie/Sie	besuch-	-ten
	wir	arbeit-e-	-ten

Minimemo
Lernen Sie extra:
Früher war/waren/gab es ...
Heute ist/sind/gibt es ...

36 *werden*: Präsens und Präteritum
E 9, 12

Ich werde bald 30. Ich werde alt. Mit 23 wurde ich Vater.
Als Kind wollte sie Fotografin werden. Sie wurde aber Architektin.
Als ich 27 Jahre alt war, wurde ich zum ersten Mal Mutter. Mein Sohn möchte Arzt werden.

	Präsens	Präteritum
ich	werde	wurde
du	wirst	(wurdest)
er/es/sie	wird	wurde
wir	werden	wurden
ihr	werdet	(wurdet)
sie	werden	wurden

37 Passiv

E 12

Aktiv

Die Mitarbeiter verpacken <u>die Schokolade</u>.

Passiv

<u>Die Schokolade</u> **wird verpackt**.

Akkusativ   Nominativ

> **Regel** Das Passiv wird mit dem Verb *werden* und dem Partizip II gebildet.

38 Präteritum Passiv

E 12

Präsens Passiv   Schokolade **wird** aus Kakaobohnen gemacht.

Präteritum Passiv   Schokolade **wurde** zuerst 1849 hergestellt.

> **Regel** Das Präteritum Passiv wird mit dem Verb *werden* im Präteritum und
> dem Partizip II gebildet.

39 Höfliche Bitten mit *hätte, könnte*

E 9

○ Könnte ich bitte Frau Schneider sprechen?

○ Tut mir leid, Frau Schneider hat heute Urlaub.

○ Könnte ich eine Nachricht für Frau Schneider hinterlassen?

○ Aber natürlich.

Könnten Sie mir sagen, wie spät es ist?

Hätten Sie ein Taschentuch für mich?

Hättest du heute Lust auf Kino?

Ich hätte gern zwei Kilo Tomaten.

	haben		**können**	
	Präsens	Konjunktiv	Präsens	Konjunktiv
ich	habe	hätte	kann	könnte
du	hast	hättest	kannst	könntest
er/es/sie	hat	hätte	kann	könnte
wir	haben	hätten	können	könnten
ihr	habt	hättet	könnt	könntet
sie/Sie	haben	hätten	können	könnten

 Lerntipp

Die Höflichkeitsform von *haben* und *können* wird wie das Präteritum gebildet, aber mit Umlaut: du hast – du hattest – Hättest du ...?

Liste der unregelmäßigen Verben

abfahren	er fährt ab	er ist abgefahren
ablesen	er liest ab	er hat abgelesen
abnehmen	er nimmt ab	er hat abgenommen
abrufen	er ruft ab	er hat abgerufen
abschließen	er schließt ab	er hat abgeschlossen
anbraten	er brät an	er hat angebraten
anfangen	er fängt an	er hat angefangen
ankommen	er kommt an	er ist angekommen
anrufen	er ruft an	er hat angerufen
anschreiben	er schreibt an	er hat angeschrieben
ansehen	er sieht an	er hat angesehen
ansprechen	er spricht an	er hat angesprochen
anstoßen	sie stoßen an	sie haben angestoßen
anziehen (sich)	er zieht sich an	er hat sich angezogen
aufessen	er isst auf	er hat aufgegessen
auffallen	er fällt auf	er ist aufgefallen
aufgeben	er gibt auf	er hat aufgegeben
aufschlagen	er schlägt auf	er hat aufgeschlagen
aufstehen	er steht auf	er ist aufgestanden
auftreten	er tritt auf	er ist aufgetreten
ausgehen	er geht aus	er ist ausgegangen
ausleihen	er leiht aus	er hat ausgeliehen
ausschlafen	er schläft aus	er hat ausgeschlafen
aussehen	er sieht aus	er hat ausgesehen
aussteigen	er steigt aus	er ist ausgestiegen
ausziehen (etw.)	er zieht etw. aus	er hat etw. ausgezogen
backen	er backt/bäckt	er hat gebacken
beginnen	er beginnt	er hat begonnen
bekommen	er bekommt	er hat bekommen
benutzen	er benutzt	er hat benutzt
beraten	er berät	er hat beraten
beschließen	er beschließt	er hat beschlossen
beschreiben	er beschreibt	er hat beschrieben
besprechen	er bespricht	er hat besprochen
betreten	er betritt	er hat betreten
bleiben	er bleibt	er ist geblieben
betragen	etw. beträgt	etw. hat betragen
betreiben	er betreibt	er hat betrieben
bewerben (sich)	er bewirbt sich	er hat sich beworben
bieten	er bietet	er hat geboten
binden	er bindet	er hat gebunden
bitten	er bittet	er hat gebeten
brechen	er bricht	er hat gebrochen
brennen	er brennt	er hat gebrannt
bringen	er bringt	er hat gebracht
denken	er denkt	er hat gedacht
dürfen	er darf	er durfte (Präteritum)
einladen	er lädt ein	er hat eingeladen
einreiben	er reibt ein	er hat eingerieben
entfallen	es entfällt	es ist entfallen
entscheiden (sich)	er entscheidet sich	er hat sich entschieden
erfinden	er erfindet	er hat erfunden
erschrecken (sich)	er erschreckt sich	er hat sich erschrocken
essen	er isst	er hat gegessen

fahren	er fährt	er ist gefahren
fallen	er fällt	er ist gefallen
fernsehen	er sieht fern	er hat ferngesehen
feststehen	es steht fest	es hat festgestanden
finden	er findet	er hat gefunden
fliegen	er fliegt	er ist geflogen
geben	er gibt	er hat gegeben
gefallen	es gefällt	es hat gefallen
gehen	er geht	er ist gegangen
gelten	*es gilt*	*es hat gegolten*
genießen	er genießt	er hat genossen
gewinnen	*er gewinnt*	*er hat gewonnen*
haben	er hat	er hatte (Präteritum)
halten	er hält	er hat gehalten
hängen	es hängt	es hat gehangen
heben	er hebt	er hat gehoben
heißen	er heißt	er hat geheißen
helfen	er hilft	er hat geholfen
herunterladen	*er lädt herunter*	*er hat heruntergeladen*
hinfliegen	er fliegt hin	er ist hingeflogen
hinterlassen	er hinterlässt	er hat hinterlassen
kaputtgehen	es geht kaputt	es ist kaputtgegangen
kennen	er kennt	er hat gekannt
klingen	es klingt	es hat geklungen
kommen	er kommt	er ist gekommen
können	er kann	er konnte (Präteritum)
lassen	er lässt	er hat gelassen
laufen	er läuft	er ist gelaufen
leidtun	es tut leid	es hat leidgetan
lesen	er liest	er hat gelesen
liegen	es liegt	es hat gelegen
mitbringen	er bringt mit	er hat mitgebracht
mitkommen	er kommt mit	er ist mitgekommen
mitnehmen	er nimmt mit	er hat mitgenommen
mögen	er mag	er mochte (Präteritum)
müssen	er muss	er musste (Präteritum)
nachschlagen	er schlägt nach	er hat nachgeschlagen
nehmen	er nimmt	er hat genommen
nennen	er nennt	er hat genannt
raten	er rät	er hat geraten
rufen	er ruft	er hat gerufen
schlafen	er schläft	er hat geschlafen
schließen	er schließt	er hat geschlossen
schneiden	er schneidet	er hat geschnitten
schreiben	er schreibt	er hat geschrieben
schwimmen	er schwimmt	er ist geschwommen
sehen	er sieht	er hat gesehen
sein	er ist	er war (Präteritum)
singen	er singt	er hat gesungen
sitzen	er sitzt	er hat gesessen
Ski fahren	er fährt Ski	er ist Ski gefahren
spazieren gehen	er geht spazieren	er ist spazieren gegangen
sprechen	er spricht	er hat gesprochen
stattfinden	*es findet statt*	*es hat stattgefunden*
stehen	er steht	er hat gestanden
steigen	*er steigt*	*er ist gestiegen*

sterben	er stirbt	er ist gestorben
stoßen	er stößt	er hat gestoßen
teilnehmen	er nimmt teil	er hat teilgenommen
tragen	er trägt	er hat getragen
treffen	er trifft	er hat getroffen
trinken	er trinkt	er hat getrunken
tun	er tut	er hat getan
überfliegen	er überfliegt	er hat überflogen
übernehmen	er übernimmt	er hat übernommen
übertragen	*er überträgt*	*er hat übertragen*
umsteigen	er steigt um	er ist umgestiegen
umziehen	er zieht um	er ist umgezogen
unterbrechen	er unterbricht	er hat unterbrochen
unterhalten (sich)	er unterhält sich	er hat sich unterhalten
unternehmen	er unternimmt	er hat unternommen
verbieten	er verbietet	er hat verboten
verbinden	er verbindet	er hat verbunden
verbrennen	er verbrennt	er ist verbrannt
verbringen	er verbringt	er hat verbracht
vergehen	er vergeht	er ist vergangen
vergessen	er vergisst	er hat vergessen
vergleichen	er vergleicht	er hat verglichen
verlassen	er verlässt	er hat verlassen
verlieren	er verliert	er hat verloren
verschlafen	*er verschläft*	*er hat verschlafen*
verschreiben	*er verschreibt*	*er hat verschrieben*
verstehen	er versteht	er hat verstanden
vertreiben	*er vertreibt*	*er hat vertrieben*
vorbeifahren	*er fährt vorbei*	*er ist vorbeigefahren*
vorbeilaufen	*er läuft vorbei*	*er ist vorbeigelaufen*
vorkommen	es kommt vor	es ist vorgekommen
vorlesen	er liest vor	er hat vorgelesen
wachsen	er wächst	er ist gewachsen
waschen	er wäscht	er hat gewaschen
weitergehen	*es geht weiter*	*es ist weitergegangen*
wehtun	es tut weh	es hat wehgetan
wissen	er weiß	er hat gewusst
wollen	er will	er wollte (Präteritum)
ziehen	er zieht	er ist gezogen
zunehmen	*es nimmt zu*	*es hat zugenommen*
zurechtfinden (sich)	er findet sich zurecht	er hat sich zurechtgefunden
zurechtkommen	er kommt zurecht	er ist zurechtgekommen
zurückbekommen (etw.)	er bekommt etw. zurück	er hat etw. zurückbekommen
zurückdenken	er denkt zurück	er hat zurückgedacht
zurückgehen	er geht zurück	er ist zurückgegangen
zurückkommen	er kommt zurück	er ist zurückgekommen
zurücknehmen (etw.)	er nimmt etw. zurück	er hat etw. zurückgenommen
zurückrufen	er ruft zurück	er hat zurückgerufen
zusammenhalten	sie halten zusammen	sie haben zusammengehalten
zusammenschlagen	er schlägt zusammen	er hat zusammengeschlagen

Liste der Verben mit Präpositionen

Akkusativ

achten	auf	Achten Sie auf die Verben.
ankommen	auf	Es kommt darauf an, was du möchtest.
anmelden (sich)	für	Er meldet sich für den Kurs an.
antworten	auf	Die Kursleiterin antwortet auf die Frage.
ärgern (sich)	über	Der Opa ärgert sich über seinen Enkel.
aufregen (sich)	über	Das Mädchen regt sich über ihren Bruder auf.
berichten	über	Mein Onkel berichtet über seinen Urlaub.
bewerben (sich)	um	Frau Kalbach bewirbt sich um die Stelle.
bitten	um	Sie bittet ihn um Hilfe.
bloggen	über	Ich habe über meine Reise gebloggt.
denken	an	Ich denke oft an dich.
entschuldigen (sich)	für	Nora entschuldigt sich für ihren Fehler.
erinnern (sich)	an	Er erinnert sich gern an sein Studium in Spanien.
freuen (sich)	auf	Wir freuen uns auf das Wochenende.
freuen (sich)	über	Er hat sich sehr über die Geschenke gefreut.
gehen	um	Es geht in dem Artikel um moderne Medien.
haften	für	Eltern haften für ihre Kinder.
hoffen	auf	Wir hoffen auf gutes Wetter am Wochenende.
informieren (sich)	über	Ich informiere mich über den Preis im Internet.
interessieren (sich)	für	Meine Oma interessiert sich nicht für Fußball.
kümmern (sich)	um	Meine Schwester kümmert sich allein um ihre Kinder.
reagieren	auf	Wie hat er auf deine Frage reagiert?
sprechen	über	Heute sprechen wir über unsere Hobbys.
verlieben (sich)	in	Ich habe mich in dich verliebt.
verzichten	auf	Ich verzichte auf Schokolade. Ich bin so dick.
warten	auf	Immer muss ich auf meine Freundin warten!
wundern (sich)	über	Sie wundert sich über die Rechnung.

Dativ

beschäftigen (sich)	mit	Das Au-pair beschäftigt sich viel mit den Kindern.
besprechen	mit	Die Lehrer besprechen etwas mit den Eltern.
chatten	mit	Ich chatte oft mit meiner Freundin in England.
einladen	zu	Ich bin zu einer Hochzeit eingeladen.
fragen	nach	Die Frau hat mich nach meiner Telefonnummer gefragt.
handeln	von	Die Geschichte handelt von einem Hund.
klingen	nach	Dieses Lied klingt immer nach Sommer.
passen	zu	Das Kleid passt nicht zu dir!
skypen	mit	Willst du heute Abend mit mir skypen?
teilnehmen	an	Ich nehme an einem Sprachkurs teil.
treffen (sich)	mit	Am Wochenende treffe ich mich immer mit Freunden.
verabreden (sich)	mit	Ich habe mich mit meiner Schwester verabredet.
verloben (sich)	mit	Heute hat sich Jens mit seiner Freundin verlobt.
verstehen (sich)	mit	Mit meinem Bruder verstehe ich mich am besten.
vorbeifahren	an	Du musst an dem großen Haus vorbeifahren.
vorbeilaufen	an	Jeden Tag laufe ich an dem Briefkasten vorbei.
ziehen	zu	Im Sommer ziehe ich zu meinem Mann nach Schweden.

Phonetik auf einen Blick

Akzent

1 Wortakzent in internationalen Wörtern

das ˈRadio – die ˈKamera – die Kaˈssette – die Zigaˈrette – intelliˈgent – die Universiˈtät – traditioˈnell – die Poliˈtik – interesˈsant

2 Aussprache

Zuerst die Kochschokolade schmelzen lassen. **Danach** den Zucker und das Eigelb zugeben. **Dann** den Teig bei 180 Grad eine Stunde backen. **Zum Schluss** die Torte mit Kuvertüre überziehen.

Konsonanten

1 Lippenlaute [b], ç, [m]

Bitte ein Weißbrot mit Marmelade. Nein, lieber eine Bratwurst mit Brötchen. Dazu einen Weißwein. Ich meine: ein Weißbier. Oder doch lieber Mineralwasser?

2 s-Laute [z], [s] und [ts]

Susi, sag' mal: „Saure Soße".
Esel essen Nesseln nicht, Nesseln essen Esel nicht.
Am zehnten Zehnten zehn Uhr zehn zogen zehn zahme Ziegen zehn Zentner Zucker zum Zoo.

3 Aussprache h

Das h am Silbenanfang spricht man:
das Haus – hören – das Handy – der Hund – abholen – das Hotel – die Hand – halten – das Handy

Das h nach langem Vokal spricht man nicht:
gehen – wohnen – die Ruhe – ohne – die Apotheke – fahren

4 Aussprache und Schreibung sch-Laut [ʃ]

[ʃ] kann man schreiben: „sch" wie in *die Schule, waschen, der Tisch*
                          „s(t)" wie in *der Stuhl, verstehen*
                          „s(p)" wie in *das Spiel, das Gespräch*
sch-Laut [ʃ] neben ch-Laut [ç] und s-Laut [s]

Deine Schlüsseltasche liegt auf dem Küchentisch. Kommst du mit ins Stadion? Ich möchte eine Flasche Wasser. Herr Rasche ist Chemiker. Ich wünsche dir einen fröhlichen Schulstart.

5 Konsonantenhäufungen: Zungenbrecher

Der Cottbuser Postkutscher
putzt den Cottbuser
Postkutschkasten.
Der Potsdamer Postkutscher
putzt den Potsdamer
Postkutschkasten.

Fischers Fritze fischt
frische Fische –
frische Fische
fischt Fischers Fritze.

Klaus Knopf liebt
Knödel, Klöße, Klöpse.
Knödel, Klöße, Klöpse
liebt Klaus Knopf.

6 Präzise Konsonanten: „scharf flüstern"

Montag Dienstag Mittwoch Donnerstag Freitag Samstag Sonntag
Januar Februar März April Mai Juni Juli August September Oktober November Dezember

Vokale

1 Aussprache von *-er* als [ɐ]

die Mutter – der Vater – die Schwester – der Bruder – die Tochter

2 Aussprache und Schreibung der „Zwielaute"

[ai̯] kann man schreiben: „ei" wie in *ein, der Wein, die Bäckerei*
„ai" wie in *der Mai*
„ey" wie in *Herr Meyer (nur in Namen)*
„ay" wie in *Bayern (nur in Namen)*
[au̯] kann man schreiben: „au" wie in *aus, das Haus, genau*
[ɔy̯] kann man schreiben: „eu" wie in *euch, heute, neu*
„äu" wie in *äußern, träumen*
„oi" wie in *Toi, toi, toi!*

Mit neun hatte ich noch Träume. Ich wollte Schauspielerin werden. Doch dann habe ich eine
Ausbildung zur Bankkauffrau gemacht. Heute arbeite ich für eine bayrische Firma im Ausland:
Seit Mai bin ich im Team der Firma Meyer in Hanoi.

Aussprache emotional markieren

Aua, ich habe mich geschnitten!

Mist, jetzt ist die Vase kaputt!

Juhu, wir haben im Lotto gewonnen!

Iii, in meinem Bett ist eine Spinne!

Oh, was ist denn das?

Hörtexte

Hier finden Sie alle Hörtexte, die nicht oder nicht komplett in den Einheiten und Übungen abgedruckt sind.

7 Vom Land in die Stadt

2 ▮1

+ Frank und Jessica, ihr seid vor zwei Monaten vom Land in die Stadt gezogen. Wie geht's euch so in Stuttgart?
− Total gut! In Stuttgart ist immer etwas los, auch abends und am Wochenende. Es gibt viele kulturelle Veranstaltungen, Theater, Kino, Festivals. Letzte Woche wollten wir ins Kino gehen und konnten uns kaum für eines entscheiden, weil das Angebot so groß war.
* Ja, und wenn wir abends unterwegs sind, brauchen wir oft kein Auto mehr. Wir fahren S- oder U-Bahn, das Netz ist gut, spätestens alle 10 Minuten kommt eine Bahn.
− Auf dem Land war das schon schwieriger, da konnte man ohne Auto gar nichts machen. Ich bin z. B. zur Arbeit nach Stuttgart gefahren und stand fast jeden Tag im Stau. Das nervt und kostet viel Geld, weil das Benzin dauernd teurer wird. Leider gab es keine andere Möglichkeit, weil die Busverbindungen so schlecht waren.
* Stimmt, jetzt können wir das Auto eigentlich verkaufen.
− Darüber müssen wir nochmal reden, Schatz! Nein, im Ernst: wir sparen schon Geld und Zeit.
* Naja, so viel auch wieder nicht, weil in Stuttgart die Miete für unsere Wohnung viel höher ist. Und die Wohnungssuche war ein echtes Problem. Jetzt wohnen wir in einem Mietshaus. Unsere Nachbarn ziehen ein und aus, die kennen wir gar nicht. Das ist nicht so persönlich wie auf dem Land.
− Och, das find ich nicht so schlimm.
* Und die Hausordnung sagt: Zwischen eins und drei ist Mittagsruhe. Also keine Musik, kein Lärm. Auf dem Land durften wir Musik machen, wann und so laut wir wollten.
+ Das heißt, ihr vermisst das Landleben?
− Nö, ich nicht.
* Ich schon – ein bisschen. Zum Beispiel einen großen Garten zum Grillen, das war auf dem Land doch ganz schön, oder?

2 ▮2

a) 1. S̲tadt. – in einer S̲tadt. – Sie wohnt lieber in einer S̲tadt.
2. Mens̲ch. – ein Stadtmens̲ch. – Sie ist nämlich ein Stadtmens̲ch.
3. s̲chon – s̲chon lange weg – er wollte s̲chon lange weg aus der S̲tadt: zu volle S̲traßen!
4. Zu viele Mens̲chen, zu volle S̲traßen und zu s̲chlechte Luft.
5. selbsts̲tändig – arbeitet selbsts̲tändig. – Er arbeitet jetzt selbsts̲tändig.
6. S̲telle – eine S̲telle – Er hat eine S̲telle gefunden.

b) + Griaß Godd.
− Wo bisch du gwää?
+ I bi zum Bäcker ganga Brezad kaufn. Er hod aber keene ket.
− Hosch Hunger, willsch n Ebbfl? Oder gange mr nunder in die Stadt und ässeh was?
+ Ha jo, ganga mr.

3 ▮2

+ Dewald-Immobilien, guten Tag. Sie sprechen mit Frau Klaiber. Was kann ich für Sie tun?
− Guten Tag, Frau Klaiber. Mein Name ist Thomas Pierolt. Ich habe die Anzeige in der Stuttgarter Zeitung gelesen und interessiere mich für die Wohnung. Wie groß ist denn die Wohnung?
+ Das war die Zweizimmerwohnung, oder?
− Ja, genau, die Zweizimmerwohnung im Erdgeschoss.
+ Also, zwei Zimmer, Küche, Bad und Sonnenterrasse – 65,5 Quadratmeter insgesamt.
− Aha, und liegt die Wohnung zentral?
+ Ja, schon, man braucht zu Fuß circa 10 oder 15 Minuten zum Hauptbahnhof und in die City.
− Ist es eine Altbauwohnung?
+ Nein, kein Altbau.
− Hat die Wohnung auch einen Keller oder gibt es einen Fahrradraum?
+ Ein kleiner Kellerraum ist dabei, da können Sie Ihre Fahrräder abstellen.
− Oh, das ist gut. Wie hoch sind denn die Nebenkosten?
+ Äh, 235 Euro – inklusive Heizung und Warmwasser.
− Aha. Also, für mich klingt das alles sehr interessant. Und … äh, sind Haustiere erlaubt? Wir haben da nämlich eine Katze …
+ Eine Katze ist sicher kein Problem.
− Oh, prima. Wann können wir uns denn die Wohnung ansehen? Ich kann diese Woche immer nach 16:00 Uhr.
+ Da kann ich Ihnen den Donnerstag anbieten. Donnerstag um 16:30 Uhr. Treffen wir uns direkt an der Wohnung?
− Ja, gerne. Wie ist denn die genaue Adresse?
+ Hegelstraße 47, bitte klingeln Sie bei Brossmann.
− Ok, vielen Dank, Frau Klaiber – bis Donnerstag!
+ Bis Donnerstag, Herr Pierolt – auf Wiederhören!

4 ▮1

a) − Dagmar, es wird ernst. In einer Woche ziehen wir um!
+ Ja, aber wir haben auch schon viel gemacht. Komm, wir gehen mal schnell die Checkliste für den Umzug durch! Den LKW haben wir gemietet – da ist alles klar, oder?
− Ja, und die Parkplätze vor dem neuen Haus und hier habe ich reserviert. Aber, was fast noch wichtiger ist, hast du schon den Babysitter angerufen?
+ Nein, das muss ich noch machen. Aber Ella, Ben, Felix und Dominik habe ich angerufen. Sie helfen uns beim Umzug. Haben wir eigentlich genug Umzugskartons?
− Nein, die muss ich noch im Baumarkt kaufen. Das mache ich heute Nachmittag.
+ Prima, ich habe nämlich schon viele Sachen sortiert. Kleidung, Schuhe, Bücher und so weiter. Einiges können wir aber auch wegwerfen.
− Gut, das müssen wir dann nicht verpacken. Für die Babysachen brauchen wir ein paar Extrakartons …
+ … die habe ich schon gepackt. Kein Problem. Also ich finde, wir haben schon ziemlich viel gemacht …

4 **2**

c) * Mensch Dagmar, das ist ja ein Riesenpflaster! Was hast du gemacht? Ist das beim Umzug passiert?

+ Ach, das sieht schlimmer aus als es ist …

– Ha, das sagst du jetzt! Ich habe gerade Bücher eingeräumt …

+ Ja, und ich wollte nur unser Geschirr auspacken. Leider war ein Teller kaputt. Ich habe nicht aufgepasst und da habe ich mich geschnitten.

– Es hat ziemlich stark geblutet. Ich musste die Wunde reinigen.

* Na Dagmar, ein Glück, dass Jens dabei war, oder?

+ Klar doch, Sybille! Das war richtig gut.

– … und noch besser – wir hatten sogar Pflaster und Salbe in der Hausapotheke!

+ Alles also nur halb so schlimm …

Ü **1**

+ Sie wissen aber, dass diese Stelle nicht in Hamburg ist?

– Ja, natürlich. Es geht um Ihre Abteilung in Hohenlockstedt. Der Ort ist 70 Kilometer von Hamburg entfernt, richtig?

+ Das stimmt. Wollen Sie mit dem Auto fahren? Wir stellen Ihnen dann natürlich gern einen Firmenwagen zur Verfügung.

– Ich möchte von Hamburg aufs Land ziehen. Mein Frau und ich wollten schon immer gern im Grünen wohnen. Mehr Ruhe, ein größeres Haus, einen Garten haben …

+ Nicht jeder möchte aus der Großstadt weg. Sie überraschen mich.

– Ja, vielleicht liegt das an meiner Kindheit. Ich war in den Ferien viel bei den Großeltern auf dem Land. Das war immer sehr schön. Und ich arbeite gern im Garten. Jetzt habe ich nur einen kleinen Balkon, keinen Garten. Außerdem wollte ich, dass meine Kinder draußen spielen können und die Natur erleben. In Hamburg ist das schwierig.

+ Sie haben aber einen Führerschein, richtig?

– Ja, natürlich. Und ich fahre auch sehr gern Auto. 70 Kilometer sind o.k.

+ Dann kommen wir doch jetzt zu den Einzelheiten …

Ü **10**

a) + Immobilien Mainmetropole, was kann ich für Sie tun?

– Guten Tag, hier Weinert. Sie haben eine Anzeige für ein 1-Zimmer-Apartment in der Frankfurter Allgemeinen Zeitung. Ich interessiere mich für die Wohnung.

+ Sie meinen das Apartment in Uniklinik-Nähe?

– Genau. Wo liegt denn die Wohnung?

+ In der Gartenstraße, also direkt neben der Klinik, keine zwei Minuten zu Fuß.

– Das ist natürlich super praktisch. Ich habe ab Mai eine Stelle an der Klinik.

+ Ja, herzlichen Glückwunsch! Möchten Sie sich die Wohnung ansehen?

– Gerne. Ich habe nur noch ein paar Fragen. Muss man eine Kaution zahlen?

+ Ja, die Kaution beträgt zwei Monatsmieten. Oh, entschuldigen Sie, kann ich Sie in zwei Minuten zurückrufen?

– Kein Problem, bis gleich.

Ü **12**

b) 1. Haben Sie sich schon einmal am Kopf gestoßen?

2. Haben Sie sich schon einmal ein Bein gebrochen?

3. Haben Sie sich schon einmal in den Finger geschnitten?

4. Haben Sie sich schon einmal an der Hand verbrannt?

5. Haben Sie sich schon einmal einen Arm gebrochen?

8 **Kultur erleben**

1 **1**

b) Ich liebe Kultur und ich reise sehr gern. Besonders gern besuche ich Kulturhauptstädte. Warum? Weil es dort viele Veranstaltungen und Projekte gibt! Ich war schon 1985 in Athen dabei und auch 1986 in Florenz. Da war ich 15 bzw. 16 Jahre alt. Besonders spannend waren auch Berlin 1989 – so kurz vor dem Fall der Mauer – und Dublin 1991. Als ich im Jahr 2000 in Krakau war, habe ich mich sofort in die Stadt verliebt! Ja, wo war ich noch? Das sind so viele Städte. Ich bin ein großer Portugal-Fan! Dort habe ich alle Kulturhauptstädte besucht. Und ich erinnere mich noch gut an Istanbul, Tallinn und Maribor. Das waren meine letzten Reisen. Europa ist schon sehr spannend.

2 **2**

b) Ich war heute mit Adia in Weimar unterwegs. Sie hat mir die Stadt gezeigt und wir hatten sehr viel Spaß. Nach dem Frühstück im Hotel Elephant sind wir gestartet. Wir waren nicht am Cranachhaus. Wir hatten ja nur wenig Zeit. Wir sind also gleich zur Anna Amalia Bibliothek spaziert, vorbei an der Hochschule für Musik FRANZ LISZT. Heute hatten wir aber frei, wir sind also nicht in die Hochschule gegangen. Wir sind im Park bis zum Shakespeare-Denkmal spaziert. Aber dann hat es geregnet und wir sind schnell zum Beethovenplatz bis zum Goethehaus gegangen. Da waren wir zwei Stunden. Die Bauhaus-Universität und das Liszthaus haben wir nicht besucht. Schade! Aber es war ja schon 14 Uhr und wir wollten noch ins Schillerhaus gehen. Danach haben wir noch einen Kaffee getrunken und ich bin zurück ins Hotel gegangen. Das National-theater haben wir auch nicht gesehen, aber wir haben ja Karten für heute Abend. Da läuft Faust …

d) Die Anna Amalia Bibliothek ist fantastisch. Das Haus gibt es seit 1691, also über 300 Jahre. Dort waren bis zum Umzug in ein neues Haus circa eine Million Bücher, zum Beispiel Werke von Goethe, Shakespeare und sogar eine Luther-Bibel aus dem Jahr 1534! Auch das Goethehaus ist sehr interessant. Das Haus gibt es seit 1707. Goethe hat dort 50 Jahre lang bis zu seinem Tod 1832 gelebt. Natürlich hat er auch viel in diesem Haus gearbeitet. Und er hatte oft interessanten Besuch, zum Beispiel Friedrich Schiller. Heute kann man 18 Räume mit originalen Möbeln besuchen und auch Goethes Sammlung ansehen. Natürlich möchten viele Besucher das Arbeitszimmer sehen. Das Wohnhaus von Schiller war auch sehr interessant. Im März 1802 hat Schiller das Haus gekauft und Ende April 1802 ist er mit seiner Familie eingezogen. Im Haus kann man sich über Schillers Leben und Arbeit informieren. Ich war in seinem Arbeitszimmer und habe nur gedacht: „Hier hat er Wilhelm Tell geschrieben!" Fantastisch!

3 ▮1

a) + Entschuldigen Sie, wo ist denn der Bäcker?
  * Ja, früher gab es hier einen Bäcker. Jetzt ist hier ein Obstladen. Der Bäcker hat zu.

  + Sagen Sie, ich wollte einkaufen. Wo ist denn der Supermarkt?
  * Früher war hier der Supermarkt, ja. Heute ist hier eine Bank. Sie müssen jetzt geradeaus weitergehen …

  + Sagen Sie, ich wollte Blumen kaufen. Wo ist denn der alte Blumenladen?
  * Früher gab es hier einen Blumenladen. Das ist richtig. Heute ist hier aber ein Kiosk. Sie gehen am besten immer …

  + Entschuldigen Sie, war das nicht einmal ein Wohnhaus hier in der Marienstraße 15?
  * Das stimmt. Früher gab es hier ein Wohnhaus. Jetzt ist hier ein neues Hotel.

  + Entschuldigung, können Sie mir helfen? Hier war doch immer eine Kneipe?
  * Sie meinen den Irish Pub. Jaja. Damals gab es den hier. Aber jetzt ist das ein Café.
  + Hm, danke.

Ü ▮9

a) + Guten Tag, Touristikinformation Hamburg, Sie sprechen mit Frau Clasen.
  – Hallo, hier spricht [Ihr Name]. Bekomme ich bei Ihnen auch Tickets?
  + Aber natürlich! Für welche Veranstaltung, bitte?
  – Ich möchte gern Karten für das Musical „Der König der Löwen" reservieren.
  – Ja, sehr gern. Für welche Vorstellung?
  – Für Sonntag, den 18. Juli.
  + Möchten Sie Karten für die Vorstellung am Nachmittag oder am Abend?
  – Am Nachmittag, bitte. Ich brauche vier Karten.
  + Möchten Sie vorne sitzen? Wir haben noch vier freie Plätze in Reihe A.
  – Oh! Das ist toll. Ja, sehr gern.
  + Bekommen Sie eine Ermäßigung?
  – Wir sind zwei Erwachsene und zwei Kinder unter zehn Jahren.
  + Dann nutzen Sie doch unsere Familienkarte für 120,00 Euro.
  – Das ist gut. Das machen wir.
  + Auf wen darf ich reservieren?
  – Auf [Ihr Name], bitte. Wir holen die Karten am Sonntag kurz vorher ab.
  + Das ist kein Problem. Viel Spaß und auf Wiederhören.
  – Vielen Dank und auf Wiederhören.

Ü ▮11

+ Hallo, Oma Traudel.
– Hallo Christina!
+ Wie geht's dir, Oma? Und was hast du denn da für ein Buch?
– Ach, mir geht's gut, danke. Und das Buch musst du dir ansehen.
+ Mensch, das ist doch die Mühlengasse, und hier ist die Wiesenstraße.
– Ja, es geht um Hannover – früher und heute.

+ Zeig nochmal! Oh – schau mal hier, früher gab es in der Wiesenstraße ein Hotel.
– Genau, und jetzt ist dort nur noch ein Wohnhaus. Zu wenig Touristen …
+ Hm. Und ist da auch unsere Straße im Buch?
– Meinst du die Goethestraße oder meine?
+ Erst einmal die Goethestraße.
– Ja, die ist hier. Schau mal, da ist jetzt euer Bäcker.
+ Das gibt es doch nicht! Früher war hier ein Theater. Das wusste ich gar nicht.
– Und kennst du die Schlossgasse?
+ Na klar, die ist bei meiner alten Schule.
– Früher gab es dort eine Kneipe.
+ Und heute ist da ein Kiosk. Du, das Buch muss ich mir mal leihen. Das ist ja toll.

9 Arbeitswelten

3 ▮2

+ Wir haben vier Leute gefragt: Was sind Sie heute von Beruf? Was wollten Sie früher werden? Daniel, wie ist das bei dir?
– Ich wollte eigentlich Biologe werden, weil mich Biologie interessiert hat. Dann habe ich aber studiert und bin Lehrer geworden. Das wollte ich früher nie, weil meine Eltern Lehrer waren.
+ Und du, Maria?
* Ich wollte eigentlich Tierärztin werden. So wie meine Mutter. Dann habe ich aber Germanistik studiert und jetzt arbeite ich als Redakteurin bei einer Zeitung.
+ Hermann, wie war das bei dir?
° Ich wollte als Kind Pfarrer werden, weil ich dachte, da muss man nur am Sonntag arbeiten. Dann habe ich aber Geschichte studiert und bin Lehrer geworden.
+ Und du Christina?
^ Ich wollte als Kind immer Lehrerin werden. Jetzt habe ich einen eigenen Buchladen. Ich bin gerne selbstständig, weil ich nicht gerne für andere arbeite.

4 ▮6

+ Tag, Stadtwerke Bochum GmbH. Sie sprechen mit Frau Nolte. Was kann ich für Sie tun?
– Guten Tag, hier ist Kalbach, könnte ich bitte mit Herrn Bach sprechen?
+ Tut mir leid. Herr Bach ist in einer Besprechung. Kann ich Ihnen helfen?
– Ich wollte wissen, ob meine Bewerbung schon angekommen ist.
+ Oh, das weiß nur Herr Bach. Das kann ich Ihnen leider auch nicht sagen.
– Wann kann ich bitte Herrn Bach sprechen?
+ Die Besprechung dauert bis circa 15 Uhr. Möchten Sie eine Nachricht hinterlassen?
– Nein, danke. Ich rufe dann nach 15 Uhr noch einmal an. Auf Wiederhören.

Ü ▮1

a) Viele denken, dass man als Tierärztin in einer schönen sauberen Praxis arbeitet und die Patienten kommen. Bei mir ist das auch so, aber an zwei Tagen in der Woche fahre ich aufs Land und arbeite im Stall oder auf dem Bauernhof vor Ort. Viele „meiner Bauern" haben mehr als 30 Kühe im

Stall stehen. Da gibt es also immer viel zu tun. Seit zwei Jahren arbeite ich auch eng mit unserem kleinen Stadt-Tierpark zusammen. Wenn ein Tier krank ist, fahre ich hin. Sehr viel Zeit verbringe ich auch in meinem Büro am Schreibtisch. Ich muss ja alle Informationen zu meinen kleinen und großen Patienten aufschreiben.

Ich bin von Beruf Landschaftsarchitektin und arbeite an unterschiedlichen Projekten, zum Beispiel plane ich gerade einen großen Park mit Fußgängerzone in einer Stadt. Natürlich arbeite ich viel im Büro am Schreibtisch, aber ich muss auch direkt vor Ort sein, das heißt, ich bin viel draußen und manchmal auch auf dem Bau. Für manche Projekte muss ich viel reisen. Dann fahre ich nicht mit dem Auto, sondern arbeite im Zug oder sogar im Hotel. Ich finde es schön, an so vielen unterschiedlichen Orten zu arbeiten.

Ü 4

a) Ich mag keine technischen Berufe. Ich habe mich schon immer für Menschen interessiert. Also habe ich in der Schule ein Praktikum im Krankenhaus in Münster gemacht. Das war sehr spannend und eine gute Erfahrung. Mir ist wichtig, dass ich Menschen helfen kann. Natürlich habe ich nach der Schule eine Ausbildung zum Krankenpfleger gemacht. Aber nicht nur Krankenpfleger – ich habe eine Ausbildung als Kinderkrankenpfleger. Die Ausbildung dauert drei Jahre und es war auch nicht immer einfach, aber es hat mir wirklich Spaß gemacht. Man lernt viel. Ich arbeite sehr sehr gern mit kranken Kindern. Das macht mich glücklich. Und auch der Kontakt zu den Eltern ist mir wichtig. Die sind für jede Hilfe dankbar. Ich arbeite gern mit ihnen zusammen. Jetzt bin ich schon seit vier Jahren Kinderkrankenpfleger und suche nach neuen Aufgaben. Ich möchte kranken Kindern noch besser helfen können. Also studiere ich ab Oktober Medizin. Und danach? … arbeite ich als Kinderarzt auf einer Kinderstation, ganz klar.

Ü 16

+ Werner Gebäudetechnik GmbH, Sie sprechen mit Frau Hartmann.
– Guten Tag! Hier spricht Baumann von der Firma Krohn und Partner. Könnte ich bitte mit Herrn Keller sprechen?
+ Der ist gerade nicht im Haus. Kann ich Ihnen vielleicht helfen?
– Das hoffe ich. Wir haben mit der Gebäudetechnik im Haus Probleme.
+ Worum geht es denn?
– Einige elektrische Geräte sind kaputt. Wir brauchen einen Elektriker.
+ Gar kein Problem. Ich schicke Ihnen einen Kollegen und ich informiere auch Herrn Keller. Ich sehe Krohn und Partner … Das ist die Stockholmer Straße 17, richtig?
– Das stimmt. Ich bin aber nicht am Schreibtisch. Könnte mich Herr Keller bitte auf dem Handy anrufen? Das ist die 0151/18345563.
+ Aber natürlich. Herr Keller meldet sich bei Ihnen. Auf Wiederhören.
– Danke schön und auf Wiederhören.

10 Feste und Feiern

2 4

b) + Mensch Ella, so viele Geschenke. Respekt! Von wem ist denn die Uhr?
– Na, von Swatch.
+ Nee, ich meine nicht die Firma. Ich meine, wer dir die Uhr geschenkt hat? Ist die von deinen Eltern?
– Ach so, ja, die ist von meinen Eltern. Die passt super gut zu meiner neuen hellblauen Jeans-Jacke. Die ist auch von ihnen.
+ Ja, stimmt. Und von wem ist die große Tasse mit den Blumen?
– Von meiner Tante Dörthe. Ich mag sie ja sehr, aber bei ihr weiß man nie, was man bekommt. Zum letzten Geburtstag waren es Socken mit einem Weihnachtsmann drauf …
+ Dann ist bei ihren Geschenken immer ein Witz dabei, das ist doch cool. Dann ist das gelbe T-Shirt mit dem Teddybären auch von ihr?
– Ja, das zieh ich zum Schlafen an, kein Problem.
+ Da ist doch die Tasse viel besser. Aber sag mal, seit dem letzten Sommer ist doch deine Luftmatratze kaputt?
– Ja, und die neue hier ist echt cool, neongrün und aus einem weichen Stoff außen.
+ Von wem ist die?
– Von Adrian.
+ Ahhh, vom schönen Adrian, soso …

Ü 3

Juliane Weber, 32: Mein Lieblingsfest? Weihnachten, natürlich. Gar keine Frage! Dann kommt die ganze Familie zusammen und Lasse und Lea treffen ihre Cousinen und Cousins, ich meine Eltern und die Geschwister. Das ist sehr schön. Wir gehen am 24. Dezember, also an Heiligabend, zusammen in die Kirche, essen Suppe und dann warten alle auf den Weihnachtsmann. Das ist immer sehr spannend und am Abend wird es richtig gemütlich.

Hagen Steinert, 25: Klar, Weihnachten und Ostern sind wichtig, aber wir beide leben in Köln und haben uns beim Karneval am Rosenmontag kennengelernt. Nina war ein Geist und ich eine Prinzessin. Das war sehr lustig, weil wir uns gerne verkleiden. Wir feiern wirklich am liebsten Karneval und Rosenmontag ist für uns seit drei Jahren ein besonderer Tag. Nächstes Jahr wollen wir nach Basel zur alemannischen Fastnacht fahren und uns dort die Umzüge und die tollen Masken anschauen. Natürlich ist es schon schön, wenn die ganze Familie an Weihnachten zusammen kommt, aber Karneval macht einfach mehr Spaß. Ostern und Weihnachten sind mir da nicht so wichtig.

Sigrid Heuer, 58: Ich liebe Ostern. Das ist für mich das schönste Fest, weil dann der Winter zu Ende ist und endlich der Frühling kommt. Meistens ist meine Tochter mit ihrer Familie zu Besuch. Ich finde es schön, wenn wir alle zusammen sind. Bei schönem Wetter kommt der Osterhase in den Garten und versteckt die Eier. Meine Enkelkinder lieben das. Und wir Erwachsenen machen ein Picknick, essen Torte und machen viele viele Fotos.

Sven Wagner, 37: Ich mag eigentlich keine Feste. Zum Beispiel Weihnachten: Die Leute kaufen viel zu viele Geschenke. Zu Ostern gibt es jetzt auch nicht nur Eier, sondern die Leute kaufen und kaufen. Ich finde das ganz schrecklich. Oder der Valentinstag – der ist doch vor allem für die Blumenläden wichtig. Ich schenke meiner Freundin und meiner Tochter Fiona das ganze Jahr Blumen, aber ganz bestimmt nicht am 14. Februar! Aber Fiona liebt Halloween und ich mag dieses Fest auch, weil es ein großer Spaß für die Kinder ist. Ich verkleide mich dann auch und Fiona muss immer über mich lachen …

Ü 9

a) + Hallo, Geburtstagskind! Alles Liebe zum Geburtstag! Bleib gesund und munter!
 – Oh, dankeschön. Das ist nett, dass du anrufst.
 + Und? Hast du wieder schreckliche Geschenke von deiner Familie bekommen?
 – Von meinem Vater habe ich neue Kopfhörer bekommen. Meine sind doch seit dem Urlaub kaputt.
 + Wow. Das sind doch bestimmt sehr gute von dieser Firma, oder? Die hattest du dir gewünscht.
 – Genau! Und mit meinem Bruder gehe ich zu einem Konzert.
 + Echt jetzt? Das wird ja immer besser! Zu wem geht's?
 – Zu den Prinzen … Und von meiner Mutter gab es eine neue Jacke.
 + Ist nicht dein Ernst! Wow. Aber stimmt, sie arbeitet ja in einem Modegeschäft. Das klingt ja alles super.
 – Rate mal, was ich von meinen Großeltern bekommen habe!
 + Ja, keine Ahnung. Wahrscheinlich etwas Witziges, oder?
 – Die beiden bezahlen mir meine Party und du bist eingeladen.
 + Na das ist doch mal ein super Geschenk! Wann geht's los?

11 Mit allen Sinnen

2 4

a) [Vorsichtig gießt Lilly Wasser in ein Glas, dabei hält sie prüfend einen Finger hinein.]
 Lilly: Ich begleite dich noch bis zur Fähre.
 Jakob: Woher weißt du, dass ich dich mitnehme?
 [Die beiden schmunzeln – die Kellnerin kommt.]
 Kellnerin: So einmal … und für Sie.
 [Sie serviert.]
 Lilly: Entschuldigung, könnten Sie uns bitte sagen, wie das Essen liegt?
 [Die Kellnerin schaut verständnislos.]
 Kellnerin: Bitte?
 Lilly: Wenn Sie sich vorstellen, der Teller ist eine Uhr, auf welchen Zahlen liegt dann das Essen?
 [Jakob runzelt die Stirn.]
 Kellnerin: Ähää – also äh – die Kartoffeln auf drei, so zehn vor drei. Die Erbsen …
 [Sie dreht den Teller.]
 … auf sechs – so zwanzig nach, na – warten Sie – so zwanzig, fünfundzwanzig nach sechs – vor sechs – nach fünf – 'tschuldigung.
 Jakob: Lilly, ich glaube, sie kann die Uhr nicht lesen.
 Kellnerin: Bitte was?

Stimme aus dem Off: Rita, kommst du mal, bitte?
 Kellnerin: Jaa.
 [Verwirrt geht die Kellnerin zum Tresen]
 Jakob: Erbsen auf halb sechs.
 [Lächelnd nickt Lilly.]
 Lilly: Jaa.

2 9

b) Als Bühnenbildner habe ich richtig viel zu tun. Hier in dieser Szene muss ich ein Zimmer bauen. Und das Zimmer muss zu Hilmir passen. Ich lege also viele Zeitungen und Bücher auf den Tisch und ins Regal. Ich stelle eine große Vase und auch drei, vier Bilder auf den Boden. Ich hänge eine moderne Lampe an die Decke und hänge auch verrückte Bilder an die Wand. Und sehen Sie hier: Da liegen Briefe auf dem Boden. Das finde ich gut. Hilmir hat auch einen Hund. Der liegt hier auf dem Sofa und schläft. Und dort steht ein Computer auf dem Schreibtisch. Ich will auch, dass viele Bücher im Regal liegen – Hilmir liest sehr viel. Und man sieht auch viele Fotos. Hier hängt eins an der Wand.

3 2

+ Annette, du hast vor einigen Jahren Deutsch als Fremdsprache studiert. Was hast du dann gemacht?
– Ja, dann brauchte ich natürlich Arbeit und dann habe ich in der Zeitung Anzeigen aufgegeben, eigentlich in verschiedenen Zeitungen, und habe Anrufe erhalten und so habe ich meine Schüler bekommen. Teilweise haben Schüler abgesagt, weil ich blind bin. Das habe ich dann auch immer schon am Telefon gesagt. Und teilweise haben sie auch abgesagt, vielleicht weil sie keine Zeit hatten oder sich für einen anderen Kurs entschieden hatten. Aber es kamen einige Schüler zusammen, die ich unterrichtet habe.
+ Wie sieht der Alltag in deinem Kurs aus?
– Der Kurs beginnt um neun Uhr. Und wenn alle da sind, fangen wir an mit einem Aufwärmgespräch. Jeder erzählt irgendwie ein besonderes Ereignis vom Vortag und aktuell haben wir halt gerade die WM. Alle Fußballspiele natürlich. Das ist unser Thema.
+ Woher kommen deine Kursteilnehmer?
– Meine Kursteilnehmer kommen aus Algerien, Eritrea und Pakistan.
+ Sind sie blind?
– … und Kosovo. Habe ich vergessen. Zwei sind sehbehindert, das heißt, die schreiben ganz normal mit einem Kuli oder mit einem dicken Filzstift, aber sie brauchen 'ne größere Schrift, wie die Schlagzeile in einer Zeitung. Und drei sind blind, die arbeiten mit Brailleschrift.
+ Hier steht eine Maschine auf deinem Kurstisch. Was ist das für eine Maschine?
– Das ist eine Maschine, mit der man Brailleschrift schreiben kann.
+ Du hast mir vor unserem Gespräch über deine Hobbys erzählt. Welche Hobbys hast du?
– Ich lese sehr gern, ich gehe gern mit dem Hund spazieren, ich genieße die Sonne im Garten, jetzt gerade. Aber so mein wichtigstes Hobby ist Musik. Ich spiele irische und schottische Folkmusik und spiele als Instrument tin whistle und low whistle, das sind irische Flöten.
+ Wie wichtig ist für dich der Computer?

– Sehr wichtig, weil ich mit dem Computer natürlich für meine Schüler täglich die Materialien herstelle. Dann geht natürlich fast die ganze Post über Computer. Ich habe ziemlich viel Kontakt privat und dienstlich im In- und Ausland per E-Mail. Ich hole mir sämtliche Informationen für den Beruf, aber eben auch privat, aus dem Internet und kann mir natürlich Bücher einscannen und andere Dokumente.

Ü 10

b) + Guten Tag, Herr Emmerland. Wann waren Sie das letzte Mal im Kino?
– Ich gehe sehr selten ins Kino. Wirklich.
+ Würden Sie eigentlich gern einmal vor der Kamera stehen?
– Ich arbeite lieber hinter der Kamera, das ist mein Job. Ich gehe nicht vor die Kamera.
+ Sie arbeiten an einem neuen Film. Worum geht es?
– Es ist ein klassischer Actionfilm. Ein Auto kommt und parkt vor einer Bank. Eine schöne Frau steigt aus dem Auto. Sie geht über die Straße in die Bank.
+ Und dann? Was passiert dann?
– Das Auto steht noch auf der Straße vor der Bank, aber ein Mann liegt verletzt neben dem Auto. Mehr erzähle ich Ihnen nicht.
+ Das ist nicht nett.
– Das stimmt, ich lade Sie zur Premiere ein. Ist das ein Angebot?
+ Wenn ich über den roten Teppich laufen kann und Sie sich im Kino neben mich setzen? Nein, nein, Herr Emmerland. Danke für das Gespräch.

Ü 12

+ Warst du schon im neuen Film von Dominik Graf?
– Nein. Wie heißt der Film und worum geht es denn?
+ Der Film heißt „Die geliebten Schwestern" und es ist ein Drama.
– Ach, ich weiß nicht. Ich mag eigentlich keine Dramen.
+ Aber dieser Film lohnt sich! Es geht um Friedrich Schiller.
– Friedrich Schiller? Nein, ich mag lieber Komödien oder Liebesfilme.
+ Das ist ja ein Liebesfilm. Im Sommer 1788 verlieben sich Caroline und Charlotte in Schiller. Die beiden sind Schwestern und lieben sich sehr. Die eine ist schon verheiratet und die andere sucht einen Mann. Na ja … und dann treffen die beiden Schiller in Rudolstadt und …
– Wenn du jetzt noch mehr erzählst, muss ich nicht mehr ins Kino gehen.
+ Ich gehe gern noch einmal mit dir! Hast du Lust?
– Na ja, warum eigentlich nicht?

12 Ideen und Erfindungen

4 4

Heute machen wir die berühmte Sachertorte. Das ist gar nicht so schwer. Zuerst die 200 g Kochschokolade im Wasserbad schmelzen und leicht abkühlen lassen. Die flüssige Schokolade mit 150 g Butter schaumig rühren. Danach 180 g Zucker und 5 Eigelb dazugeben. Die 150 g Mehl mit einem Teelöffel Backpulver mischen und unter die Masse rühren. Dann 5 Eiweiß zu festem Schnee schlagen und unterheben. Den Teig in eine Springform geben und bei 180 Grad eine Stunde backen.
Wenn der Kuchen kalt ist, einmal durchschneiden und den Boden mit Marillenmarmelade bestreichen. Den Deckel auflegen und zum Schluss mit Kuvertüre überziehen. Guten Appetit!

Ü 1

a) + Ich begrüße Sie zu unserer Morgendiskussion im Radio. Heute wollen wir Ihnen die Frage stellen, was für Sie die zwei wichtigsten Erfindungen sind. Und wen habe ich denn am Telefon?
– Hallo, hier spricht Renata Kleinert aus Bremen.
+ Ja, was denken Sie? Die zwei wichtigsten Erfindungen …
– Ich finde die Waschmaschine ist die wichtigste Erfindung und auch moderne Medikamente wie Aspirin oder Penicillin waren und sind sehr wichtig.
+ Die Waschmaschine? Daran habe ich gar nicht gedacht.
– Früher hatten Frauen wegen Wäsche und Haushalt viel weniger Zeit und so auch keine Freiheiten. Das ist mit der Waschmaschine jetzt anders. Frauen können arbeiten gehen, machen auch Haushalt, klar, aber eben nicht nur Haushalt. Ja, und moderne Medikamente retten Menschen. Es gibt so viele Krankheiten, die jetzt nicht mehr gefährlich sind, weil es Medikamente gibt.
+ Sie haben natürlich recht! Danke für Ihren Anruf und wen habe ich jetzt in der Leitung?
* Sie sprechen mit Jürgen Rosenthal aus Offenburg.
+ Schön, dass Sie die Morgendiskussion hier bei Radio DLD 88.3 eingeschaltet haben. Was denken Sie? Die zwei wichtigsten Erfindungen …
* Hm, nicht einfach. Ich denke, dass das Internet wirklich wichtig ist. Die Menschen können ganz anders, sehr viel schneller, sehr viel direkter kommunizieren. Jeder kann sich informieren. Menschen und ihre Ideen kommen viel schneller zusammen. Und natürlich ist das auch gut für die Wirtschaft.
+ Und auf dem 2. Platz?
* Das Flugzeug. Ganz klar. Das ist für mich das Symbol für Mobilität. Und es ist doch auch ein Traum von vielen Menschen – fliegen können.
+ Also ich habe Angst vorm Fliegen, aber es stimmt, was Sie sagen. Danke für den Anruf. Und wir haben noch eine Minute. Wer ist am Apparat?
° Leni Raue, aus Görlitz. Ich mag Ihre Sendung!
+ Dankeschön, das hört man gern. Was sind Ihre beiden Erfindungen?
° Der Buchdruck. Mit dem Buch hatte der Mensch ganz neue Möglichkeiten. Man konnte Informationen an viele andere Menschen weitergeben. Das ist ein bisschen wie mit dem Internet. Die Menschen konnten sehr viel schneller Ideen austauschen und viel mehr Leute konnten sich informieren.
+ Und die zweite Erfindung?
° Das Rad.
+ Das Fahrrad oder das Rad generell?
° Ich meine das Rad. So konnte man schwere Dinge transportieren. Und später konnte man Autos, Eisenbahnen, Fahrräder bauen. Mobilität ohne Rad gibt es nicht.
+ Absolut richtig. Danke für Ihren Anruf und bei uns geht's weiter mit …

Ü 3

1. Im Jahr 1817 wurde das erste Zweirad erfunden.
2. 1982 gab es den ersten Laptop, das Modell Epson HX20.
3. 1714 wurde das erste Patent für die Schreibmaschine angemeldet.
4. Die erste Zeitung der Welt gab es im Sommer 1605 in Straßburg.
5. 1880 entwickelte der amerikanische Physiker Charles Summer Tainter die erste Schallplatte.

Ü 16

Zuerst werden das Eigelb, der Zucker und weitere Zutaten gemischt. Dann wird die Ei-Zucker-Masse mit Mehl und Backpulver gemischt. Im dritten Schritt werden geriebene Möhren und Mandeln hinzugegeben. Nach den Möhren und Mandeln wird der Eischnee untergehoben. Die Masse wird in einer Tortenform gebacken. Nach dem Backen wird alles mit Marmelade und Puderzucker überzogen. Zum Schluss wird die fertige Rüblitorte über Nacht in den Kühlschrank gestellt.

Station 4

1 5

+ Guten Abend. In unserer Reihe „Neue und alte Berufe" geht es heute um einen Traumberuf vieler ganz junger Hörer, den Lokomotivführer. Hören wir also mal in den Alltag von Ann-Katrin rein und fragen sie, wie sie zu dem Beruf gekommen ist.
– Hallo, ich bin Ann-Katrin. Ich habe eine Ausbildung zur Eisenbahnerin im Betriebsdienst gemacht. Jetzt arbeite ich als Lokomotivführerin und fahre Lokomotiven der Baureihen 296 und 295. Der Beruf hat mich schon als Kind interessiert. Meine Eltern hatten auch noch andere Ideen, aber dann habe ich im 9. Schuljahr ein Praktikum bei der Bahn gemacht und danach wollte ich unbedingt diese Ausbildung machen.
+ Die Ausbildung für den Lokführerberuf dauert drei Jahre. An zwei Tagen in der Woche geht man in die Berufsschule. Drei Tage lernt man im Betrieb. Manchmal gibt es Blockunterricht. Der Arbeitstag für Lokführer im Bahnbetrieb beginnt schon früh, meistens um sechs Uhr. Lokführer ist nicht gerade ein typischer Frauenberuf. Wir haben Ann-Katrin auch nach ihren Erfahrungen mit den Kollegen gefragt.
– Na ja, am Anfang war das schon ein bisschen komisch, die waren skeptisch, ob das so klappt mit einer Frau, auch gerade, weil man körperlich arbeitet und schwere Metallteile hebt. Aber dann haben sie gemerkt, dass ich das gut kann und dass mir das auch Spaß macht. Seitdem sind wir ein echt gutes Team.

Alphabetische Wörterliste

Die alphabetische Wörterliste enthält den Lernwortschatz der Einheiten. Zahlen, grammatische Begriffe sowie Namen der Personen, Städte und Länder sind in der Liste nicht enthalten. Wörter, die nicht zum Zertifikatswortschatz gehören, sind kursiv ausgezeichnet. Die Zahlen bei den Wörtern geben an, wo Sie die Wörter in den Einheiten finden (z. B. 5/3.4 bedeutet Einheit 5, Block 3, Aufgabe 4).

Die Punkte (.) und die Striche (–) unter den Wörtern zeigen den Wortakzent:
ạ = kurzer Vokal   a̱ = langer Vokal

A

ạb und zu̱	11/2.5a
die Abendkasse, die Abendkassen	8/2.4a
ạbfahren, er fährt ab, er ist abgefahren	3/2.1b
ạbfragen, er fragt ab, er hat abgefragt	5/4.3b
das Abitu̱r	9/2.3a
die Ạbkürzung, die Abkürzungen	7/3.1
der Ạblauf, die Abläufe	6/3.1b
ạblesen, er liest ab, er hat abgelesen	11/3.1a
ạbnehmen (etw.), er nimmt etw. ab, er hat etw. abgenommen	5/4.3b
abonnie̱ren (etw.), er abonniert etw., er hat etw. abonniert	1/3.1
ạbreisen, er reist ab, er ist abgereist	8/2.1a
ạbrufen, er ruft ab, er hat abgerufen	5/2.4a
ạbsagen, er sagt ab, er hat abgesagt	Start 2.2a
ạbschließen (etw., z. B. Studium), er schließt ab, er hat abgeschlossen	1/2.1a
der Ạbschluss, die Abschlüsse	9/2.3a
der/die Ạbsender/in, die Absender/innen	5/2.1a
ạbtrocknen (sich), er trocknet sich ab, er hat sich abgetrocknet	4/2.5a
ạchten (auf), er achtet auf, er hat geachtet auf	11/2.8b
die Acrylfarbe, die Acrylfarben	4/0
die Ạction	11/2.1a
die Adrẹsse, die Adressen	5/2.1a
der Advẹntskranz, die Adventskränze	10/0
die Aggressio̱n, die Aggressionen	11/0
ägyptisch	5/0
die Aktio̱n, die Aktionen	3.3
aktịv	11/3.1a
aktuẹll	4/2.1a
akzeptie̱ren, er akzeptiert, er hat akzeptiert	11/2.1b
alarmie̱ren, er alarmiert, er hat alarmiert	2/4.1a
das Ạlbum, die Alben	7/5.1b
die Ạlbum-Charts (Pl.)	7/5.1b
allgeme̱in	8/3.3b
der Ạlltag	4/2.1a
der Ạlmabtrieb	10/2.1a
der/die Ạltenpfleger/in, die Altenpfleger/innen	9/2.1a
das Ạlter	6/4.5a
ạ̈ltere, älterer, älteres	2/3.1b
ambulạnt	9/2.1a
Ambulạnte Pflegedienste (APD)	9/2.1a
die Ameise, die Ameisen	3/4.3a
das Ạmt, die Ämter	4/5
ạnders	12/3.1
ạ̈ndern, er ändert, er hat geändert	11/3.1a
ạnderthalb	2/3.1b
der Ạnfang (am Ạnfang)	1/0
ạnfassen, er fasst an, er hat angefasst	11/3.1a
die Ạngel, die Angeln	4/0
der/die Ạngestellte, die Angestellten	9/0
die Ạngst, die Ängste	7/2.3a
der Ạnhang, die Anhänge	9/2.3b
ạnhören (sich), es hört sich an, es hat sich angehört	1/4.3a
ạnkommen (auf etw.), es kommt auf etw. an, es ist auf etw. angekommen	7/5.2a
ạnkommen, er kommt an, er ist angekommen	3/2.1b
ạnmelden (sich), er meldet sich an, er hat sich angemeldet	6/4.5a
die Ạnmeldung, die Anmeldungen	9/3.6b
ạnreisen, er reist an, er ist angereist	7/Ü3
der/die Ạnrufer/in, die Anrufer/innen	11/3.1a

die	**Anschrift**, die Anschriften	9/2.3a
	ansprechen, er spricht jmdn. an,	
	er hat jmdn. angesprochen	6/4.5a
	anstoßen, sie stoßen an,	
	sie haben angestoßen	10/2.1a
	antik	5/5.6a
die	**Antipathie**, die Antipathien	11/0
die	**Antwort**, die Antworten	5/2.1a
der/die	**Anwalt/Anwältin**, die Anwälte/	
	Anwältinnen	8/3.3b
die	**Anzeige**, die Anzeigen	7/3.3
die	**App (Application)**, die Apps	5/0
der	**Appetit**	12/3.4a
das	**Aquädukt**, die Aquädukte	Start 1
das	**Aquarium**, die Aquarien	6/0
	arabisch	1/2.1a
der	**Arbeitsalltag**	11/3.1a
die	**Arbeitserlaubnis**	1/0
der/die	**Arbeitskollege/kollegin**,	
	die Arbeitskollegen/kolleginnen	5/2.4b
die	**Arbeitskraft**, die Arbeitskräfte	2/3.1b
die	**Arbeitsstelle**, die Arbeitsstellen	7/1.2a
die	**Archäologie**	8/3.3b
der	**Ärger**	11/0
	ärgerlich	11/0
	ärgern (sich über etw.), er ärgert sich,	
	er hat sich geärgert	4/5
	ätzend	7/2.3a
	auf der einen Seite ...	
	auf der anderen Seite	4/2.1a
	aufdecken, er deckt auf,	
	er hat aufgedeckt	6/3.4
der	**Aufenthalt**, die Aufenthalte	2/3.1b
	aufessen, er isst auf,	
	er hat aufgegessen	10/1.2a
	auffallen, er fällt auf,	
	er ist aufgefallen	7/5.2a
die	**Aufgabe**, die Aufgaben	2/3.1b
	aufgeben, er gibt auf,	
	er hat aufgegeben	11/3.2a
	aufgeregt	4/4.2
	aufhängen, er hängt auf,	
	er hat aufgehängt	11/Ü5b
	aufkleben, er klebt auf,	
	er hat aufgeklebt	5/2.1b
	aufmachen, er macht auf,	
	er hat aufgemacht	9/4.1
	aufpassen, er passt auf,	
	er hat aufgepasst	7/4.2c
	aufräumen, er räumt auf,	
	er hat aufgeräumt	2/3.1b
	aufregen (sich über etw.),	

	er regt sich auf, er hat sich aufgeregt	4/5
	aufschlagen, er schlägt auf,	
	er hat aufgeschlagen	12/4.1
	auftreten, er tritt auf,	
	er ist aufgetreten	7/5.1b
das	**Au-pair**, die Au-pairs	2/3.1b
der	**Ausbildungsabschluss**,	
	die Ausbildungsabschlüsse	9/2.1a
die	**Ausbildungszeit**,	
	die Ausbildungszeiten	9/Ü5a
der	**Ausdruck**, die Ausdrücke	8/Ü5a
	ausdrucken, er druckt aus,	
	er hat ausgedruckt	3/2.1b
	ausdrücken, er drückt aus,	
	er hat ausgedrückt	9/4.2
der	**Ausflug**, die Ausflüge	10/5.1a
die	**Auskunft**, die Auskünfte	9/4.7b
das	**Auslandssemester**,	
	die Auslandssemester	1/0
die	**Auslandstätigkeit**,	
	die Auslandstätigkeiten	9/2.1a
	ausleihen, er leiht etw. aus,	
	er hat etw. ausgeliehen	5/0
	auspacken, er packt aus,	
	er hat ausgepackt	7/4.2c
	ausschlafen, er schläft aus,	
	er hat ausgeschlafen	4/2.1a
	aussehen, er sieht aus,	
	er hat ausgesehen	Start 1
der	**Außenhandel**	9/2.1a
	außerdem	8/2.1a
	aussteigen, er steigt aus,	
	er ist ausgestiegen	3/2.7
die	**Ausstellung**, die Ausstellungen	7/0
	ausverkauft	7/5.1b
der/die	**Auswanderer/Auswanderin**,	
	die Auswanderer/Auswanderinnen	10/1.2a
	ausziehen (etw.), er zieht etw. aus,	
	er hat etw. ausgezogen	5/2.1b
der/die	**Auszubildende**,	
	die Auszubildenden	6/3.2a
	automatisch	12/4.1
das	**Automobil**, die Automobile	12/2.1b
der/die	**Autor/in**,	
	die Autoren/Autorinnen	8/2.1b
der	**Autoschlüssel**, die Autoschlüssel	3/0
der	**Autounfall**, die Autounfälle	11/2.1b

B

der	**Babybedarf**	7/4.1a
der/die	**Babysitter/in**,	
	die Babysitter/innen	7/4.1a

das **Babysitting**	2/3.1b	
das **Backpulver**	12/4.4a	
der **Badeschaum**	10/3.1a	
die **BahnCard**, die BahnCards	3/1.1	
der **Ball**, die Bälle	8/3.6a	
das **Ballett**	8/0	
bar	3/2.1b	
der **Basketball**, die Basketbälle	4/0	
basteln, er bastelt, er hat gebastelt	2/3.1b	
der **Bau**, die Bauten	9/0	
der **Bauchtanz**, die Bauchtänze	11/3.1a	
der **Bauchtanzkurs**,		
die Bauchtanzkurse	11/3.1a	
das **Bauchweh**	12/3.1	
bauen, er baut, er hat gebaut	Start 1	
der/die **Bauer/Bäuerin**,		
die Bauern/Bäuerinnen	9/3.1	
der **Bauernsalat**, die Bauernsalate	6/3.3a	
der/die **Bauhaus-Künstler/in**,		
Bauhaus-Künstler/innen	8/2.1b	
bayrisch	11/2.5a	
bearbeiten, er bearbeitet,		
er hat bearbeitet	5/0	
bedanken (sich), er bedankt sich,		
er hat sich bedankt	9/4.7b	
bedeuten, es bedeutet,		
es hat bedeutet	8/3.6b	
die **Bedeutung**, die Bedeutungen	12/2.6b	
die **Bedingung**, die Bedingungen	10/0	
beenden (etw.), er beendet etw.,		
er hat etw. beendet	6/3.4	
befragen, er befragt, er hat befragt	2/4.1a	
begründen, er begründet,		
er hat begründet	7/1.2b	
begrüßen, er begrüßt,		
er hat begrüßt	Start 3.1a	
die **Behinderung**, die Behinderungen	11/3.1a	
beides	7/1.1	
das **Bein (auf den Beinen sein)**,		
er ist auf den Beinen,		
er war auf den Beinen	10/5.1a	
bekannt	Start 3.3	
bemalen, er bemalt,		
er hat bemalt	10/5.1a	
benutzen, er benutzt,		
er hat benutzt	1/3.2	
der **Benzinpreis**, die Benzinpreise	7/2.1b	
beobachten, er beobachtet,		
er hat beobachtet	11/3.1a	
der/die **Beobachter/in**,		
die Beobachter/innen	11/3.1a	
bequem	11/3.3a	

der **Bereich**, die Bereiche	9/0	
bereits	8/1.1b	
die **Bergwiese**, die Bergwiesen	10/2.1a	
der **Bericht**, die Berichte	7/1.2a	
berichten, er berichtet,		
er hat berichtet	1/0	
beruflich	3/1.2	
der/die **Berufsanfänger/in**,		
die Berufsanfänger/innen	9/2.1a	
die **Berufsausbildung**,		
die Berufsausbildungen	6/3.2a	
die **Berufsbezeichnung**,		
die Berufsbezeichnungen	12/4.2	
die **Berufserfahrung**,		
die Berufserfahrungen	9/1.4	
der **Berufswunsch**, die Berufswünsche	9/0	
beschäftigen (sich mit etw./jmd.),		
er beschäftigt sich mit ihm,		
er hat sich mit ihm beschäftigt	6/4.5a	
beschließen, er beschließt,		
er hat beschlossen	3/4.3a	
beschreiben, er beschreibt,		
er hat beschrieben	2/4.4a	
beschriften, er beschriftet,		
er hat beschriftet	7/4.1a	
besorgen, er besorgt,		
er hat besorgt	7/4.1a	
besprechen (etw. mit jmdm.),		
er bespricht etw., er hat etw.		
besprochen	5/2.4b	
bestehen aus, er besteht aus,		
er bestand aus	6/3.3a	
die **Bestellung**, die Bestellungen	5/3.1	
bestimmen, er bestimmt,		
er hat bestimmt	11/1.1b	
betragen, etw. beträgt,		
etw. hat betragen	2/3.1b	
betreiben, er betreibt,		
er hat betrieben	4/3.1	
betreten, er betritt, er hat betreten	9/3.6c	
der **Betrieb**, die Betriebe	9/0	
bewerben (sich um), er bewirbt sich,		
er hat sich beworben	8/1	
die **Bewerbung**, die Bewerbungen	9/0	
der/die **Bewohner/in**,		
die Bewohner/innen	7/1.2a	
bewundern, er bewundert,		
er hat bewundert	8/3.6a	
die **Beziehung**, die Beziehungen	8/Test	
der **Bezirk**, die Bezirke	12/4.1	
die **Bibel**, die Bibeln	12/1.2	
das **Bierchen**, die Bierchen	6/0	

der	**B**i**ergarten**, die Biergärten	4/4.1b
	bi**eten**, er bietet, er hat geboten	5/5.6a
das	**B**i**ld** (sich ein Bild machen von etw.),	
	er macht sich ein Bild von etw.,	
	er hat sich ein Bild von etw.	
	gemacht	6/4.5c
die	**B**i**ldergalerie**, die Bildergalerien	12/4.1
das	**B**i**llard**	4/3.3
	bi**nden**, er bindet, er hat gebunden	12/1.2
der/die	**B**i**ologe/Biologin**,	
	die Biologen/Biologinnen	9/3.2b
	bi**tten** (um Hilfe bitten),	
	er bittet um Hilfe,	
	er hat um Hilfe gebeten	7/4.1a
	bi**tter**	12/3.1
die	**Bl**a**smusik**	10/1.2a
	bli**nd**	11/2.1b
der/die	**Bl**i**nde**, die Blinden	11/2.1b
die	**Bl**i**ndenschrift**	11/3.1a
der/die	**Bl**i**ndentrainer/in**,	
	die Blindentrainer/innen	11/2.5a
die	**Bl**i**ndheit**	11/2.1b
der	**Bl**o**g**, die Blogs	5/3.3a
	blo**ggen**, er bloggt, er hat gebloggt	5/3.3a
	blo**nd**	2/4.1a
der	**Bl**u**menladen**, die Blumenläden	8/3.1a
der	**Bl**u**menstrauß**, die Blumensträuße	2/2.10
der/das	**B**o**nbon**, die Bonbons	10/2.1a
	bö**se**	10/1.2a
die	**Br**ai**lleschrift**	11/3.3a
der	**Br**au**ch**, die Bräuche	10/0
die	**Br**au**erei**, die Brauereien	12/2.1b
	bre**chen**, er bricht,	
	er hat gebrochen	7/4.2a
	bre**nnen**, es brennt,	
	es hat gebrannt	10/4.1a
die	**Br**e**zel**, die Brezeln	3/3.2
der	**Br**ie**fkasten**, die Briefkästen	5/2.1a
die	**Br**ie**fmarke**, die Briefmarken	4/1.4
die	**Br**ie**fmarkensammlung**,	
	die Briefmarkensammlungen	5/5.5
	bri**tisch**	1/4.1a
die	**Br**o**tzeit**	Start 3.3
der	**B**u**chdruck**, die Buchdrucke	12/1
	bu**chen** (etw.), er bucht etw.,	
	er hat etw. gebucht	1/2.2a
die	**B**u**chhaltung**	9/2.3a
die	**B**u**chung**, die Buchungen	5/3.2
	bü**geln**, er bügelt, er hat gebügelt	2/3.1b
die	**B**ü**hne**, die Bühnen	11/2.5a
der	**B**u**merang**, die Bumerangs	10/3.2a

der/die	**B**u**ndesbürger/in**,	
	die Bundesbürger/innen	4/2.1a
der/die	**B**u**ndeskanzler/in**,	
	die Bundeskanzler/innen	Start 3.3
das	**B**ü**rgeramt**, die Bürgerämter	1/0
der/die	**B**ü**rokaufmann/Bürokauffrau**,	
	die Bürokaufmänner/	
	Bürokauffrauen	9/2.1a
das	**B**ü**romanagement**	9/2.1a
die	**B**u**sverbindung**,	
	die Busverbindungen	7/2.1a
das	**B**ü**tzchen**, die Bützchen	10/2.1a

C

die	**Ch**a**nce**, die Chancen	1/0
	cha**tten**, er chattet,	
	er hat gechattet	5/1.2
die	**Ch**i**ffre**, die Chiffren	5/5.5
	chi**nesisch**	6/2.6
der	**Ch**i**p**, die Chips	12/1.2
das	**Chr**i**stkind**, die Christkinder	10/2.1a
die	**Chr**o**nik**, die Chroniken	10/1.2a
der	**Cl**o**wn**, die Clowns	10/1.2a
die	**C**o**mputerkenntnisse**	9/2.1a
der/die	**C**o**mputernutzer/in**,	
	die Computernutzer/innen	5/3.1
die	**C**o**nfiserie**, die Confiserien	12/4.1
der/die	**C**ou**sin/e**,	
	die Cousins/Cousinen	2/2.1b
der	**C**o**wboy**, die Cowboys	10/1.2a

D

	da **haben**, er hat da, er hatte da	8/2.4a
	da**bei**	3/4.3a
das	**D**a**chgeschoss** (DG),	
	die Dachgeschosse	7/3.1
	da**für**	12/4.1
	da**gegen**	10/4.1a
	da**mit**	12/2.1b
	da**nke schön**	9/Ü16
	da**ran**	10/3.2a
	da**rüber**	1/0
	da**ss**	2/4.3a
die	**D**a**tei**, die Dateien	5/4.3b
	dau**ern**, es dauert, es hat gedauert	3/2.5
	dau**ernd**	7/2.3a
	da**zu**	1/4.3a
	de**shalb**	9/Ü12
die	**D**eu**tschkenntnisse**	9/2.1a
	deu**tschsprachig**	10/1.2a
der	**D**i**alekt**, die Dialekte	1/3.2

der/die **Dialogpartner/in**,
    die Dialogpartner/innen   9/4.2
der **Dieselmotor**, *die Dieselmotoren*   12/1
    digital   12/1.2
das **Diktat**, *die Diktate*   11/3.1a
    direkt   9/4.2
das **Dirndl**, *die Dirndl*   10/0
die **Diskussion**, *die Diskussionen*   6/4.5a
die **Dokumentation**,
    die Dokumentationen   11/2.1a
das **Dorffest**, *die Dorffeste*   10/2.1a
    dorthin   1/0
    downloaden (etw.),
    er loadet etw. down,
    er hat etw. downgeloadet   5/0
das **Drama**, *die Dramen*   8/3.3b
    dramatisch   8/2.6a
    drauftreten, er tritt drauf,
    er ist draufgetreten   1/4.3a
der **Dreck**   7/2.3a
    dringend   9/4.7a
    drucken (etw.), er druckt etw.,
    er hat etw. gedruckt   5/4.3b

E

    eben   5/4.3b
    ebenso   7/1.2a
    echt   4/4.1b
    edel   12/4.1
der **Ehering**, *die Eheringe*   2/0
    ehrlich   6/4.5a
das **Eierklopfen**   10/2.1a
das **Eierwerfen**   10/2.1a
    eigene   7/5.1b
    eigentlich   7/2.1b
der **Eimer**, *die Eimer*   10/4.1a
    eincremen (sich), er cremt sich ein,
    er hat sich eingecremt   4/2.5a
    eindeutig   7/1.2a
das **Einkaufszentrum**,
    die Einkaufszentren   7/2.3a
    einladen (zu etw.), er lädt ein,
    er hat eingeladen   1/4.3a
    einräumen, er räumt ein,
    er hat eingeräumt   7/4.2c
    einwerfen, er wirft ein,
    er hat eingeworfen   5/2.1b
der/die **Einwohner/in**,
    die Einwohner/innen   4/3.3
das **Einzelkind**, *die Einzelkinder*   2/1.3
der **Ekel**   11/0
    eklig   11/0

der/die **Elektriker/in**,
    die Elektriker/innen   9/Ü16
der/die **Elektroniker/in für Energie- und**
    Gebäudetechnik, *Elektroniker/innen*
    für Energie- und Gebäudetechnik   9/0
    elektronisch   4/2.1a
die **Elektrotechnik**   1/2.1a
die **Emotion**, *die Emotionen*   4/4.2
    emotional   11/2.1b
das **Ende (zu Ende)**   4/4.1a
    enden, es endet, es hat geendet   8/3.6a
    endlich   7/2.3a
die **Energietechnik**   9/0
der **Energy Drink**,
    die Energy-Drinks   Start 3.3
    englisch   1/4.2
die **Englischkenntnisse**   9/2.1a
der/die **Enkel/in**, *die Enkel/innen*   2/1.1a
das **Enkelkind**, *die Enkelkinder*   2/1.1a
    entfallen, es entfällt,
    es ist entfallen   11/2.3a
    entfernt   1/4.3a
die **Entscheidung**, *die Entscheidungen*   3/4.3a
    entschuldigen (sich für),
    er entschuldigt sich,
    er hat sich entschuldigt   9/4.2
    entspannt   11/0
    entwickeln, er entwickelt,
    er hat entwickelt   12/2.1a
die **Entwicklung**, *die Entwicklungen*   12/2.1b
die **Erbse**, *die Erbsen*   11/2.1
die **Erdbeermarmelade**,
    die Erdbeermarmeladen   12/4.4a
    erfahren   12/4.1
die **Erfahrung**, *die Erfahrungen*   11/3.1a
    erfinden, er erfindet,
    er hat erfunden   12/1.2
der/die **Erfinder/in**, *die Erfinder/innen*   12/1
die **Erfindernation**,
    die Erfindernationen   12/2.1b
die **Erfindung**, *die Erfindungen*   12/0
der **Erfolg**, *die Erfolge*   1/0
    erfolgreich   11/2.1b
    erforschen, er erforscht,
    er hat erforscht   8/3.3b
    erfreut   4/4.2
die **Erholung**   4/2.1a
    erinnern (sich an etw.),
    etw. erinnert (mich) an etw.
    etw. hat mich an etw. erinnert   1/4.3a
    erkennen, er erkennt,
    er hat erkannt   11/0

erlauben, er erlaubt, er hat erlaubt	12/2.1b	
das **Erlebnis**, die Erlebnisse	8/1	
erledigen, er erledigt, er hat erledigt	7/4.1b	
die **Ermäßigung**, die Ermäßigungen	8/2.4a	
ernst	6/4.5a	
die **Ernte**, die Ernten	10/2.1a	
erschrecken (sich), er erschreckt sich, er hat sich erschrocken	11/0	
erwarten, er erwartet, er hat erwartet	11/2.1a	
erzählen, er erzählt, er hat erzählt	4/4.1b	
etwa	2/3.1b	
europäisch	Start 1	
das *Examen*, die Examen	1/0	
die *Ex-Frau*, die Ex-Frauen	6/4.5a	
der *Ex-Mann*, die Ex-Männer	6/4.5a	
der/die *Experte/Expertin*, die Experten/Expertinnen	6/4.5a	
der *Exporthit*, die Exporthits	10/1.2a	
der *Extrakarton*, die Extrakartons	7/4.1a	

F

die *Fabrikhalle*, die Fabrikhallen	9/0	
das *Fach*, die Fächer	9/3.2b	
der/die *Facharbeiter/in*, die Facharbeiter/innen	9/3.5a	
die **Fahrkarte**, die Fahrkarten	3/2.1b	
der **Fahrplan**, die Fahrpläne	3/2.4	
der **Fahrschein**, die Fahrscheine	3/2.3	
der **Fall**	8/1	
fantasiereich	1/0	
fantastisch	8/2.1a	
färben, er färbt, er hat gefärbt	10/5.1a	
der **Fasching**	10/1.2a	
das *Fass*, die Fässer	6/2.4a	
die **Fastnacht/Fasnacht**	10/1.2a	
faszinieren	1/2.1a	
die **Feier**, die Feiern	10/0	
das **Feld**, die Felder	9/0	
die *Fernbedienung*, die Fernbedienungen	12/0	
der *Fernbus*, die Fernbusse	3/2.3	
das *Fernsehen*	1/4.3	
das **Fest**, die Feste	4/3.1	
feste	10/2.3	
das *Festival*, die Festivals	8/0	
feststehen, es steht fest, es hat festgestanden	8/1	

das **Feuer**, die Feuer	10/4.1a	
feuerfest	12/1.2	
das *Feuerwerk*, die Feuerwerke	10/2.1a	
die **Figur**, die Figuren	10/5.1a	
das *Filmfestival*, die Filmfestivals	11/2.5a	
der *Filmpreis*, die Filmpreise	11/2.5a	
der/die *Filmschauspieler/in*, die Filmschauspieler/innen	11/2.5a	
der *Filmstar*, die Filmstars	9/3.1	
die *Filtertüte*, die Filtertüten	12/2.5c	
die **Firma**, die Firmen	1/2.1a	
die **Fitness**	4/1.3a	
flach	12/1.2	
flaumig	12/4.1	
die *Flexibilität*	9/2.1a	
die *Fliege*, die Fliegen	6/3.3a	
das *Fließband*, die Fließbänder	12/2.1a	
die **Flöte**, die Flöten	11/3.2a	
der **Flug**, die Flüge	1/0	
das *Flughafenpersonal*	7/3.1	
das **Flugzeug**, die Flugzeuge	6/3.2b	
der *Flüssigkeitskristallbildschirm*, die Flüssigkeitskristallbildschirme	12/2.1b	
der *Flyer*, die Flyer	3/1.1	
die **Folge**, die Folgen	10/0	
folgende	8/1	
die **Form (etw. in Form bringen)**, er bringt etw. in Form, er hat etw. in Form gebracht	4/1.3a	
formen, er formt, er hat geformt	12/3.1	
der/die *Forscher/in*, die Forscher/innen	11/2.3a	
die *Forschung*	4/2.1a	
das *Forschungslabor*, die Forschungslabore	12/1.2	
das *Forschungsprojekt*, die Forschungsprojekte	11/0	
fortsetzen (sich), etw. setzt sich fort, etw. hat sich fortgesetzt	4/2.1a	
die **Fortsetzung**, die Fortsetzungen	10/2.5	
die **Freizeitaktivität**, die Freizeitaktivitäten	4/2.1a	
das *Freizeitangebot*, die Freizeitangebote	4/2.1a	
fremd	2/3.1b	
die *Fremdsprachenkenntnisse*	9/2.1b	
die **Freude (jmdm. eine Freude machen)**, er macht ihr eine Freude, er hat ihr eine Freude gemacht	6/4.2a	
die **Freundlichkeit**	11/0	
die **Freundschaft**, die Freundschaften	11/Ü6a	

froh	9/0
fröhlich	8/2.6a
führen (ein Telefonat führen),	
er führt ein Telefonat,	
er hat ein Telefonat geführt	5/0
führen (Regie führen),	
er führt Regie, er hat Regie geführt	11/2.6
der **Führerschein**, die Führerscheine	9/2.1a
füllen, er füllt, er hat gefüllt	12/4.6b
die *Füllung*, die Füllungen	12/4.6b
die *Funktion*, die Funktionen	5/2.4a
furchtbar	4/4.1b
die *Fußballnationalmannschaft*,	
die Fußballnationalmannschaften	Start 3.3
der/die **Fußgänger/in**,	
die Fußgänger/innen	Start 1.1b

G

die **Gabel**, die Gabeln	6/2.7
die *Garantie*, die Garantien	5/5.3b
die *Gardine*, die Gardinen	10/4.1a
der *Gartenbauverein*,	
die Gartenbauvereine	4/3.3
der/die *Gastarbeiter/in*,	
die Gastarbeiter/innen	1/0
die **Gaststätte**, die Gaststätten	2/2.9a
geb. (= geboren)	11/2.5a
die *Gebärdensprache*,	
die Gebärdensprachen	11/3.1a
die *Gebäudetechnik*	9/0
geben	
(Das gibt's doch gar nicht!)	4/4.1b
geboren (sein), er ist geboren	Start 3.3
die **Geburt**, die Geburten	8/3.3b
die *Geburtstagsfeier*,	
die Geburtstagsfeiern	2/2.9a
das **Gedicht**, die Gedichte	8/3.3b
gefährlich	11/2.1b
das **Gefühl**, die Gefühle	1/0
gefühlsblind	11/0
der/die *Gefühlsblinde*,	
die Gefühlsblinden	11/0
geheim	12/3.4a
das **Geheimnis**, die Geheimnisse	12/4.1
geheimnisvoll	1/4.3a
gehen (um etw.), es geht um etw.,	
es ging um etw.	6/4.5a
gehören (jmdm.), es gehört ihm,	
es hat ihm gehört	1/4.2
gehörlos	11/3.1a
der/die *Gehörlose*, die Gehörlosen	11/3.1a
die *Geige*, die Geigen	8/2.1a
der **Geist**, die Geister	10/1.2a
gelangweilt	4/4.2
gelassen	7/5.2a
gelten, es gilt, es hat gegolten	8/3.3b
gemeinsam	11/2.1b
das *Genie*, die Genies	8/3.3
genießen, er genießt,	
er hat genossen	12/4.1
genug	6/4.6a
gerade	1/4.3a
das **Gerät**, die Geräte	12/1.2
das **Gericht**, die Gerichte	1/0
Gern geschehen	8/2.4a
gern: am liebsten	4/2.2
der **Geruch**, die Gerüche	1/4.3a
gescheit	7/5.2a
Geschichte	9/3.2b
die **Geschichte**, die Geschichten	2/4.4a
geschieden	2/1.3
das **Geschirr**	7/4.2c
die **Geschwister** (Pl.)	2/0
das **Gesicht**, die Gesichter	11/0
der *Gesichtsausdruck*,	
die Gesichtsausdrücke	11/0
gesperrt	8/1
der *Gespritzte*, die Gespritzten	6/3.3a
die **Geste**, die Gesten	11/0
das *Gewächshaus*, die Gewächshäuser	9/0
das **Gewicht**, die Gewichte	6/4.5c
gewinnen, er gewinnt,	
er hat gewonnen	4/4.3a
das *Gewürz*, die Gewürze	12/3.4a
das **Gleis**, die Gleise	3/2.6
glücklicherweise	7/4.4
der **Glückwunsch**, die Glückwünsche	2/2.10
die *Glühbirne*, die Glühbirnen	12/0
der *Goldring*, die Goldringe	5/5.5
googeln, er googelt,	
er hat gegoogelt	5/3.3a
das *Grammophon*, die Grammophone	5/0
gratis	1/3.1
gratulieren, er gratuliert,	
er hat gratuliert	10/Ü7c
der/die *Grieche/Griechin*,	
die Griechen/Griechinnen	1/0
griechisch	6/3.3a
grillen, er grillt, er hat gegrillt	7/1.1
die *Grilltomate, die Grilltomaten*	6/2.4a
die *Großbäckerei, die Großbäckereien*	9/0
die **Großmutter**, die Großmütter	2/2.3
der/die *Großstädter/in*,	
Großstädter/innen	7/1.2a

der **Großvater**, die Großväter 1/0
der **Grund**, die Gründe 1/0
gründen, er gründet,
er hat gegründet 7/5.1b
die **Gründung**, die Gründungen 12/3.2
Grüß Gott! Start 3.1a
die *Gulaschsuppe*, die Gulaschsuppen 6/2.4a
das **Gymnasium**, die Gymnasien 1/0

H

haften (für), *er haftet,*
er hat gehaftet 9/3.6c
die **Hälfte**, die Hälften 2/3.1b
Halloween 10/1
das *Halloween-Symbol*,
die Halloween-Symbole 10/1.2a
halt 7/5.2a
haltbar 12/2.1b
halten (einen Vortrag halten),
er hält einen Vortrag,
er hat einen Vortrag gehalten 8/3.3a
halten, er hält, er hat gehalten 7/4.2a
die *Handarbeit*, die Handarbeiten 12/4.1
die *Handcreme*, die Handcremes 3/0
der **Handel** 9/Ü5a
handeln (von), es handelt von,
es hat gehandelt von 11/2.2b
die *Handlung*, die Handlungen 11/2.1b
das *Handwerk*, die Handwerke 9/0
häufig 5/3.1
die *Hauptmahlzeit*,
die Hauptmahlzeiten Start 3.3
die **Hausapotheke**,
die Hausapotheken 7/4.2c
die **Hausarbeit**, die Hausarbeiten 2/3.1b
hausgemacht 12/4.1
der *Hausrat* 7/4.1a
das *Haustier*, die Haustiere
der *Heilige Abend* 10/2.1a
heimelig 1/4.3a
der *Heimtrainer*, die Heimtrainer 5/5.5
das **Heimweh** 2/3.1b
heiraten, er heiratet,
er hat geheiratet 1/2.5
hektisch 4/2.1a
der/die Helfer/in, die Helfer/innen 7/4.1a
die *Herausforderung*,
die Herausforderungen 1/0
der **Herbst** 10/1.3
herrlich 1/0
herstellen, er stellt her,

er hat hergestellt 12/3.4a
die **Herstellung**,
die Herstellungen 12/3.1
herunterladen, er lädt herunter,
er hat heruntergeladen 5/4.1
herzlich 2/2.9a
Herzlichen Glückwunsch! 2/2.10
hin 3/2.1b
hineinstellen, er stellt hinein,
er hat hineingestellt 10/1.2a
die **Hinfahrt**, die Hinfahrten 3/2.3
der **Hinflug**, die Hinflüge 3/2.2a
hingehen, er geht hin,
er ist hingegangen 6/0
hinten 2/1.1a
hinter 2/1.1a
hinterlassen, er hinterlässt,
er hat hinterlassen 9/4.6
hoch 1/4.1b
die **Hochzeit**, die Hochzeiten 2/0
höflich 9/2.1a
die **Höflichkeit** 9/4
das **Holz**, die Hölzer Start 1
der **Humor** 11/2.1b
humorvoll 11/2.1b
hunderte 3/4.1b
hüten, er hütet, er hat gehütet 12/4.1

I

ideal 7/3.1
ignorieren, er ignoriert,
er hat ignoriert 10/3.6a
imitieren, er imitiert,
er hat imitiert 9/2.3c
importieren, er importiert,
er hat importiert 12/3.1
der/die Industriekaufmann/
Industriekauffrau,
die Industriekaufmänner/
die Industriekauffrauen 9/2.3a
die *Informatik* 2/4.1a
der/die Informatiker/in,
die Informatiker/innen 5/3.2
der **Inhalt**, die Inhalte 7/4.1a
inklusive 2/3.1b
die **Innenstadt**, die Innenstädte Start 2.3b
die *Innovation*, die Innovationen 12/1
innovativ 12/2.1b
insgesamt 4/1.3a
die *Institution*, die Institutionen 8/1
der *Intensivkurs*, die Intensivkurse 1/0

der **Intercity**, die Intercitys 1/4.1a
das **Interesse**, die Interessen 4/2.2
das **Internet** 4/2.1a
der **Internetanschluss**,
   die Internetanschlüsse 11/3.3a
der/die **Internet-Flirter/in**,
   die Internet-Flirter/innen 6/4.5a
das **Internetforum**, *die Internetforen* 5/3.3a
der/die **Internetkäufer/in**,
   die Internetkäufer/innen 5/3.1
das **Interview**, die Interviews 2/2.6
der/die **Interviewpartner/in**,
   die Interviewpartner/innen 5/3.2
die **Intonation** 9/4.2
der/die **Italiener/in**, *die Italiener/innen* 1/0
   italienisch 1/3.2

J

der/die **Jäger/in**, *die Jäger/innen* 11/2.3b
die **Jahreszahl**, die Jahreszahlen 8/1.3a
das **Jahrhundert**, die Jahrhunderte 12/1
   japanisch 1/4.1a
das **Japanisch** 4/4
   jobben, er jobbt, er hat gejobbt 9/0
der/die **Journalist/in**,
   die Journalisten/Journalistinnen 6/3.3a
der/die **Jugendliche**, die Jugendlichen 9/3.2b
   jung 1/0
der **Jüngste**, die Jüngsten 7/2.3a
   Jura 8/3.3b

K

der **Kaffeefilter**, *die Kaffeefilter* 12/1
die **Kakaobohne**, die Kakaobohnen 12/3.1
die **Kalenderfunktion**,
   die Kalenderfunktionen 5/2.4a
die **Kaltmiete** 7/3.1
die **Kamelle**, *die Kamellen* 10/2.1a
der **Kameramann**,
   die Kameramänner 11/2.9a
die **Kaninchenzucht**,
   die Kaninchenzuchten 4/3.3
der **Kaninchenzuchtverein**,
   die Kaninchenzuchtvereine 4/3.3
der **Kapitän**, *die Kapitäne* 9/3.1
   kaputtgehen, es geht kaputt,
   es ist kaputtgegangen 10/5.1a
das **Karat** 5/5.5
der **Karneval**, die Karnevale/Karnevals 10/1
das **Karnevalskostüm**,
   die Karnevalskostüme 10/2.3

die **Karriere**, die Karrieren 9/0
die **Kartoffel**, die Kartoffeln 11/2.4a
die **Kartoffelkrokette**,
   die Kartoffelkroketten 6/2.4a
der **Karton**, *die Kartons* 7/4.1a
das **Käse-Fondue**, *die Käse-Fondues* 6/3.5b
der **Kassenzettel**, *die Kassenzettel* 5/5.3b
der **Katalog**, die Kataloge 3/1.1
die **Katastrophe**, die Katastrophen 4/4.1b
der/die **Kaufmann/Kauffrau**,
   die Kaufmänner/Kauffrauen 9/2.1a
der/das **Kaugummi**, *die Kaugummis* 3/0
   kaum 7/2.1b
die **Kaution (KT)**, *die Kautionen* 7/3.1
der **Keks**, *die Kekse* 3/3.2
der/die **Kellner/in**,
   die Kellner/innen Start 3.1a
   kenianisch 4/1.3a
die **Kenntnis**, die Kenntnisse 9/2.1a
die **Kerze**, die Kerzen 10/1.2a
die **Kichererbse**, *die Kichererbsen* 1/4.3a
der **Kilometer**, die Kilometer Start 1
die **Kindererziehung** 2/3.1b
der **Kiosk**, die Kioske 8/3.1a
der **Klang**, *die Klänge* 1/4.3a
   klasse 8/2.1b
die **Klasse**, die Klassen 3/2.1b
das **Klavier**, die Klaviere 7/4.5a
   kleben, er klebt, er hat geklebt 5/2.1a
die **Kleinstadt**, *die Kleinstädte* 7/1.2a
der **Klettverschluss**, *die Klettverschlüsse* 12/1
der **Klick**, *die Klicks* 5/3.3a
   klingen (nach etw.), *es klingt,*
   es hat geklungen 1/4.3a
   knapp 11/3.1a
die **Kneipe**, die Kneipen 6/4.5a
der **Knoblauch** 6/3.5b
der **Knutschfleck**, *die Knutschflecken* 10/3.2a
die **Kochschokolade** 12/4.4a
   koffeinfrei 3/3.3
die **Kokosnuss**, *die Kokosnüsse* 11/2.3b
die **Komik** 11/2.1b
   komisch 10/Ü16a
der **Kommentar**, *die Kommentare* 11/0
die **Kommunikation**,
   die Kommunikationen 11/0
die **Komödie**, *die Komödien* 11/2.1a
   komplex 1/0
der **Kompromiss**, die Kompromisse 7/2.3a
der/die **Konditor/in**,
   die Konditoren/Konditorinnen 12/4.1

der/die **König/in**,		
die Könige/Königinnen	1/3.2	
konkret	7/1.2a	
der **Kontakt**, die Kontakte	1/2.1b	
die **Kontaktbörse**, *die Kontaktbörsen*	6/4.5a	
der **Kontinent**, die Kontinente	Start 1	
das **Konto**, die Konten	10/Ü10b	
der **Konzern**, *die Konzerne*	1/0	
das **Konzert (ein Konzert geben)**,		
er gibt ein Konzert,		
er hat ein Konzert gegeben	8/2.1a	
der/die **Kooperationspartner/in**,		
die Kooperationspartner/innen	1/0	
koordinieren, *er koordiniert*,		
er hat koordiniert	9/2.1a	
der **Kopfhörer**, *die Kopfhörer*	4/0	
die **Körpersprache**	9/4.2	
kostenlos	2/3.1b	
köstlich	12/4.1	
das **Kostüm**, die Kostüme	10/2.1a	
krank	10/4.3	
kränken, *er kränkt*,		
er hat gekränkt	10/3.2a	
die **Kräuter** *(Pl.)*	12/3.1	
die **Krawatte**, *die Krawatten*	10/3.1a	
kreativ	12/2.1b	
die **Kreditkarte**, die Kreditkarten	Start 3.3	
die **Kreditkartennummer**,		
die Kreditkartennummern	5/3.1	
der **Krimi**, die Krimis	11/2.1a	
die **Krise**, die Krisen	1/0	
die **Küchenhilfe**, die Küchenhilfen	6/3.2a	
der **Kuckuck**, *die Kuckucks*	5/5.3b	
die **Kuh**, *die Kühe*	1/4.2	
kühl	12/2.1b	
kühlen, er kühlt, er hat gekühlt	7/4.2a	
die **Kühlmaschine**,		
die Kühlmaschinen	12/2.1b	
die **Kühlung**, *die Kühlungen*	12/2.1a	
kulturell	7/2.1b	
kümmern (sich um etw./jmdn.),		
er kümmert sich um etw.,		
er hat sich um etw. gekümmert	4/3.3	
der **Kürbis**, die Kürbisse	10/1.2a	
die **Kurzmeldung**, *die Kurzmeldungen*	2/4.5b	
der **Kuss**, die Küsse	10/3.1a	
die **Kuvertüre**, *die Kuvertüren*	12/4.1	

L

das **Labor**, *die Labore*	9/0	
der **Laden**, *die Läden*	5/3.1	
die **Lage**, die Lagen	7/3.1	

das **Lamm**, *die Lämmer*	10/5.1a	
der **Landfrauenverein**,		
die Landfrauenvereine	7/2.3a	
das **Landleben**	7/0	
die **Landluft**	7/1	
der **Lärm**	7/2.1a	
lassen (allein lassen), *er lässt allein*,		
er hat allein gelassen	10/4.1a	
der/die **Läufer/in**, *die Läufer/innen*	4/1.3a	
lauten, *es lautet*, *es hat gelautet*	1/4.3a	
lautstark	7/5.1b	
das **LCD-Display**, *die LCD-Displays*	12/2.3	
das **Leben (mitten im Leben stehen)**,		
er steht im Leben,		
er hat im Leben gestanden	11/3.1a	
der **Lebenslauf**, die Lebensläufe	9/0	
der/die **Lebenspartner/in**,		
die Lebenspartner/innen	1/2.4	
die **Leckerei**, *die Leckereien*	10/1.2a	
ledig	2/1.3	
legen, er legt, er hat gelegt	11/2.8b	
das **Lehrwerk**, *die Lehrwerke*	11/3.1a	
leise	8/2.6a	
die **Leistung**, die Leistungen	9/Ü11a	
der/die **Lerner/in**, die Lerner/innen	11/3.1a	
die **Lesung**, *die Lesungen*	6/0	
letzter	2/1.1a	
liebevoll	8/3.6a	
der/die **Lieblingskomponist/in**,		
die Lieblingskomponisten/		
Lieblingskomponistinnen	8/2.1a	
das **Lied**, die Lieder	7/5.2b	
liken, *er liket*, *er hat geliket*	5/3.3a	
die **Lippe**, die Lippen	7/2.2a	
der/die **Lippendolmetscher/in**,		
die Lippendolmetscher/innen	11/3.1a	
das **Lippenlesen**	11/3.1a	
die **Literatur**, *die Literaturen*	1/0	
der **LKW (Lastkraftwagen)**,		
die LKWs (Lastkraftwagen)	7/4.1a	
der **Löffel**, die Löffel	6/2.7	
das **Logo**, *die Logos*	4/3.1	
lohnen (sich), es lohnt sich,		
es hat sich gelohnt	8/1	
löschen (etw.), *er löscht etw.*,		
er hat etw. gelöscht	5/4.3b	
lösen, er löst, er hat gelöst	12/2.1b	
die **Lösung**, die Lösungen	8/2.1a	
das **Lotto**	4/4.3a	
der **Lottoschein**, *die Lottoscheine*	10/3.6a	
die **Luftmatratze**, *die Luftmatratzen*	10/2.4b	
die **Luftverschmutzung**	7/1.1	

lustig	1/4.3a

M

die **Mail**, die Mails	5/1.2
die **Mailbox**, die Mailboxen	5/4.3b
mailen, er mailt, er hat gemailt	5/3.3a
das **Mal**, die Male	8/1.2
malen, er malt, er hat gemalt	4/3.2b
der **Marathon**, die Marathons	4/1.1
die **Marillenmarmelade**,	
die Marillenmarmeladen	12/4.1
markenrechtlich	12/4.1
das **Marketing**	1/0
der/die **Marketing-Experte/Expertin**,	
die Marketing-Experten/Expertinnen	1/0
der **Maschinenbau**	1/2.1a
die **Maske**, die Masken	10/0
die **Mathematik**	8/3.3b
mathematisch	11/3.1a
die **Matratze**, die Matratzen	10/3.2a
der **Maulwurf**, die Maulwürfe	3/4.3a
der/die **Maurer/in**, die Maurer/	
Maurerinnen	9/2.1a
der **Mausklick**, die Mausklicks	6/4.5a
maximal	2/3.1b
der/die **Mechaniker/in**,	
die Mechaniker/innen	9/0
die **Medien** (Pl.)	8/2.1a
die **Medienwelt**	4/2.1a
die **Medizin**	12/3.1
das **Mehl**, die Mehle	6/3.5a
die **Meise**, die Meisen	3/4.3a
meist	3/2.3
die **Menge (eine Menge Spaß haben)**,	
er hat eine Menge Spaß,	
er hatte eine Menge Spaß	6/0
die **Messe**, die Messen	10/5.1a
der **Messeausweis**, die Messeausweise	3/1.1
das **Messer**, die Messer	6/2.7
das **Metall**, die Metalle	Start 1.1b
die **Miete**, die Mieten	Start 2.3b
das **Mietshaus**, die Mietshäuser	7/2.1b
die **Migration**	1/0
die **Mikrowelle**, die Mikrowellen	12/0
mindestens	4/3.3
die **Mineralogie**	8/3.3b
die **Mischung**, die Mischungen	7/5.1b
Mit freundlichen Grüßen	9/2.3b
der/die **Mitarbeiter/in**,	
die Mitarbeiter/innen	1/0

der/die **Mitbewohner/in**,	
die Mitbewohner/innen	Start 3.3
mitbringen, er bringt mit,	
er hat mitgebracht	2/2.9a
mitmachen, er macht mit,	
er hat mitgemacht	1/4.3
mitnehmen, er nimmt mit,	
er hat mitgenommen	10/1.2a
mitorganisieren, er organisiert mit,	
er hat mitorganisiert	6/3.1b
mitreißend	11/2.1b
mitspielen, er spielt mit,	
er hat mitgespielt	11/2.5a
die **Mitteilung**, die Mitteilungen	5/2.4b
das **Mittelalter**	Start 1
mitten	11/3
mobil	1/0
die **Mobilität**	9/2.1a
möbliert	7/3.1
möglich	1/4.2
die **Möglichkeit**, die Möglichkeiten	7/2.1b
Moin Moin	Start 3.3
montags	8/2.1a
der **Motor**, die Motoren	Start 2.3b
das **MP3**, die MP3s	5/0
der **MP3-Player**, die MP3-Player	5/0
der **Müll**	10/3.1a
der **Mülleimer**, die Mülleimer	10/3.1a
das **Mus**	12/3.4a
das **Musical**, die Musicals	8/0
der/die **Musiker/in**, die Musiker/innen	8/2.1a
das **Musikstück**, die Musikstücke	11/3.1a
das **Muss**	1/2
mutig	11/Ü6a

N

nach Hause	4/2.5a
nachmittags	Start 2.3a
der **Nachname**, die Nachnamen	8/2.4a
die **Nachricht**, die Nachrichten	3/3.1a
die **Nachrichten** (Pl.)	11/3.1a
das **Nachrichtenmagazin**,	
die Nachrichtenmagazine	1/0
nachschlagen, er schlägt nach,	
er hat nachgeschlagen	9/3.7
der **Nachteil**, die Nachteile	7/2.1a
der **Nagel (etw. an den Nagel hängen)**,	
er hängt etw. an den Nagel,	
er hat etw. an den Nagel gehängt	11/2.1b
nahe	7/1.2a

die	**Nähmaschine**, die Nähmaschinen	12/0
	nämlich	1/4.2
das	**Nasenspray**, die Nasensprays	7/4.3
die	**Nebenkosten (NK)** (Pl.)	7/3.1
die	**Nebenrolle**, die Nebenrollen	11/2.5a
der	**Neffe**, die Neffen	2/2.1b
	negativ	11/1.2
	nennen, er nennt, er hat genannt	1/0
	neongrün	10/2.4b
	nervig	7/2.3a
	nervös	11/0
das	**Netz**, die Netze	5/3.1
der	**Neubau**, die Neubauten	3/4.1b
	neugierig	8/2.1a
	neutral	Start 3.3
der	**Newsletter**, die Newsletter	1/3.1
die	**Nichte**, die Nichten	2/2.1b
	nichts	4/4.2
	niemand	4/3.3
	nominieren, er nominiert, er hat **nominiert**	11/2.5a
	normalerweise	11/0
die	**Note**, die Noten	11/3.1a
das	**Notebook**, die Notebooks	5/0
der	**Notenständer**, die Notenständer	4/0
	notieren, er notiert, er hat notiert	9/4.7a
	nötig	12/2.1b
die	**Notiz**, die Notizen	3/2.7
die	**Nummer**, die Nummern	4/2.1a
die	**Nuss**, die Nüsse	6/3.5a
	nutzen, er nutzt, er hat genutzt	5/2.4a
	nützlich	1/4
die	**Nutzung**	12/2.1b

O

	ob	3/4.3a
	offen	8/2.1a
das	**Öl**, die Öle	12/4.4a
der	**Oldtimer**, die Oldtimer	2/1.2a
die	**Oma**, die Omas	2/1.1a
der	**Onkel**, die Onkel	2/2.3
das	**Online-Einkaufen**	5/3.2
der	**Opa**, die Opas	2/1.1a
	ordentlich	9/Ü5c
die	**Ordnung**	2/3.1b
die	**Organisation**, die Organisationen	6/3.1b
	orientalisch	Start 1
die	**Orientierung**	11/2.1b
das	**Original**, die Originale	12/4.6b
das	**Osterei**, die Ostereier	10/0
der	**Osterhase**, die Osterhasen	10/0
	österreichisch	6/2.6

P

	paar (ein paar)	1/0
das	**Paket**, die Pakete	10/Ü11a
das	**Parfüm**, die Parfüms	10/3.4
	parken, er parkt, er hat geparkt	9/3.6c
das	**Parkett**, die Parkette/Parketts	8/2.4a
der	**Parkplatz**, die Parkplätze	7/4.1a
der/die	**Partner/in**, die Partner/innen	2/1.3
das	**Partnerprofil**, die Partnerprofile	6/4.6a
die	**Partnersuche**, die Partnersuchen	6/4.5a
der	**Partyschlager**, die Partyschlager	7/5.1b
	passend	5/3.1
das	**Passwort**, die Passwörter	5/2.3
das	**Patent**, die Patente	12/2.1b
das	**Patentamt**, die Patentämter	12/2.3
	peinlich	4/4.1b
	per	5/3.3a
	perfekt	9/Ü12
	perfektionieren, er perfektioniert, er hat perfektioniert	12/4.1
	persönlich	9/2.3a
	persönliche Daten	9/2.3a
das	**Pflaster**, die Pflaster	7/4.2a
die	**Pflaume**, die Pflaumen	12/3.4a
die	**Pflege**	9/2.1a
der/die	**Pflegehelfer/in**, die Pflegehelfer/innen	9/2.1a
der/die	**Physiker/in**, die Physiker/innen	12/1.2
das	**Picknick**, die Picknicke	10/5.1a
das	**Pilates**	4/2.1a
der	**Pinsel**, die Pinsel	4/0
der	**PKW**, die PKWs	9/2.1a
	planmäßig	3/2.1b
die	**Planung**, die Planungen	6/3.1b
der	**Platz**, die Plätze	8/2.4a
die	**Platzkarte**, die Platzkarten	3/2.7
das	**Plus**	1/2
	plus	7/3.1
der	**Pluspunkt**, die Pluspunkte	7/1.2a
die	**Politik**	4/2.3
	populär	1/2.1a
das	**Portemonnaie**, die Portemonnaies	3/0
die	**Portion**, die Portionen	1/4.2
der/die	**Portugiese/Portugiesin**, die Portugiesen/Portugiesinnen	1/3.2
das	**Portugiesisch**	Start 2.1d
	portugiesisch	6/2.6
	positiv	11/1.2
die	**Post**	5/2.1a
	posten, er postet, er hat gepostet	5/3.3a
die	**Postkarte**, die Postkarten	3/1.1
	prächtig	10/5.1a

das **Praktikum**, die Praktika		1/0
der **Praktikumsplatz**,		
die Praktikumsplätze		9/3.5d
praktisch		5/3.2
präsentieren, er präsentiert,		
er hat präsentiert		9/2.2b
der/die **Präsident/in**,		
die Präsidenten/Präsidentinnen		1/3.3
der **Preis**, die Preise		3/2.1 c
preisgünstig		8/2.4a
die **Prinzessin**, *die Prinzessinnen*		10/1.2a
das **Privatgrundstück**,		
die Privatgrundstücke		9/3.6c
der **Privatunterricht**		11/3.1a
das **Problem**, die Probleme		12/1.2
das **Produkt**, die Produkte		6/3.1a
die **Produktion**, die Produktionen		12/1.2
die **Produktionsmethode**,		
die Produktionsmethoden		12/3.1
der **Produktionsstandort**,		
die Produktionsstandorte		12/3.1
die **Produktqualität**,		
die Produktqualitäten		6/3.1b
der/die **Professor/in**,		
die Professoren/Professorinnen		12/2.1b
der **Profi**, die Profis		8/2.1a
das **Profil**, *die Profile*		6/4.6a
Prosit Neujahr!		10/2.1a
der **Prozess**, *die Prozesse*		12/3.1
die **Prozession**, *die Prozessionen*		10/5.1a
das **Publikum**		8/2.1a
die **Pusteblume**, *die Pusteblumen*		1/4.3a
pusten, er pustet, er hat gepustet		1/4.3a
putzen, er putzt, er hat geputzt		4/4.1a

Q

die **Qualifikation**, die Qualifikationen		9/2.1a
die **Qualität**, die Qualitäten		6/3.1a
der **Quatsch**		1/4.3a
die **Querflöte**, *die Querflöten*		4/0
das **Quiz**, die Quizze		Start 0

R

das **Radfahren**		7/1.1
der **Radsport**		4/3.3
rascheln, *es raschelt,*		
es hat geraschelt		1/4.3a
rasieren (sich), er rasiert sich,		
er hat sich rasiert		4/2.5a
raten, er rät, er hat geraten		6/4.5a
das **Rätsel**, *die Rätsel*		2/4.1a

der **Raum**, die Räume		10/1.2a
reagieren (auf etw.),		
er reagiert auf etw.,		
er hat auf etw. reagiert		2/4.2a
realistisch		6/4.5a
recherchieren, *er recherchiert,*		
er hat recherchiert		3/2.1c
das **Recht**, die Rechte		8/3.3c
die **Redaktion**, *die Redaktionen*		8/2.1a
reden, er redet, er hat geredet		4/4.2
der **Refrain**, *die Refrains*		7/5.1b
regelmäßig		4/2.1a
der **Regenschirm**, die Regenschirme		3/0
die **Region**, *die Regionen*		8/1
der/die **Regisseur/in**,		
die Regisseure/Regisseurinnen		11/2.1b
die **Reihenfolge**, die Reihenfolgen		7/4.2b
rein		12/4.1
reinigen, er reinigt, er hat gereinigt		7/4.2a
die **Reise**, die Reisen		3/2.4
die **Reise (auf Reisen)**		8/2.1a
*das **Reiseangebot**, die Reiseangebote*		5/3.1
*der **Reiseführer**, die Reiseführer*		3/0
reisen, er reist, er ist gereist		1/0
der **Reisepass**, die Reisepässe		3/0
*der **Reißverschluss**, die Reißverschlüsse*		12/0
reiten, *er reitet, er ist geritten*		4/1.1
das **Reitturnier**, *die Reitturniere*		4/3.3
die **Reklamation**, *die Reklamationen*		5/5.3
reklamieren, *er reklamiert,*		
er hat reklamiert		5/5.3b
der **Rekord**, *die Rekorde*		1/4
renovieren, *er renoviert,*		
er hat renoviert		4/3.1
der/die **Rentner/in**, die Rentner/innen		8/2.4a
die **Reservierung**, die Reservierungen		3/2.3
die **Restaurant-Kette**,		
die Restaurant-Ketten		6/3.1b
der/die **Restaurantkritiker/in**,		
die Restaurantkritiker/innen		6/3.3a
der/die **Restaurantmanager/in**,		
die Restaurantmanager/innen		6/3.2b
die **Revolution**, *die Revolutionen*		12/1.2
die **Rhababermarmelade**,		
die Rhabarbermarmeladen		1/4.3a
richtig		12/3.4a
der **Ring**, die Ringe		10/3.5
der **Ritter**, *die Ritter*		11/2.3b
die **Rockmusik**		7/5.1b
die **Rolle**, die Rollen		11/2.5a
der **Roman**, die Romane		8/3.3b

der **Romanheld**, *die Romanhelden*	8/3.6a
die **Romantik**	10/4.1a
die **Routine**	12/4.3b
der **Rückflug**, die Rückflüge	3/2.2a
der **Rückruf**, die Rückrufe	9/4.7a
rufen, er ruft, er hat gerufen	7/4.2a
rühren, *er rührt, er hat gerührt*	12/3.1
runden, *er rundet, er hat gerundet*	11/2.7
der **Rundgang**, die Rundgänge	8/2.2c

S

die **Sachbearbeitung**	9/2.3a
saftig	12/4.1
die **Salbe**, die Salben	7/4.2c
salzig	10/5.1a
der/die **Sänger/in**, die Sänger/innen	9/3.1
sauer	11/1.3a
die **S-Bahn**, *die S-Bahnen*	3/4.1
schade	8/2.1a
die **Schallplatte**, *die Schallplatten*	5/0
der **Schatz**, die Schätze
(*hier*: Kosename)	5/2.4b
schauen (aus dem Fenster),
ich schaue aus dem Fenster,
ich habe aus dem Fenster geschaut	3/4.2
der/die **Schauspieler/in**,
die Schauspieler/innen	11/2.5a
schauspielern, *er schauspielert,*
er hat geschauspielert	11/2.6
schenken, er schenkt,
er hat geschenkt	2/2.10
die **Schere**, die Scheren	7/4.3
der **Schichtdienst**, *die Schichtdienste*	9/2.1a
schicken, er schickt,
er hat geschickt	5/2.4a
das **Schicksal**, die Schicksale	11/2.1b
das **Schiff**, die Schiffe	1/3.2
die **Schiffsschraube**, *die Schiffsschrauben*	12/1
Schlagobers	12/4.1
schminken (sich), *sie schminkt sich,*
sie hat sich geschminkt	4/2.5a
der **Schmuck**	10/3.1a
schmücken, er schmückt,
er hat geschmückt	10/5.1a
der **Schneeschuh**, *die Schneeschuhe*	6/2.6
schnell	1/0
die **Schokoladenmasse**	12/3.1
die **Schokoladenproduktion**	12/3.1
der/die Schokoladenproduzent/in,
die Schokoladenproduzenten/
Schokoladenproduzentinnen	12/3.1

die **Schokoladenstatistik**,
die Schokoladenstatistiken	6/2.6
die **Schrift**, die Schriften	11/3.1a
der **Schulabschluss**,
die Schulabschlüsse	9/2.3a
die **Schulausbildung**,
die Schulausbildungen	9/2.3a
schuld (sein), er ist schuld,
er war schuld	11/2.1b
schützen, er schützt,
er hat geschützt	7/4.5a
der **Schwager**, *die Schwager*	2/1.1a
schwedisch	6/2.6
der/die **Schweizer/in**,
die Schweizer/innen	4/1.3a
die **Schwiegereltern** (Pl.)	2/1.1a
die **Schwiegermutter**,
die Schwiegermütter	2/1.1a
der **Schwiegersohn**,
die Schwiegersöhne	2/2.2
die **Schwiegertochter**,
die Schwiegertöchter	2/2.3
schwierig	3/4.3a
das **Schwimmbad**,
die Schwimmbäder	4/2.1a
die **Seefahrt**, *die Seefahrten*	12/1.1c
segeln, *er segelt, er ist gesegelt*	1/3.2
sehbehindert	11/3.2a
sehend	11/3.1a
Sehr geehrte/r ...	9/2.3b
die **Seite**, die Seiten	1/4.3a
der **Sekt**	10/2.1a
selbst	2/3.1b
selbstständig (sich selbstständig
machen), er macht sich selbstständig,
er hat sich selbstständig gemacht	9/0
selten	3/1.4
das **Semester**, die Semester	1/1.1b
senden, er sendet, er hat gesendet	9/2.3b
die **Sendung**, die Sendungen	11/3.1a
die **Serie (in Serie)**	12/2.1b
die **Serienproduktion**,
die Serienproduktionen	12/2.1b
die **Serviceleistung**,
die Serviceleistungen	5/2.4a
servieren, *er serviert, er hat serviert*	1/4.2
setzen, er setzt, er hat gesetzt	11/3.1a
der **Shooting-Star**, *die Shooting-Stars*	11/2.5a
der **Shrimp**, *die Shrimps*	6/2.6
sicher	4/1.3a
die **Sicherheit**	10/4.1a

der **Sieg**, die Siege	4/1.3a
der/die **Sieger/in**, die Sieger/innen	4/1.3a
singen, er singt, er hat gesungen	2/3.1b
der **Sinn**, die Sinne	11/0
die **Situation**, die Situationen	Start 3.1
der **Sitz**, die Sitze	Start 3.3
der/die **Skifreund/in**,	
die Skifreunde/Skifreundinnen	6/2.6
der **Skihelm**, die Skihelme	4/0
das **Skype**	5/3.3a
skypen, er skypt, er hat geskypt	5/3.3a
das **Smartphone**, die Smartphones	3/1.1
die **SMS**	5/2.4a
so genannt	12/3.1
die **Social Media Plattform**,	
die Social Media Plattformen	5/0
die **Socke**, die Socken	10/3.1a
sofort	3/3.3
sogar	2/3.1b
sollen, er soll, er sollte	3/3.1a
sondern	Start 1
die **Sonnenbrille**, die Sonnenbrillen	3/1.1
sonst	7/4.5a
sonstige	2/3.1b
die **Sorge (sich Sorgen machen)**,	
er macht sich Sorgen,	
er hat sich Sorgen gemacht	2/4.1a
die **Soße**, die Soßen	6/3.5b
sozial	4/2.1a
die **Sozialleistung**, die Sozialleistungen	9/2.1a
der/die **Spanier/in**, die Spanier/innen	1/0
spanisch	1/0
spannend	9/2.1a
das **Sparbuch**, die Sparbücher	10/3.2a
sparen, er spart, er hat gespart	4/2.1a
das **Speed-Dating**, die Speed-Datings	6/4.6a
speichern (etw.), er speichert etw.,	
er hat etw. gespeichert	5/4.3b
spezialisieren (sich), er spezialisiert	
sich, er hat sich spezialisiert	6/3.1b
die **Spezialität**, die Spezialitäten	6/3.5b
das **Spiel**, die Spiele	4/4.1a
der **Spieleabend**, die Spieleabende	6/0
der **Spinat**	10/5.1a
die **Spinne**, die Spinnen	4/4.3a
der/die **Sponsor/Sponsorin**,	
die Sponsoren/Sponsorinnen	Start 3.3
spülen, er spült, er hat gespült	2/3.1b
staatlich	1/0
das **Stadtschloss**, die Stadtschlösser	8/2.1a
der **Stadtteil**, die Stadtteile	Start 1.1b
der/die **Stadtführer/in**,	
die Stadtführer/innen	8/3.5
das **Stadtleben**	7/0
der **Stadtplan**, die Stadtpläne	3/1.1
der **Stall**, die Ställe	9/0
stammen, er stammt, er stammte	12/4.6b
der **Stammtisch**, die Stammtische	6/0
der **Standard**, die Standards	6/3.1a
ständig	4/4.2
der **Standort**, die Standorte	12/3.2
starten, er startet, er ist gestartet	8/2.2c
die **Startseite**, die Startseiten	8/2.1a
statt	6/2.4a
der **Stau**, die Staus	Start 2.2c
staubsaugen, er staubsaugt,	
er hat gestaubsaugt	2/3.1b
der **Staubsauger**, die Staubsauger	12/0
das **Steak**, die Steaks	1/4.2
stecken, er steckt, er hat gesteckt	5/2.1a
steigen, es steigt, es ist gestiegen	7/2.1b
steil	11/2.5a
der **Stein**, die Steine	Start 1
die **Stelle**, die Stellen	5/3.1
stellen (Fragen stellen),	
er stellt Fragen,	
er hat Fragen gestellt	11/3.1a
die **Stellenanzeige**, die Stellenanzeigen	9/0
der **Stellplatz**, die Stellplätze	7/3.1
sterben, er stirbt, er ist gestorben	7/Ü14a
die **Sternschnuppe**,	
die Sternschnuppen	1/4.3a
die **Stiftung**, die Stiftungen	4/2.1a
die **Stimme**, die Stimmen	9/4.2
der **Stoff**, die Stoffe	10/2.4c
stolz	2/1.1a
stoßen, er stößt, er hat gestoßen	7/4.4
die **Strecke**, die Strecken	4/1.3a
das **Streichholz**, die Streichhölzer	12/0
der **Streit**, die Streits	7/5.2a
streng	12/4.1
stressig	4/2.1a
die **Studie**, die Studien	4/2.1a
surfen, er surft, er ist gesurft	4/2.7
das **Sushi**, die Sushis	6/3.5b
die **Süßigkeit**, die Süßigkeiten	10/1.2a
die **Sympathie**, die Sympathien	11/0
sympathisch	6/4.5a
die **Systemgastronomie**,	
die Systemgastronomien	6/3.1a
das **Szene-Magazin**,	
die Szene-Magazine	11/2.5a

T

das **Tablet**, *die Tablets*	3/1.1
tabu	6/4.5a
der **Tannenbaum**, die Tannenbäume	10/1.2a
die **Tante**, die Tanten	2/2.1b
der **Tanz**, die Tänze	10/2.1a
das **Taschengeld**	2/3.1b
das **Taschenmesser**, die Taschenmesser	10/3.5
das **Taschentuch**, die Taschentücher	9/4.3
die **Tasse**, die Tassen	3/3.3
die **Taucherbrille**, die Taucherbrillen	4/0
taufen, *er wird getauft, er ist getauft worden*	2/0
das **Team**, die Teams	9/2.1a
die **Teamfähigkeit**	9/2.1a
technisch	9/1.2
die **Technologie**, *die Technologien*	12/1.2
der **Teebeutel**, *die Teebeutel*	12/1
der **Teig**, *die Teige*	12/4.6b
der **Teil**, die Teile	3/4.3a
teilen, er teilt, er hat geteilt	11/0
teilnehmen (an etw.), er nimmt an etw. teil, er hat an etw. teilgenommen	4/2.1a
die **Teilzeit**	9/Ü9
das **Telefonat**, *die Telefonate*	5/0
die **Telefonnummer**, die Telefonnummern	5/2.3
der **Teller**, die Teller	11/2.1b
der **Tennisschläger**, *die Tennisschläger*	4/0
testen (etw.), *er testet etw., er hat etw. getestet*	6/3.3a
der **Teufel**, *die Teufel*	8/3.3b
die **Textiltechnik**	9/0
die **Theaterbühne**, *die Theaterbühnen*	11/2.5a
die **Theaterkasse**, *die Theaterkassen*	6/0
der/die **Tierarzt/Tierärztin**, die Tierärzte/Tierärztinnen	5/5.3b
das **Tischtennis**	4/3.3
der **Titel**, die Titel	1/0
das **Toastbrot**, *die Toastbrote*	6/3.5b
der **Toaster**, *die Toaster*	12/0
der **Tod**	8/3.3b
todkrank	11/2.1b
toi, toi, toi	9/3.4
die **Tomatensuppe**, *die Tomatensuppen*	6/2.5
die **Torte**, die Torten	12/4.1
tot	8/3.6a
die **Tragikomödie**, die Tragikomödien	11/2.1b
tragisch	8/3.6a
der **Traktor**, die Traktoren	7/0
transparent	12/1.2
die **Trauer**	11/0
der/die **Traumprinz/essin**, *die Traumprinzen/Traumprinzessinnen*	6/4.5a
traurig	4/4.2
die **Traurigkeit**	11/0
das **Treffen**, die Treffen	9/4.3
trennen (sich), sie trennen sich, sie haben sich getrennt	11/2.1b
der **Trick**, *die Tricks*	11/2.1b
trocken	10/4.1a
der **Tropfen**, die Tropfen	7/4.3
trotzdem	11/2.1b
tschechisch	6/2.6
das **Tuch**, die Tücher	10/3.2a
tun (etw.), er tut etw., er hat etw. getan	1/2.2a
türkisch	6/3.5a
das **Turnier**, die Turniere	4/3.3
die **TV-Sendung**, *die TV-Sendungen*	11/3.1a

U

übernehmen, *er übernimmt, er hat übernommen*	2/3.1b
die **Überraschung**, die Überraschungen	11/0
übertragen, *er überträgt, er hat übertragen*	11/3.3a
um … zu	12/2.5a
die **Umgangssprache**, *die Umgangssprachen*	1/3.2
der **Umschlag**, *die Umschläge*	5/2.1a
umschulen, *er schult um, er hat umgeschult*	9/3.6b
die **Umschulung**, die Umschulungen	9/0
umsteigen, er steigt um, er ist umgestiegen	3/2.1b
die **Umsteigezeit**, die Umsteigezeiten	3/2.1b
umtauschen (etw.), er tauscht etw. um, er hat etw. umgetauscht	5/5.3b
umziehen (sich), er zieht sich um, er hat sich umgezogen	4/2.5a
umziehen, er zieht um, er ist umgezogen	7/2.1
die **Umzugscheckliste**, *die Umzugschecklisten*	7/4.1a
unangenehm	5/2.1a
unbedingt	8/2.3

ụnbekannt	7/2.1a
der Ụnfall, die Unfälle	7/4.2b
die Ụnfallversicherung,	
die Unfallversicherungen	2/3.1b
ụnfreundlich	9/4.2
der/die Ụngar/in,	
die Ungarn/Ungarinnen	1/0
ụngesund	4/2.7
ụngesüßt	12/4.1
unglaublich	5/5.3b
unglücklich	8/3.3b
ụnheimlich	1/4.3a
ụnhöflich	9/4.2
unterbrẹchen, er unterbricht,	
er hat unterbrochen	9/4.7b
der Ụntergang, die Untergänge	11/2.3b
unterhạlten (sich),	
sie unterhalten sich,	
sie haben sich unterhalten	4/2.1a
die Ụnterkunft, die Unterkünfte	2/3.1b
das Unternẹhmen, die Unternehmen	12/4.1
unternẹhmen, er unternimmt,	
er hat unternommen	8/2.3
der Unterschied, die Unterschiede	11/0
unterschiedlich	10/2.1a
die Ụnterschrift, die Unterschriften	10/3.4
der Ụntertitel, die Untertitel	11/3.1a
ụnwichtig	7/2.6

V

der Vạlentinstag, die Valentinstage	10/0
verạbschieden (sich),	
er verabschiedet sich,	
er hat sich verabschiedet	9/4.7b
die Verạchtung	11/0
verạndern, er verändert,	
er hat verändert	11/2.1b
verạnstalten, er veranstaltet,	
er hat veranstaltet	8/Ü6a
die Verạnstaltung, die Veranstaltungen	8/1
der Verbạnd, die Verbände	7/4.3
verbẹssern, er verbessert,	
er hat verbessert	4/1.3a
verbieten, er verbietet,	
er hat verboten	7/2.4b
verbịnden (sich verbinden lassen),	
er lässt sich verbinden,	
er hat sich verbinden lassen	9/4.7b
die Verbịndung, die Verbindungen	3/2.1b
verbrẹnnen, er verbrennt,	
er hat verbrannt	7/4.2a
verbrịngen, er verbringt,	

er hat verbracht	4/3.3
der Verein, die Vereine	4/3.1
vereinbaren, er vereinbart,	
er hat vereinbart	7/3.2
verfạssen, er verfasst,	
er hat verfasst	8/3.3b
verfeinern, er verfeinert,	
er hat verfeinert	12/4.1
die Verfịlmung, die Verfilmungen	11/2.5a
das Vergẹssen	5/2.1a
der Verkaufshit, die Verkaufshits	12/3.4a
der Verkehr	5/2.4a
das Verkehrsmittel, die Verkehrsmittel	3/1.2
der Verkehrsstau, die Verkehrsstaus	7/1.1
verkleiden (sich), er verkleidet sich,	
er hat sich verkleidet	10/1.2a
verkürzen, er verkürzt,	
er hat verkürzt	7/1.2a
verlạssen, er verlässt, er hat verlassen	1/0
verlẹtzen, er verletzt,	
er hat verletzt	7/4.4
verlieben (sich in), er verliebt sich,	
er hat sich verliebt	8/2.1a
verliebt	11/0
der/die Verliebte, die Verliebten	10/1.2a
verlobt (sein mit), er ist verlobt,	
er war verlobt	8/3.6a
vermieten, er vermietet,	
er hat vermietet	7/3.3
Vermịschtes	5/5.5
vermịssen, er vermisst,	
er hat vermisst	2/4.1a
die Vermịttlung, die Vermittlungen	2/3.1b
veröffentlichen, er veröffentlicht,	
er hat veröffentlicht	12/2.1b
verpạcken, er verpackt,	
er hat verpackt	12/3.1
der/die Verpạcker/in,	
die Verpacker/innen	12/4.1
verpạssen, er verpasst,	
er hat verpasst	Start 2.2a
die Verpflegung	2/3.1b
verreisen, er verreist, er ist verreist	3/4.3a
verrückt	1/4.3a
verschẹnken, er verschenkt,	
er hat verschenkt	5/5.5
verschịcken, er verschickt,	
er hat verschickt	5/2.4a
verschiedene	8/1
verschlafen, er verschläft,	
er hat verschlafen	Start 2.3b
verstẹcken, er versteckt,	

er hat versteckt	10/2.1a
vertreiben, er vertreibt,	
er hat vertrieben	10/1.2a
der/die **Vertreter/in**,	
die Vertreter/innen	8/1
verwenden, er verwendet,	
er hat verwendet	11/2.6
verwitwet	2/1.3
verzichten, er verzichtet,	
er hat verzichtet	3/4.3a
verzweifelt	11/2.1b
die **Videokamera**, die Videokameras	5/3.1
vielleicht	Start 2.3a
vielseitig	11/2.5a
die **Visitenkarte**, *die Visitenkarten*	3/1.1
der **Vogel**, die Vögel	9/2.3c
die **Volkshochschule (VHS)**,	
die Volkshochschulen	1/0
die **Volksmusik**	7/5.1b
die **Volksmusiksendung**,	
die Volksmusiksendungen	7/5.1b
völlig	Start 2.2a
die **Vollzeit**	9/2.1a
vor allem	1/0
vorbeifahren (an etw.),	
ich fahre an etw. vorbei,	
ich bin an etw. vorbeigefahren	3/4.2
vorbeilaufen (an etw.),	
er läuft an etw. vorbei,	
er ist an etw. vorbeigelaufen	5/2.1b
vorbereiten (sich),	
er bereitet sich vor,	
er hat sich vorbereitet	11/2.5a
das **Vorbild**, die Vorbilder	12/1.2
vorhaben (etw.), er hat etwas vor,	
er hatte etwas vor	3/4.4
vorher	6/2.4a
vorkommen, es kommt vor,	
es ist vorgekommen	8/1.3a
vorlesen, er liest vor,	
er hat vorgelesen	11/3.1a
die **Vorliebe**, *die Vorlieben*	6/4.5c
vorsichtig	10/Ü13a
vorstellen (sich etw.),	
er stellt sich etw. vor,	
er hat sich etw. vorgestellt	4/4.1b
vorstellen, er stellt vor,	
er hat vorgestellt	4/2.1a
der **Vorteil**, die Vorteile	1/3.3
der **Vortrag**, die Vorträge	8/3.3a

W

wachsen, er wächst,	
er ist gewachsen	9/3.4
wahr	10/2.4c
wahrscheinlich	10/1.2a
wandern, er wandert,	
er ist gewandert	4/1.1
die **Ware**, die Waren	9/Ü5a
warum	1/2.5
das **Waschzeug**	7/4.1a
wechseln, er wechselt,	
er hat gewechselt	6/4.6a
die **Weckfunktion**,	
die Weckfunktionen	5/2.4a
weg (sein), er ist weg,	
er war weg	2/4.1a
der **Weg (sich auf den Weg machen)**,	
er macht sich auf den Weg,	
er hat sich auf den Weg gemacht	11/2.1b
wegen	Start 2.3a
weich	10/2.4c
Weihnachten	10/1
der **Weihnachtsmann**,	
die Weihnachtsmänner	10/2.1a
das **Weihnachtssymbol**,	
die Weihnachtssymbole	10/1.2a
weil	1/0
weinen, er weint, er hat geweint	11/0
das **Weinfest**, die Weinfeste	10/2.1a
weise	3/4.3a
die **Weise**, die Weisen	11/2.1b
weitergehen, es geht weiter,	
es ist weitergegangen	2/4.4a
weiterleben, er lebt weiter,	
er hat weitergelebt	11/2.1b
weiterleiten (etw.), er leitet etw. weiter,	
er hat etw. weitergeleitet	5/4.3b
weiterlernen, er lernt weiter,	
er hat weitergelernt	1/0
weltberühmt	8/3.3c
der/die **Weltmeister/in**,	
die Weltmeister/innen	Start 3.3
der **Welt-Rekord**, die Welt-Rekorde	1/4.2
die **Weltspitze**	12/2.1b
die **Weltsprache**, die Weltsprachen	1/4
wenige	9/Ü9
werden, er wird, er wurde	5/2.4a
das **Werk**, die Werke	8/2.1a
wertvoll	5/5.5
der **Wettbewerb**, die Wettbewerbe	1/4.3
widmen, er widmet,	
er hat gewidmet	11/2.1b

wiegen, er wiegt, er hat gewogen   1/4.2
das Wiener Schnitzel   6/2.4a
wieso   4/4.1b
der Winter, die Winter   1/0
das Wissen   10/1.2a
die Wissenschaft, die Wissenschaften   9/0
Witziges (etwas Witziges)   10/2.4c
wohin   6/0
wohl   12/4.1
wohlfühlen (sich),
er fühlt sich wohl,
er hat sich wohlgefühlt   2/3.1b
die Wohnfläche (Wfl.),
die Wohnflächen   7/3.1
das Wohnhaus, die Wohnhäuser   8/2.1a
der Wohnort, die Wohnorte   7/1.2a
die Wohnungsanzeige,
die Wohnungsanzeigen   Start 2.3b
die Wohnungsbesichtigung,
die Wohnungsbesichtigungen   Start 2.3b
womit   2/4.2a
woraus   12/3.4a
der Workshop, die Workshops   11/3.1a
wovon   4/4.2
wozu   12/2
die Wunde, die Wunden   7/4.2a
das Wunder, die Wunder
(hier: kein Wunder!)   6/4.5a
wundern (sich über),
er wundert sich,
er hat sich gewundert   11/0
der Wunsch, die Wünsche   1/4.3a
die Wurstplatte, die Wurstplatten   6/2.5
die Wut   11/0
wütend   4/4.1a

Z

zahlreich   7/1.2a
der Zahn, die Zähne   12/2.5c
die Zahnbürste, die Zahnbürsten   3/0
die Zahnpasta   12/1
die Zeitung, die Zeitungen   5/0
die Zentrale, die Zentralen   12/3.4a
ziehen (zu jmdm.), er zieht zu ihr,
er ist zu ihr gezogen   1/0
der Zimt   12/3.4a
der Zirkus, die Zirkusse   8/0
zueinanderfinden,
sie finden zueinander,
sie haben zueinandergefunden   11/2.1b

zuerst   8/2.2c
zufrieden   7/1.2a
zugleich   1/4.3a
zuhören, er hört zu,
er hat zugehört   9/4.2
die Zukunft   9/0
die Zukunftsfragen (Pl.)   4/2.1
zumachen, er macht zu,
er hat zugemacht   9/4.3
zurechtfinden (sich),
er findet sich zurecht,
er hat sich zurechtgefunden   11/2.1b
zurechtkommen,
er kommt zurecht,
er ist zurechtgekommen   11/3.5a
zurück   3/2.1b
zurückgehen, er geht zurück,
er ist zurückgegangen   1/0
zurückkommen,
er kommt zurück,
er ist zurückgekommen   2/4.1a
zurückrufen, er ruft zurück,
er hat zurückgerufen   9/4.1
zusammenhalten,
sie halten zusammen,
sie haben zusammengehalten   7/5.2a
zusammenpassen,
sie passen zusammen,
sie haben zusammengepasst   2/3.1b
zusammenschlagen,
er schlägt zusammen,
er hat zusammengeschlagen   10/5.1a
der Zweck, die Zwecke   12/2.5
der Zweifel, die Zweifel   11/3.1a
zweitgrößte   10/1.2a
der Zwilling, die Zwillinge   2/0

Allgemeiner Hinweis zu den in diesem Lehrwerk abgebildeten Personen:

Soweit in diesem Buch Personen fotografisch abgebildet sind und ihnen von der Redaktion fiktive Namen, Berufe, Dialoge und ähnliches zugeordnet oder diese Personen in bestimmte Kontexte gesetzt werden, dienen diese Zuordnungen und Darstellungen ausschließlich der Veranschaulichung und dem besseren Verständnis des Buchinhalts.

Bildquellenverzeichnis

Textquellen: